연마수학
탄탄한 기본기 체계적 연마

KB085234

참 쉬운 3점

시험에 잘 나오는 기출 유형 체계적 공략
[ 2+**3**점짜리 ] 미적분

# 참 쉬운 3점 수학

**특징** 이 책은 쉬운 유형의 문제로 기본기를 탄탄하게 다지고  문제 해결 능력을 강화하여 수능 및 학교 시험의 쉬운 문제를 완벽하게 해결할 수 있습니다.

### 쉬운 기출 유형과 개념 이해로 탄탄한 기본기 강화

- 교과서 핵심 개념 및 기본 공식, 이전에 배운 내용, 핵심 첨삭 등의 부가 설명으로 기초가 부족해도 쉽게 유형을 정복할 수 있습니다.
- 쉬운 기출 유형과 맞춤 해법으로 개념을 확실하게 익힐 수 있습니다.

### 단계별 Action 전략으로 문제 해결의 원리와 스킬 터득

- 기출 유형의 체계적 정복을 위한 단계적 Action 전략 제시로 2, 3점짜리 문제를 완벽하게 공략합니다.
- 문제 해결의 원리 터득으로 기본기를 강화합니다.

### 최신 출제 경향에 딱 맞춘 적중 예상 문제로 실전 능력 강화

- 최신 출제 경향에 따른 빈출 문제, 신유형 문제에 대한 실전 능력을 키울 수 있습니다.
- 문제 해결의 원리 터득으로 기본기를 강화합니다.

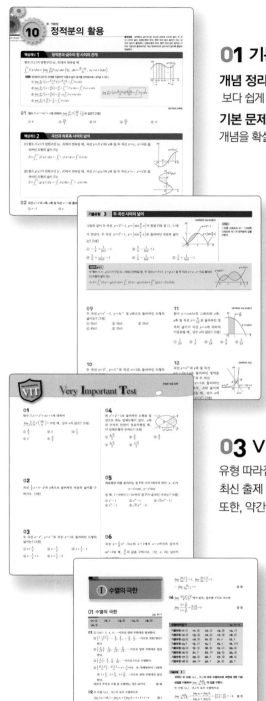

# 참 쉬운 3점 수학 구성

## 01 기본 학습

**개념 정리** 문제 해결에 필요한 필수 개념, 이전에 배운 내용, 개념 이해를 돕는 첨삭을 통해 보다 쉽게 개념을 이해할 수 있도록 하였습니다.

**기본 문제** 개념과 공식을 곧바로 적용해 볼 수 있는 2점짜리 기출문제를 다루어 개념을 확실하게 익힐 수 있도록 하였습니다.

## 02 유형 따라잡기

수능 및 학력평가에 출제되었던 3점짜리 문제의 핵심 유형을 선정하고, 해당 유형 해결책을 알려 주는 '해결의 실마리'를 제시하였습니다. 또한, 문제 해결 과정에서 적용해야 할 Action 전략을 제시하여, 문제 풀이의 맥락을 쉽게 알 수 있도록 하였습니다.

## 03 Very Important Test

유형 따라잡기에서 다루었던 기출문제를 토대로, 최신 출제 경향에 맞추어 출제가 예상되는 문제를 중심으로 출제하였습니다. 또한, 약간 다른 형태의 문제도 제시함으로써 실전 적응력을 기를 수 있도록 하였습니다.

## 04 정답과 해설

풀이를 보고도 이해를 하지 못하는 경우가 없도록 자세히 풀이하였습니다. 알찬 해설이 되도록 문제 해결 과정에서 풀이의 맥락을 알려주는 Action 전략, 특별히 보충해야 할 공식과 설명, 수식 계산의 팁 등으로 구성하였습니다.

# 참 쉬운 3점 수학

**이 책은** 쉬운 유형의 문제로 기본기를 탄탄하게 다지고
문제해결 능력을 강화하여 수능 및 학교 시험의
쉬운 문제를 완벽하게 해결할 수 있습니다.

# 학습방법

## 필수 개념 익히기

필수 개념, 이전에 배운 내용, 첨삭의 내용을 이해하고 2점짜리 기출 기본 문제를 풀어
개념을 확실히 익힙니다.

## 기출 유형별 Action 전략 마스터하기

기출 유형으로 제시된 3점짜리 기출 문제와 함께 '해결의 실마리'를 보고 어떻게 문제를 풀 것인지
생각한 후, 단계별 Action 전략을 따라서 풉니다. 동일한 유형의 문제를 통해 앞서 익힌 풀이 전략을
집중 연습하여 문제 해결의 원리를 확실하게 마스터합니다.

## 최신 출제 경향 문제로 실력 다지기

실전과 같이 해답을 보지 말고 앞에서 익힌 문제 해결의 원리를 적용하여 풀어 봅니다.
틀린 부분이 있다면 유형 따라잡기의 '해결의 실마리' 부분을 다시 한번 복습합니다.

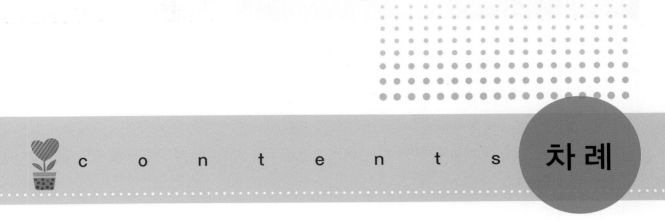

c o n t e n t s **차 례**

# 01 수열의 극한

출제경향 기본적인 개념만 알면 풀 수 있는 $\frac{\infty}{\infty}$ 꼴의 극한, 등비수열의 극한은 매년 빠지지 않고 출제되며, 일반항 $a_n$을 포함한 식의 극한, 수열의 극한의 대소를 이용한 극한 문제도 출제된다. 출제 패턴이 정해져 있으므로 실수하지 않고 풀 수 있어야 한다.

## 핵심개념 1    수열의 수렴과 발산

### (1) 수열의 수렴

수열 $\{a_n\}$에서 $n$의 값이 한없이 커질 때, 일반항 $a_n$의 값이 어떤 실수 $\alpha$에 한없이 가까워지면 수열 $\{a_n\}$은 $\alpha$에 수렴한다고 한다. 이때 $\alpha$를 수열 $\{a_n\}$의 극한값 또는 극한이라고 하며, 이것을 기호로 $\lim\limits_{n\to\infty} a_n = \alpha$ 또는 $n\to\infty$ 일 때 $a_n \to \alpha$와 같이 나타낸다.

수열 $\{a_n\}$에서 모든 자연수 $n$에 대하여 $a_n = c$ ($c$는 상수)인 경우, 수열 $a_n$은 $c$에 수렴한다고 하며, $\lim\limits_{n\to\infty} a_n = \lim\limits_{n\to\infty} c = c$와 같이 나타낸다.

### (2) 수열의 발산

수열 $\{a_n\}$이 수렴하지 않을 때, 수열 $\{a_n\}$은 발산한다고 한다.

① 양의 무한대로 발산 : $\lim\limits_{n\to\infty} a_n = \infty$ 또는 $n\to\infty$일 때 $a_n \to \infty$

② 음의 무한대로 발산 : $\lim\limits_{n\to\infty} a_n = -\infty$ 또는 $n\to\infty$일 때 $a_n \to -\infty$

③ 진동 : 수열이 수렴하지도 않고, 양의 무한대 또는 음의 무한대로 발산하지도 않는 경우

**01** 다음 수열 중 수렴하는 것은? [2점]

① $\{2n\}$      ② $\left\{\dfrac{(-1)^n}{3}\right\}$      ③ $\left\{\dfrac{n}{\sqrt{2}}\right\}$      ④ $\left\{\dfrac{1}{n^3}\right\}$      ⑤ $\left\{\dfrac{n^2+1}{n}\right\}$

## 핵심개념 2    수열의 극한에 대한 기본 성질

두 수열 $\{a_n\}$, $\{b_n\}$이 각각 수렴하고 $\lim\limits_{n\to\infty} a_n = \alpha$, $\lim\limits_{n\to\infty} b_n = \beta$일 때,

(1) $\lim\limits_{n\to\infty} ca_n = c \lim\limits_{n\to\infty} a_n = c\alpha$ (단, $c$는 상수)

(2) $\lim\limits_{n\to\infty} (a_n + b_n) = \lim\limits_{n\to\infty} a_n + \lim\limits_{n\to\infty} b_n = \alpha + \beta$

(3) $\lim\limits_{n\to\infty} (a_n - b_n) = \lim\limits_{n\to\infty} a_n - \lim\limits_{n\to\infty} b_n = \alpha - \beta$

(4) $\lim\limits_{n\to\infty} a_n b_n = \lim\limits_{n\to\infty} a_n \times \lim\limits_{n\to\infty} b_n = \alpha\beta$

(5) $\lim\limits_{n\to\infty} \dfrac{a_n}{b_n} = \dfrac{\lim\limits_{n\to\infty} a_n}{\lim\limits_{n\to\infty} b_n} = \dfrac{\alpha}{\beta}$ (단, $b_n \neq 0$, $\beta \neq 0$)

[2018학년도 교육청]

**02** 두 수열 $\{a_n\}$, $\{b_n\}$에 대하여 $\lim\limits_{n\to\infty} a_n = 2$, $\lim\limits_{n\to\infty} b_n = 1$일 때, $\lim\limits_{n\to\infty} (a_n + 2b_n)$의 값을 구하시오. [3점]

## 핵심개념 **3**　수열의 극한값의 계산

(1) $\dfrac{\infty}{\infty}$ 꼴의 극한

분모의 최고차항으로 분모, 분자를 각각 나눈다.

① (분자의 차수)＞(분모의 차수)일 때 ⇨ $\infty$로 발산한다.

② (분자의 차수)＝(분모의 차수)일 때 ⇨ 최고차항의 계수의 비에 수렴한다.

③ (분자의 차수)＜(분모의 차수)일 때 ⇨ 0에 수렴한다.

(2) $\infty - \infty$ 꼴의 극한

① 무리식이면 분모 또는 분자를 유리화한다.　　　② 다항식이면 최고차항으로 묶는다.

[2019학년도 수능]

**03** $\displaystyle\lim_{n\to\infty}\dfrac{6n^2-3}{2n^2+5n}$ 의 값은? [2점]

① 5　　　② 4　　　③ 3　　　④ 2　　　⑤ 1

[2011학년도 교육청]

**04** $\displaystyle\lim_{n\to\infty}\dfrac{4}{\sqrt{n^2+2n+3}-n}$ 의 값은? [2점]

① 1　　　② 2　　　③ 3　　　④ 4　　　⑤ 5

## 핵심개념 **4**　수열의 극한의 대소 관계

두 수열 $\{a_n\}$, $\{b_n\}$이 각각 수렴하고 $\displaystyle\lim_{n\to\infty}a_n=\alpha$, $\displaystyle\lim_{n\to\infty}b_n=\beta$일 때,

(1) 모든 자연수 $n$에 대하여 $a_n\le b_n$이면 $\alpha\le\beta$이다.

(2) 수열 $\{c_n\}$이 모든 자연수 $n$에 대하여 $a_n\le c_n\le b_n$이고 $\alpha=\beta$이면 $\displaystyle\lim_{n\to\infty}c_n=\alpha$이다.

[2013학년도 교육청]

**05** 수열 $\{a_n\}$이 모든 자연수 $n$에 대하여 $2n+1<a_n<2n+3$을 만족시킬 때, $\displaystyle\lim_{n\to\infty}\dfrac{a_n}{2n-1}$의 값은? [2점]

① $-2$　　　② $-1$　　　③ 0　　　④ 1　　　⑤ 2

## 핵심개념 **5**　등비수열의 수렴과 발산

(1) $r>1$일 때, $\displaystyle\lim_{n\to\infty}r^n=\infty$ (발산)　　　(2) $r=1$일 때, $\displaystyle\lim_{n\to\infty}r^n=1$ (수렴)

(3) $-1<r<1$일 때, $\displaystyle\lim_{n\to\infty}r^n=0$ (수렴)　　　(4) $r\le-1$일 때, 수열 $\{r^n\}$은 진동한다. (발산)

[2019학년도 수능 모의평가]

**06** $\displaystyle\lim_{n\to\infty}\dfrac{3\times4^n+2^n}{4^n+3}$ 의 값은? [2점]

① 1　　　② 2　　　③ 3　　　④ 4　　　⑤ 5

**기출유형 01** **수열의 극한에 대한 기본 성질**

두 수열 $\{a_n\}$, $\{b_n\}$에 대하여 $\lim\limits_{n \to \infty} a_n = 3$, $\lim\limits_{n \to \infty} b_n = -2$일 때, $\lim\limits_{n \to \infty} \dfrac{a_n b_n}{a_n + b_n}$의 값은? [3점]

① $-6$ ② $-5$ ③ $-4$ ④ $-3$ ⑤ $-2$

**Act ❶**
두 수열 $\{a_n\}$, $\{b_n\}$이 모두 수렴하므로 극한에 대한 기본 성질을 이용하여 $\lim\limits_{n \to a} \dfrac{a_n b_n}{a_n + b_n}$의 값을 구한다.

**해결의 실마리**

두 수열 $\{a_n\}$, $\{b_n\}$이 각각 수렴하고 $\lim\limits_{n \to \infty} a_n = \alpha$, $\lim\limits_{n \to \infty} b_n = \beta$일 때,

(1) $\lim\limits_{n \to \infty} c a_n = c \lim\limits_{n \to \infty} a_n = c\alpha$ (단, $c$는 상수)

(2) $\lim\limits_{n \to \infty} (a_n + b_n) = \lim\limits_{n \to \infty} a_n + \lim\limits_{n \to \infty} b_n = \alpha + \beta$

(3) $\lim\limits_{n \to \infty} (a_n - b_n) = \lim\limits_{n \to \infty} a_n - \lim\limits_{n \to \infty} b_n = \alpha - \beta$

(4) $\lim\limits_{n \to \infty} a_n b_n = \lim\limits_{n \to \infty} a_n \times \lim\limits_{n \to \infty} b_n = \alpha\beta$

(5) $\lim\limits_{n \to \infty} \dfrac{a_n}{b_n} = \dfrac{\lim\limits_{n \to \infty} a_n}{\lim\limits_{n \to \infty} b_n} = \dfrac{\alpha}{\beta}$ (단, $b_n \neq 0$, $\beta \neq 0$)

**01**

[2015학년도 교육청]

두 수열 $\{a_n\}$, $\{b_n\}$에 대하여 $\lim\limits_{n \to \infty} a_n = 5$,

$\lim\limits_{n \to \infty} (b_n - 4) = 0$이 성립할 때, $\lim\limits_{n \to \infty} a_n b_n$의 값은? [3점]

① 16 ② 17 ③ 18
④ 19 ⑤ 20

**03**

[2014학년도 교육청]

수렴하는 수열 $\{a_n\}$에 대하여 $\lim\limits_{n \to \infty} \dfrac{4a_n + 3}{2 - a_n} = 2$일 때, $\lim\limits_{n \to \infty} a_n$의 값은? [3점]

① $\dfrac{1}{8}$ ② $\dfrac{1}{7}$ ③ $\dfrac{1}{6}$
④ $\dfrac{1}{5}$ ⑤ $\dfrac{1}{4}$

**02**

[2016학년도 교육청]

두 수열 $\{a_n\}$, $\{b_n\}$에 대하여

$$\lim\limits_{n \to \infty} a_n = 2, \quad \lim\limits_{n \to \infty} (3a_n - b_n) = 4$$

일 때, $\lim\limits_{n \to \infty} b_n$의 값은? [3점]

① 2 ② 4 ③ 6
④ 8 ⑤ 10

**04**

수렴하는 두 수열 $\{a_n\}$, $\{b_n\}$에 대하여

$$\lim\limits_{n \to \infty} (a_n + b_n) = 2, \quad \lim\limits_{n \to \infty} a_n b_n = -4$$

일 때, $\lim\limits_{n \to \infty} (a_n^2 + b_n^2)$의 값을 구하시오. [3점]

## 기출유형 **02** $\frac{\infty}{\infty}$ 꼴의 극한

[2019학년도 수능 모의평가]

$\lim\limits_{n\to\infty}\dfrac{3n^2+n+1}{2n^2+1}$ 의 값은? [2점]

① $\dfrac{1}{2}$      ② $1$      ③ $\dfrac{3}{2}$      ④ $2$      ⑤ $\dfrac{5}{2}$

**Act ❶**

$\frac{\infty}{\infty}$ 꼴의 극한은 분모의 최고차 항으로 분자를 나누어 그 극한값을 구한다.

---

**해결의 실마리**

$\dfrac{\infty}{\infty}$ 꼴의 극한 ⇨ 분모의 최고차항으로 분모, 분자를 각각 나눈다.

① (분자의 차수) > (분모의 차수)일 때 ⇨ ∞로 발산한다.

② (분자의 차수) = (분모의 차수)일 때 ⇨ 최고차항의 계수의 비에 수렴한다.

③ (분자의 차수) < (분모의 차수)일 때 ⇨ 0에 수렴한다.

---

## 05

[2017학년도 수능 모의평가]

$\lim\limits_{n\to\infty}\dfrac{7n^2-n}{2n^2+3}$ 의 값은? [2점]

① $\dfrac{5}{2}$      ② $3$      ③ $\dfrac{7}{2}$

④ $4$      ⑤ $\dfrac{9}{2}$

## 07

[2016학년도 교육청]

$\lim\limits_{n\to\infty}\dfrac{\sqrt{4n^2+4n+3}}{n}$ 의 값은? [2점]

① $\sqrt{2}$      ② $2$      ③ $2\sqrt{2}$

④ $4$      ⑤ $4\sqrt{2}$

## 06

[2015학년도 수능]

$\lim\limits_{n\to\infty}\dfrac{4n^2+6}{n^2+3n}$ 의 값은? [2점]

① $1$      ② $2$      ③ $3$

④ $4$      ⑤ $5$

## 08

[2015학년도 교육청]

$\lim\limits_{n\to\infty}\dfrac{8n-1}{\sqrt{n^2+1}}$ 의 값은? [2점]

① $7$      ② $8$      ③ $9$

④ $10$      ⑤ $11$

[2018학년도 수능]

$\lim\limits_{n \to \infty} (\sqrt{n^2+4n+1}-n)$의 값은? [3점]

① $\dfrac{1}{3}$     ② $\dfrac{1}{2}$     ③ $1$     ④ $2$     ⑤ $3$

**Act ①**
∞ − ∞ 꼴의 극한은 무리식이면 분모 또는 분자를 유리화한다.

**해결의 실마리**

∞ − ∞ 꼴의 극한

(1) 무리식이면 ⇨ 분모 또는 분자를 유리화한다.

(2) 다항식이면 ⇨ 최고차항으로 묶는다.

---

**09**      [2005학년도 수능]

$\lim\limits_{n \to \infty} (\sqrt{n^2+6n+4}-n)$의 값은? [3점]

① $\dfrac{1}{3}$     ② $\dfrac{1}{2}$     ③ $1$

④ $2$     ⑤ $3$

**11**      [2017학년도 교육청]

$\lim\limits_{n \to \infty} (\sqrt{n^2+8n+10}-n)$의 값을 구하시오. [3점]

**10**

$\lim\limits_{n \to \infty} (2n-\sqrt{4n^2-3n})$의 값은? [3점]

① $\dfrac{1}{2}$     ② $\dfrac{2}{3}$     ③ $\dfrac{3}{4}$

④ $\dfrac{4}{5}$     ⑤ $\dfrac{5}{6}$

**12**      [2016학년도 수능 모의평가]

자연수 $n$에 대하여 $x$에 대한 이차방정식

$$x^2+2nx-4n=0$$

의 양의 실근을 $a_n$이라 하자.

$\lim\limits_{n \to \infty} a_n$의 값을 구하시오. [3점]

## 기출유형 04  $\frac{\infty}{\infty}$, $\infty-\infty$ 꼴의 미정계수의 결정

두 상수 $a$, $b$에 대하여 $\displaystyle\lim_{n\to\infty}\frac{an^2+bn+1}{3n+2}=2$일 때, $a+b$의 값을 구하시오. [3점]

**Act ①**
$\frac{\infty}{\infty}$ 꼴의 극한값이 0이 아닌 실수이면 분자, 분모의 차수가 같음을 이용한다.

**해결의 실마리**

$\displaystyle\lim_{n\to\infty}a_n=\infty$, $\displaystyle\lim_{n\to\infty}b_n=\infty$일 때

(1) $\displaystyle\lim_{n\to\infty}\frac{a_n}{b_n}=\alpha$ ($\alpha\ne0$인 실수)이면 ⇨ ($a_n$의 차수)=($b_n$의 차수)이고 최고차항의 계수의 비가 $\alpha$이다.

(2) $\displaystyle\lim_{n\to\infty}\{\sqrt{a_n}-\sqrt{b_n}\}=\alpha$ ($\alpha\ne0$인 실수)이면 ⇨ 무리식을 유리화한다.

**참고** (1)에서 $\displaystyle\lim_{n\to\infty}\frac{a_n}{b_n}=0$이면 ⇨ ($a_n$의 차수)<($b_n$의 차수), $\displaystyle\lim_{n\to\infty}\frac{a_n}{b_n}=\infty$이면 ⇨ ($a_n$의 차수)>($b_n$의 차수)

## 13
[2013학년도 수능 모의평가]

두 상수 $a$, $b$에 대하여 $\displaystyle\lim_{n\to\infty}\frac{an^2+bn+7}{3n+1}=4$일 때, $a+b$의 값을 구하시오. [3점]

## 15
[2014학년도 교육청]

실수 $a$에 대하여 $\displaystyle\lim_{n\to\infty}(\sqrt{n^2+an}-n+2a)=10$일 때, $a$의 값을 구하시오. [3점]

## 14

두 상수 $a$, $b$에 대하여 $\displaystyle\lim_{n\to\infty}\frac{an^3+bn^2+3}{(n-1)^2}=2$일 때, $a+b$의 값을 구하시오. [3점]

## 16
[2016학년도 수능 모의평가]

양수 $a$와 실수 $b$에 대하여 $\displaystyle\lim_{n\to\infty}(\sqrt{an^2+4n}-bn)=\frac{1}{5}$일 때, $a+b$의 값을 구하시오. [4점]

[2013학년도 교육청]

수열 $\{a_n\}$에 대하여 $\lim\limits_{n\to\infty}\dfrac{a_n}{n+1}=3$일 때, $\lim\limits_{n\to\infty}\dfrac{(2n+1)a_n}{3n^2}$의 값은? [3점]

① 1  ② 2  ③ 3  ④ 4  ⑤ 5

**Act ❶**
수렴하는 수열의 극한의 기본 성질을 이용할 수 있도록 식을 변형한다.

**해결의 실마리**

수렴 여부를 알 수 없는 일반항 $a_n$을 포함한 식 $a_n f(n)$의 극한값을 구하는 문제는 먼저 극한의 기본 성질을 적용할 수 있도록 식을 변형한다.

예를 들어 $\lim\limits_{n\to\infty}\dfrac{2a_n+1}{3a_n+2}=\alpha$ ($\alpha$는 실수)일 때, $\dfrac{2a_n+1}{3a_n+2}=b_n$으로 놓고 극한을 구하고자 하는 식 $a_n f(n)$의 $a_n$을 $b_n$으로 나타내어 $\lim\limits_{n\to\infty}b_n=\alpha$임을 이용한다

## 17

[2018학년도 교육청]

모든 항이 양수인 수열 $\{a_n\}$에 대하여 $\lim\limits_{n\to\infty}\dfrac{1}{a_n}=0$일 때,

$\lim\limits_{n\to\infty}\dfrac{-2a_n+1}{a_n+3}$의 값은? [3점]

① $-2$  ② $-1$  ③ $0$

④ $1$  ⑤ $2$

## 19

[2017학년도 교육청]

두 수열 $\{a_n\}$, $\{b_n\}$이 $\lim\limits_{n\to\infty}(a_n-1)=2$, $\lim\limits_{n\to\infty}(a_n+2b_n)=9$

를 만족시킬 때, $\lim\limits_{n\to\infty}a_n(1+b_n)$의 값을 구하시오. [3점]

## 18

$\lim\limits_{n\to\infty}(3n-1)a_n=2$일 때, $\lim\limits_{n\to\infty}(n+1)a_n$의 값은? [3점]

① $\dfrac{4}{5}$  ② $\dfrac{3}{4}$  ③ $\dfrac{2}{3}$

④ $\dfrac{1}{2}$  ⑤ $1$

## 20

[2017학년도 교육청]

두 수열 $\{a_n\}$, $\{b_n\}$이 $\lim\limits_{n\to\infty}\dfrac{a_n}{3n}=2$, $\lim\limits_{n\to\infty}\dfrac{2n+3}{b_n}=6$을 만족

시킬 때, $\lim\limits_{n\to\infty}\dfrac{a_n}{b_n}$의 값은? (단, $b_n\neq0$) [3점]

① $10$  ② $12$  ③ $14$

④ $16$  ⑤ $18$

## 기출유형 06 수열의 극한의 대소 관계

수열 $\{a_n\}$이 모든 자연수 $n$에 대하여 부등식

$$4n^2+2<(2n-1)a_n<4n^2+3$$

을 만족시킬 때, $\displaystyle\lim_{n\to\infty}\frac{a_n}{2n+1}$의 값은? [3점]

① $\dfrac{1}{2}$      ② $1$      ③ $\dfrac{3}{2}$      ④ $2$      ⑤ $\dfrac{5}{2}$

**Act ❶**

$a_n\leq c_n\leq b_n$이고

$\displaystyle\lim_{n\to\infty}a_n=\lim_{n\to\infty}b_n=\alpha$ ($\alpha$는 실수)이면 $\displaystyle\lim_{n\to\infty}c_n=\alpha$임을 이용한다.

**해결의 실마리**

모든 자연수 $n$에 대하여 $a_n\leq c_n\leq b_n$이고 $\displaystyle\lim_{n\to\infty}a_n=\lim_{n\to\infty}b_n=\alpha$ ($\alpha$는 실수)이면 $\Rightarrow \displaystyle\lim_{n\to\infty}c_n=\alpha$

---

## 21
[2018학년도 교육청]

수열 $\{a_n\}$이 모든 자연수 $n$에 대하여 부등식

$$\frac{10}{2n^2+3n}<a_n<\frac{10}{2n^2+n}$$

을 만족시킬 때, $\displaystyle\lim_{n\to\infty}n^2a_n$의 값을 구하시오. [3점]

## 23
[2016학년도 교육청]

두 수열 $\{a_n\}$, $\{b_n\}$이 다음 조건을 만족시킨다.

> (가) $\displaystyle\lim_{n\to\infty}na_n=\frac{1}{2}$
>
> (나) 모든 자연수 $n$에 대하여 $3-\dfrac{1}{n}<a_nb_n<3+\dfrac{1}{n}$이다.

$\displaystyle\lim_{n\to\infty}\frac{b_n}{n}$의 값은? [3점]

① $3$      ② $4$      ③ $5$

④ $6$      ⑤ $7$

## 22
[2014학년도 수능 모의평가]

수열 $\{a_n\}$이 모든 자연수 $n$에 대하여 부등식

$$3n^2+2n<a_n<3n^2+3n$$

을 만족시킬 때, $\displaystyle\lim_{n\to\infty}\frac{5a_n}{n^2+2n}$의 값을 구하시오. [3점]

## 24
[2014학년도 교육청]

모든 항이 양수인 수열 $\{a_n\}$이 모든 자연수 $n$에 대하여

$$1+2\log_3 n<\log_3 a_n<1+2\log_3(n+1)$$

을 만족시킬 때, $\displaystyle\lim_{n\to\infty}\frac{a_n}{n^2}$의 값은? [3점]

① $1$      ② $2$      ③ $3$

④ $4$      ⑤ $5$

[2018학년도 수능]

$\lim\limits_{n\to\infty} \dfrac{5^n-3}{5^{n+1}}$ 의 값은? [2점]

① $\dfrac{1}{5}$　　　② $\dfrac{1}{4}$　　　③ $\dfrac{1}{3}$　　　④ $\dfrac{1}{2}$　　　⑤ $1$

**Act ❶**

$\lim\limits_{n\to\infty} \dfrac{c^n+d^n}{a^n+b^n}$ 꼴의 극한은 분모에서 밑의 절댓값이 가장 큰 항으로 분모, 분자를 각각 나눈다.

**해결의 실마리**

(1) $\lim\limits_{n\to\infty} \dfrac{c^n+d^n}{a^n+b^n}$ 꼴의 극한 ⇨ 분모에서 밑의 절댓값이 가장 큰 항으로 분모, 분자를 각각 나눈다.

(2) $\lim\limits_{n\to\infty} (a^n-b^n)$ 꼴의 극한 ⇨ 밑이 가장 큰 항으로 묶는다.

## 25

[2018학년도 수능 모의평가]

$\lim\limits_{n\to\infty} \dfrac{4\times 3^{n+1}+1}{3^n}$ 의 값은? [3점]

① 8　　　② 9　　　③ 10
④ 11　　　⑤ 12

## 27

[2018학년도 수능 모의평가]

$\lim\limits_{n\to\infty} \dfrac{8^{n+1}-4^n}{8^n+3}$ 의 값은? [2점]

① 6　　　② 8　　　③ 10
④ 12　　　⑤ 14

## 26

[2016학년도 수능]

$\lim\limits_{n\to\infty} \dfrac{3\times 9^n-13}{9^n}$ 의 값을 구하시오. [3점]

## 28

[2012학년도 수능]

$\lim\limits_{n\to\infty} \dfrac{5^{n+1}+2}{5^n+3^n}$ 의 값은? [2점]

① 2　　　② 3　　　③ 4
④ 5　　　⑤ 6

## 기출유형 **08** 등비수열의 수렴 조건

[2013학년도 교육청]

수열 $\left\{\left(\dfrac{2x-1}{5}\right)^n\right\}$ 이 수렴하도록 하는 모든 정수 $x$의 값의 합은? [3점]

**Act ❶**
등비수열 $\{r^n\}$ 의 수렴 조건은
$-1<r\leq1$임을 이용한다.

① 1　　　② 2　　　③ 3　　　④ 4　　　⑤ 5

**해결의 실마리**

(1) 등비수열 $\{r^n\}$의 수렴 조건 ⇨ $-1<r\leq1$

(2) 등비수열 $\{ar^{n-1}\}$의 수렴 조건 ⇨ $a=0$ 또는 $-1<r\leq1$

## 29

[2013학년도 교육청]

등비수열 $\left\{\left(\dfrac{2x-3}{5}\right)^n\right\}$ 이 수렴하도록 하는 모든 정수 $x$의 합을 구하시오. [3점]

## 31

수열 $(x+1)$, $(x+1)(2-x)$, $(x+1)(2-x)^2$, $(x+1)(2-x)^3$, $\cdots$이 수렴하도록 하는 모든 정수 $x$의 합은? [3점]

① $-2$　　　② $-1$　　　③ $0$

④ $1$　　　⑤ $2$

## 30

등비수열 $\left\{\left(\dfrac{x^2-x}{2}\right)^n\right\}$ 이 수렴하도록 하는 모든 정수 $x$의 합을 구하시오. [3점]

## 32

수열 $\left\{\dfrac{x(x-2)^n}{2^{n-1}}\right\}$ 이 수렴하도록 하는 모든 정수 $x$의 개수를 구하시오. [3점]

## 01

다음 [보기]에서 발산하는 수열만을 있는 대로 고른 것은? [3점]

┤보기├

ㄱ. $\{3n-1\}$      ㄴ. $\left\{\dfrac{1}{n+3}\right\}$

ㄷ. $\{(-2)^n\}$      ㄹ. $\left\{1+\dfrac{1}{3^n}\right\}$

① ㄱ      ② ㄱ, ㄴ      ③ ㄱ, ㄷ
④ ㄴ, ㄷ      ⑤ ㄱ, ㄴ, ㄷ

## 02

$\displaystyle\lim_{n\to\infty}\dfrac{1+2+\cdots+(n-1)+n}{1+3+5+\cdots+(2n-1)}$ 의 값은? [3점]

① $\dfrac{1}{6}$      ② $\dfrac{1}{3}$      ③ $\dfrac{1}{2}$
④ $\dfrac{4}{3}$      ⑤ $\dfrac{2}{3}$

## 03

$\displaystyle\lim_{n\to\infty}(\sqrt{n^2+4n-3}-n)$ 의 값을 구하시오. [3점]

## 04

$\displaystyle\lim_{n\to\infty}\{\log_2\sqrt{n^2+3}-\log_4(4n^2-3n)\}$ 의 값은? [3점]

① $-2$      ② $-1$      ③ $0$
④ $1$      ⑤ $2$

## 05

두 상수 $a$, $b$에 대하여 $\displaystyle\lim_{n\to\infty}\dfrac{bn+1}{an^2+4n+3}=3$일 때, $a+b$ 의 값을 구하시오. [3점]

## 06

수열 $\{a_n\}$이 $\displaystyle\lim_{n\to\infty}na_n=3$을 만족시킬 때,
$\displaystyle\lim_{n\to\infty}\dfrac{3n^2-2n+1}{n^3a_n+2n^2}$ 의 값은? [3점]

① $\dfrac{1}{2}$      ② $\dfrac{3}{5}$      ③ $\dfrac{2}{3}$
④ $\dfrac{5}{7}$      ⑤ $\dfrac{3}{4}$

## 07

수렴하는 두 수열 $\{a_n\}$, $\{b_n\}$에 대하여

$$\lim_{n \to \infty} a_n = 2, \quad \lim_{n \to \infty} \frac{3a_n}{b_n + 4} = 3$$

일 때, $\lim\limits_{n \to \infty} b_n$의 값은? [3점]

① $-1$        ② $-2$        ③ $-3$

④ $-4$        ⑤ $-5$

## 08

수열 $\{a_n\}$에 대하여 $\lim\limits_{n \to \infty} \dfrac{3a_n - 1}{a_n - 2} = -2$일 때,

$\lim\limits_{n \to \infty} \dfrac{2 - 3a_n}{2 + a_n}$의 값은? [3점]

① $-\dfrac{2}{3}$        ② $-\dfrac{1}{3}$        ③ $0$

④ $\dfrac{1}{3}$        ⑤ $\dfrac{2}{3}$

## 09

두 양의 실수 $a$, $b(a > b)$에 대하여 $\lim\limits_{n \to \infty} \dfrac{2a^n}{a^n + b^n}$의 값을 구하시오. [3점]

## 10

이차방정식 $x^2 - 2x - 2 = 0$의 두 근을 $\alpha$, $\beta(\alpha > \beta)$라 할 때, $\lim\limits_{n \to \infty} \dfrac{\alpha^{n+1} + \beta^{n+1}}{\alpha^n + \beta^n}$의 값은? [3점]

① $-\sqrt{3}$        ② $1 - \sqrt{3}$        ③ $0$

④ $\sqrt{3}$        ⑤ $1 + \sqrt{3}$

## 11

등비수열 $\{(2 - r)^n\}$이 수렴하도록 하는 정수 $r$의 개수는? [3점]

① $0$        ② $1$        ③ $2$

④ $4$        ⑤ $7$

## 12

오른쪽 그림과 같이 2 이상의 자연수 $n$에 대하여 원 $x^2 + y^2 = n^2$과 직선 $x = \sqrt{n}$이 제1사분면에서 만나는 점을 $P_n(a_n, b_n)$이라 할 때, $\lim\limits_{n \to \infty}(a_n^2 - b_n)$의 값은? [3점]

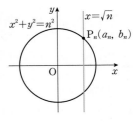

① $\dfrac{1}{2}$        ② $\dfrac{3}{5}$        ③ $\dfrac{2}{3}$

④ $\dfrac{5}{7}$        ⑤ $\dfrac{3}{4}$

# 02 급수

**출제경향** 급수의 합, 급수의 성질, 등비급수의 합, 등비급수의 수렴 조건에 대한 이해 문제가 출제된다. 특히, 매년 빠지지 않고 출제되는 도형과 등비급수 문제는 어려운 유형으로 알려져 있으나 닮음비만 파악하면 풀 수 있는 유형으로 충분한 연습을 하면 고득점이 가능하다.

## 핵심개념 1   급수의 수렴과 발산

(1) **급수** : 수열 $\{a_n\}$의 각 항을 덧셈 기호 $+$로 연결한 식 $a_1+a_2+a_3+\cdots+a_n+\cdots$을 **급수**라 하며, 이것을 기호 $\sum$를 사용하여 $\sum\limits_{n=1}^{\infty} a_n$과 같이 나타낸다.

(2) **부분합** : 급수 $\sum\limits_{n=1}^{\infty} a_n = a_1+a_2+a_3+\cdots+a_n+\cdots$에서 첫째항부터 제$n$항까지의 합 $S_n$, 즉 $S_n=a_1+a_2+a_3+\cdots+a_n=\sum\limits_{k=1}^{n} a_k$를 이 급수의 제$n$항까지의 **부분합**이라 한다.

(3) **급수의 수렴과 발산**

① 급수 $\sum\limits_{n=1}^{\infty} a_n$의 부분합으로 이루어진 수열 $\{S_n\}$이 일정한 값 $S$에 수렴할 때, 급수 $\sum\limits_{n=1}^{\infty} a_n$은 $S$에 수렴한다고 하고, $S$를 급수의 합이라 한다. 즉

$$\sum_{n=1}^{\infty} a_n = \lim_{n\to\infty} S_n = \lim_{n\to\infty} \sum_{k=1}^{n} a_k = S \ \longleftarrow \text{급수의 합은 그 급수가 수렴할 때만 존재한다.}$$

② 급수 $\sum\limits_{n=1}^{\infty} a_n$의 부분합으로 이루어진 수열 $\{S_n\}$이 발산할 때, 이 급수는 발산한다고 한다.

**01** $\sum\limits_{n=1}^{\infty} \dfrac{1}{n(n+1)}$ 의 값을 구하시오. [3점]

## 핵심개념 2   급수와 수열의 극한 사이의 관계

(1) 급수 $\sum\limits_{n=1}^{\infty} a_n$이 수렴하면 $\lim\limits_{n\to\infty} a_n=0$이다. $\longleftarrow$ (1)의 역은 성립하지 않는다.

(2) $\lim\limits_{n\to\infty} a_n \neq 0$이면 급수 $\sum\limits_{n=1}^{\infty} a_n$은 발산한다. $\longleftarrow$ (2)를 이용하면 급수의 발산을 쉽게 판정할 수 있다.

**참고** (1)의 역은 성립하지 않고, (1)의 대우인 (2)는 성립한다. 예를 들어 $\lim\limits_{n\to\infty} \dfrac{1}{n}=0$이지만 $\sum\limits_{n=1}^{\infty} \dfrac{1}{n}$은 양의 무한대로 발산한다.

$$\sum_{n=1}^{\infty} \frac{1}{n}=1+\frac{1}{2}+\left(\frac{1}{3}+\frac{1}{4}\right)+\left(\frac{1}{5}+\frac{1}{6}+\frac{1}{7}+\frac{1}{8}\right)+\cdots > 1+\frac{1}{2}+\left(\frac{1}{4}+\frac{1}{4}\right)+\left(\frac{1}{8}+\frac{1}{8}+\frac{1}{8}+\frac{1}{8}\right)+\cdots = 1+\frac{1}{2}+\frac{1}{2}+\frac{1}{2}+\cdots = \infty$$

[2016학년도 교육청]

**02** 수열 $\{a_n\}$에 대하여 $\sum\limits_{n=1}^{\infty}\left(3a_n-\dfrac{1}{4}\right)=4$ 일 때, $\lim\limits_{n\to\infty} a_n$의 값은? [3점]

① $\dfrac{1}{12}$ 　　② $\dfrac{1}{6}$ 　　③ $\dfrac{1}{4}$ 　　④ $\dfrac{1}{3}$ 　　⑤ $\dfrac{1}{2}$

## 핵심개념 3     급수의 성질

두 급수 $\sum\limits_{n=1}^{\infty} a_n$, $\sum\limits_{n=1}^{\infty} b_n$이 모두 수렴하고 그 합이 각각 $S$, $T$일 때

(1) $\sum\limits_{n=1}^{\infty}(a_n+b_n)=\sum\limits_{n=1}^{\infty}a_n+\sum\limits_{n=1}^{\infty}b_n=S+T$

(2) $\sum\limits_{n=1}^{\infty}(a_n-b_n)=\sum\limits_{n=1}^{\infty}a_n-\sum\limits_{n=1}^{\infty}b_n=S-T$

(3) $\sum\limits_{n=1}^{\infty}ca_n=c\sum\limits_{n=1}^{\infty}a_n=cS$ (단, $c$는 상수)

[2015학년도 수능]

**03** 두 수열 $\{a_n\}$, $\{b_n\}$에 대하여 $\sum\limits_{n=1}^{\infty}a_n=4$, $\sum\limits_{n=1}^{\infty}b_n=10$일 때, $\sum\limits_{n=1}^{\infty}(a_n+5b_n)$의 값을 구하시오. [3점]

[2018학년도 교육청]

**04** 수열 $\{a_n\}$의 첫째항부터 제 $n$ 항까지의 합을 $S_n$이라 하자. $\lim\limits_{n\to\infty} S_n=7$일 때, $\lim\limits_{n\to\infty}(2a_n+3S_n)$의 값을 구하시오. [3점]

## 핵심개념 4     등비급수의 수렴과 발산

(1) 첫째항이 $a(a\neq0)$, 공비가 $r$인 등비수열 $\{ar^{n-1}\}$의 각 항을 덧셈 기호 $+$로 연결하여 얻은 급수

$$\sum\limits_{n=1}^{\infty}ar^{n-1}=a+ar+ar^2+\cdots+ar^{n-1}+\cdots$$

을 첫째항이 $a$, 공비가 $r$인 **등비급수**라 한다.

(2) 등비급수 $\sum\limits_{n=1}^{\infty}ar^{n-1}\ (a\neq0)$은

   ① $|r|<1$일 때, 수렴하고 그 합은 $\dfrac{a}{1-r}$이다.     ② $|r|\geq1$일 때, 발산한다.

[2012학년도 교육청]

**05** 등비급수 $\sum\limits_{n=1}^{\infty}\left(\dfrac{2x-5}{7}\right)^n$이 수렴하기 위한 모든 정수 $x$의 값의 합을 구하시오. [3점]

[2012학년도 교육청]

**06** $1+\dfrac{3}{4}+\dfrac{9}{16}+\dfrac{27}{64}+\dfrac{81}{256}+\cdots$의 값을 구하시오. [3점]

## 기출유형 01 급수의 합

[2007학년도 수능 모의평가]

$\dfrac{1}{1\cdot3}+\dfrac{1}{3\cdot5}+\cdots+\dfrac{1}{(2n-1)(2n+1)}+\cdots$의 값은? [3점]

① $\dfrac{1}{6}$
② $\dfrac{1}{5}$
③ $\dfrac{1}{4}$
④ $\dfrac{1}{3}$
⑤ $\dfrac{1}{2}$

**Act ❶**

$\dfrac{1}{AB}=\dfrac{1}{B-A}\left(\dfrac{1}{A}-\dfrac{1}{B}\right)$임을 이용하여 부분합 $S_n$을 구한 후 $\lim\limits_{n\to\infty}S_n$의 값을 구한다.

---

**해결의 실마리**

급수 $\sum\limits_{k=1}^{\infty}a_n$의 합은 제$n$항까지의 부분합 $S_n$을 구하여 $\lim\limits_{n\to\infty}S_n$의 값을 구한다.

(1) 부분분수를 이용하는 급수 : $\dfrac{1}{AB}=\dfrac{1}{B-A}\left(\dfrac{1}{A}-\dfrac{1}{B}\right)$임을 이용하여 부분합 $S_n$을 구한다.

(2) 로그를 포함한 급수 : $\sum\limits_{k=1}^{n}\log a_k=\log a_1+\log a_2+\log a_3+\cdots+\log a_n=\log(a_1a_2a_3\cdots a_n)$임을 이용하여 부분합 $S_n$을 구한다.

(3) 항의 부호가 교대로 바뀌는 급수 : 홀수 번째의 부분합 $S_{2n-1}$과 짝수 번째의 부분합 $S_{2n}$을 구해서 비교한다.

---

## 01

[2018학년도 교육청]

$\sum\limits_{n=1}^{\infty}\dfrac{2}{(n+1)(n+2)}$의 값을 구하시오. [3점]

## 03

급수 $\sum\limits_{n=2}^{\infty}\log\dfrac{n^2}{n^2-1}$의 합은? [3점]

① $\log 2$
② $\log 3$
③ $2\log 2$
④ $\log 6$
⑤ $2\log 3$

## 02

[2015학년도 교육청]

$\sum\limits_{n=1}^{\infty}\dfrac{84}{(2n+1)(2n+3)}$의 값을 구하시오. [3점]

## 04

$1-\dfrac{1}{3}+\dfrac{1}{3}-\dfrac{1}{5}+\dfrac{1}{5}-\cdots$의 값은? [3점]

① $\dfrac{4}{5}$
② $\dfrac{3}{4}$
③ $\dfrac{2}{3}$
④ $\dfrac{1}{2}$
⑤ $1$

## 기출유형 02    급수와 수열의 극한값 사이의 관계

수열 $\{a_n\}$에 대하여 $\sum\limits_{n=1}^{\infty}(2a_n-5)=2017$일 때, $\lim\limits_{n\to\infty}a_n$의 값은? [3점]

[2017학년도 교육청]

**Act ①**
급수 $\sum\limits_{n=1}^{\infty}a_n$이 수렴하면 $\lim\limits_{n\to\infty}a_n=0$임을 이용한다.

① $\dfrac{1}{2}$      ② $1$      ③ $\dfrac{3}{2}$      ④ $2$      ⑤ $\dfrac{5}{2}$

**해결의 실마리**

급수 $\sum\limits_{n=1}^{\infty}a_n$이 수렴하면 $\Rightarrow \lim\limits_{n\to\infty}a_n=0 \leftarrow$ 이 명제의 대우는 항상 성립한다.

---

### 05
[2011학년도 교육청]

수열 $\{a_n\}$에 대하여 $\sum\limits_{n=1}^{\infty}\dfrac{a_n}{5^n}=1$일 때,

$\lim\limits_{n\to\infty}\dfrac{5^{n+1}-2^{n-1}+a_n}{5^{n-1}+2^{n+1}}$의 값을 구하시오. [3점]

### 07
[2015학년도 교육청]

수열 $\{a_n\}$에 대하여 $\sum\limits_{n=1}^{\infty}\left(\dfrac{a_n}{n+1}-\dfrac{1}{2}\right)$이 수렴할 때,

$\lim\limits_{n\to\infty}\dfrac{a_n}{4n+1}$의 값은? [3점]

① $\dfrac{5}{8}$      ② $\dfrac{1}{2}$      ③ $\dfrac{3}{8}$

④ $\dfrac{1}{4}$      ⑤ $\dfrac{1}{8}$

### 06
[2015학년도 교육청]

수열 $\{a_n\}$에 대하여 급수 $\sum\limits_{n=1}^{\infty}\left(a_n-\dfrac{3n+1}{n}\right)$이 수렴할 때,

$\lim\limits_{n\to\infty}a_n$의 값은? [3점]

① $1$      ② $2$      ③ $3$

④ $4$      ⑤ $5$

### 08
[2016학년도 수능 모의평가]

수열 $\{a_n\}$에 대하여 급수 $\sum\limits_{n=1}^{\infty}\dfrac{a_n}{n}$이 수렴할 때,

$\lim\limits_{n\to\infty}\dfrac{a_n+9n}{n}$의 값을 구하시오. [4점]

[2015학년도 수능]

두 급수 $\sum\limits_{n=1}^{\infty}a_n$, $\sum\limits_{n=1}^{\infty}b_n$이 모두 수렴하고 $\sum\limits_{n=1}^{\infty}(a_n+b_n)=6$, $\sum\limits_{n=1}^{\infty}(2a_n-3b_n)=2$일 때, $\sum\limits_{n=1}^{\infty}a_n-\sum\limits_{n=1}^{\infty}b_n$의 값을 구하시오. [3점]

**Act ❶**

두 급수 $\sum\limits_{n=1}^{\infty}a_n$, $\sum\limits_{n=1}^{\infty}b_n$이 모두 수렴하므로 $\sum\limits_{n=1}^{\infty}a_n=\alpha$, $\sum\limits_{n=1}^{\infty}=\beta$로 놓고 급수의 성질을 이용한다.

**해결의 실마리**

두 급수 $\sum\limits_{n=1}^{\infty}a_n$, $\sum\limits_{n=1}^{\infty}b_n$이 모두 수렴하고 그 합이 각각 $S$, $T$일 때

(1) $\sum\limits_{n=1}^{\infty}(a_n+b_n)=\sum\limits_{n=1}^{\infty}a_n+\sum\limits_{n=1}^{\infty}b_n=S+T$, $\sum\limits_{n=1}^{\infty}(a_n-b_n)=\sum\limits_{n=1}^{\infty}a_n-\sum\limits_{n=1}^{\infty}b_n=S-T$

(2) $\sum\limits_{n=1}^{\infty}ca_n=c\sum\limits_{n=1}^{\infty}a_n=cS$ (단, $c$는 상수)

**09**

[2014학년도 교육청]

$\sum\limits_{n=1}^{\infty}a_n=4$, $\sum\limits_{n=1}^{\infty}b_n=-3$일 때, $\sum\limits_{n=1}^{\infty}(5a_n-2b_n)$의 값을 구하시오. [3점]

**11**

두 수열 $\{a_n\}$, $\{b_n\}$이 다음 조건을 만족시킬 때, $2\sum\limits_{n=1}^{\infty}a_n+4\sum\limits_{n=1}^{\infty}b_n$의 값은? [3점]

(가) $\sum\limits_{n=1}^{\infty}a_n$, $\sum\limits_{n=1}^{\infty}b_n$이 각각 수렴한다.

(나) $\sum\limits_{n=1}^{\infty}(a_n+b_n)=\dfrac{9}{4}$이고 $\sum\limits_{n=1}^{\infty}(a_n-b_n)=\dfrac{3}{4}$이다.

① 3      ② 4      ③ 5

④ 6      ⑤ 7

**10**

[2011학년도 교육청]

수열 $\{a_n\}$, $\{b_n\}$에 대하여

$$\sum\limits_{n=1}^{\infty}(2a_n-3)=300, \quad \sum\limits_{n=1}^{\infty}(2b_n+3)=180$$

일 때, $\sum\limits_{n=1}^{\infty}(a_n+b_n)$의 값을 구하시오. [3점]

## 기출유형 04     등비급수의 합

[2013학년도 교육청]

급수 $\sum\limits_{n=1}^{\infty} \dfrac{1+(-1)^n}{3^n}$ 의 합은? [3점]

① $\dfrac{1}{8}$       ② $\dfrac{1}{4}$       ③ $\dfrac{3}{8}$       ④ $\dfrac{1}{2}$       ⑤ $\dfrac{5}{8}$

**Act ❶**

등비급수 $\sum\limits_{n=1}^{\infty} ar^{n-1}$ $(a \neq 0,\ |r|<1)$

의 합은 $\dfrac{a}{1-r}$ 이용한다.

**해결의 실마리**

등비급수 $\sum\limits_{n=1}^{\infty} ar^{n-1}$ $(a \neq 0,\ |r|<1)$의 합 $\Rightarrow \dfrac{a}{1-r}$

---

## 12

[2015학년도 수능]

등비수열 $\{a_n\}$에 대하여 $a_1=3$, $a_2=1$일 때, $\sum\limits_{n=1}^{\infty} (a_n)^2$의 값은? [3점]

① $\dfrac{81}{8}$       ② $\dfrac{83}{8}$       ③ $\dfrac{85}{8}$

④ $\dfrac{87}{8}$       ⑤ $\dfrac{89}{8}$

## 14

[2017학년도 교육청]

수열 $\{a_n\}$이 모든 자연수 $n$에 대하여

$$a_1=3,\ a_{n+1}=\dfrac{2}{3} a_n$$

을 만족시킬 때, $\sum\limits_{n=1}^{\infty} a_{2n-1}=\dfrac{q}{p}$ 이다. $p+q$의 값을 구하시오. (단, $p$와 $q$는 서로소인 자연수이다.) [4점]

## 13

[2014학년도 교육청]

수열 $\{a_n\}$이 $a_1=1$이고 $2a_{n+1}=7a_n$ $(n \geq 1)$을 만족시킬 때, 급수 $\sum\limits_{n=1}^{\infty} \dfrac{10}{a_n}$의 값은? [3점]

① 11       ② 12       ③ 13

④ 14       ⑤ 15

## 15

[2015학년도 수능 모의평가]

공비가 양수인 등비수열 $\{a_n\}$이

$$a_1+a_2=20,\ \sum\limits_{n=3}^{\infty} a_n=\dfrac{4}{3}$$

를 만족시킬 때, $a_1$의 값을 구하시오. [3점]

등비급수 $\sum\limits_{n=1}^{\infty}\left(\dfrac{3x-1}{6}\right)^{n}$ 이 수렴하도록 하는 정수 $x$의 개수는? [3점]

① 2      ② 3      ③ 4      ④ 5      ⑤ 6

**Act ①**
등비급수 $\sum\limits_{n=1}^{\infty} r^{n}$ 이 수렴하기 위한 조건은 $-1 < r < 1$임을 이용한다.

**해결의 실마리**

(1) 등비급수 $\sum\limits_{n=1}^{\infty} r^{n}$ 이 수렴하기 위한 조건 ⇨ $-1 < r < 1$

(2) 등비급수 $\sum\limits_{n=1}^{\infty} ar^{n-1}$ 이 수렴하기 위한 조건 ⇨ $a=0$ 또는 $-1 < r < 1$

## 16
[2019학년도 수능 모의평가]

급수 $\sum\limits_{n=1}^{\infty}\left(\dfrac{x}{5}\right)^{n}$ 이 수렴하도록 하는 모든 정수 $x$의 개수는?

[3점]

① 1      ② 3      ③ 5
④ 7      ⑤ 9

## 17
[2018학년도 교육청]

등비급수 $\sum\limits_{n=1}^{\infty}\left(\dfrac{2x-3}{7}\right)^{n}$ 이 수렴하도록 하는 정수 $x$의 개수는? [3점]

① 2      ② 4      ③ 6
④ 8      ⑤ 10

## 18
[2005학년도 수능]

등비수열 $\{a_n\}$에 대하여 옳은 것을 [보기]에서 모두 고른 것은? [3점]

**보기**

ㄱ. 등비급수 $\sum\limits_{n=1}^{\infty} a_n$이 수렴하면 $\sum\limits_{n=1}^{\infty} a_{2n}$도 수렴한다.

ㄴ. 등비급수 $\sum\limits_{n=1}^{\infty} a_n$이 발산하면 $\sum\limits_{n=1}^{\infty} a_{2n}$도 발산한다.

ㄷ. 등비급수 $\sum\limits_{n=1}^{\infty} a_n$이 수렴하면 $\sum\limits_{n=1}^{\infty}\left(a_n+\dfrac{1}{2}\right)$도 수렴한다.

① ㄱ      ② ㄴ      ③ ㄱ, ㄴ
④ ㄱ, ㄷ      ⑤ ㄴ, ㄷ

## 기출유형 06 등비급수의 활용 – 도형과 등비급수

그림과 같이 높이가 2인 직각이등변삼각형 $A_1$에서 시작하여 변의 길이를 반으로 줄인 직각이등변삼각형을 계속 그려 나간다. 이와 같은 과정을 계속하여 얻은 모든 직각이등변삼각형의 넓이의 합은? [4점]

① $\dfrac{4}{3}$   ② $\dfrac{5}{3}$   ③ 2

④ $\dfrac{7}{3}$   ⑤ $\dfrac{8}{3}$

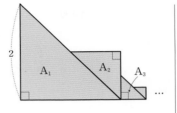

**Act ①**
반복되는 규칙을 발견하여 첫째항 $a$와 공비 $r$를 구한다.

**해결의 실마리**

도형과 등비급수

① 반복되는 규칙을 찾아 첫째항 $a$와 공비 $r$를 구한다.

② 등비급수의 합이 $\dfrac{a}{1-r}$임을 이용한다.

## 19

오른쪽 그림과 같이
$$\overline{A_1B_1}=3,\ \overline{B_1C}=4,$$
$$\angle A_1B_1C=90°$$
인 직각삼각형 $A_1B_1C$가 있다. 선분 $A_1C$의 중점을 $A_2$, 점 $A_2$에서 변 $B_1C$에 내린 수선의 발을 $B_2$라 하고, 선분 $A_2C$의 중점을 $A_3$, 점 $A_3$에서 변 $B_1C$에 내린 수선의 발을 $B_3$라 하자. 이와 같은 과정을 계속하여 얻은 삼각형 $A_nB_nA_{n+1}$의 넓이를 $a_n$이라 할 때, $\displaystyle\sum_{n=1}^{\infty}a_n$의 값을 구하시오. [4점]

## 20

오른쪽 그림과 같이 한 변의 길이가 4인 정사각형 $AB_1C_1D_1$에 대하여 선분 $C_1D_1$을 3 : 1로 내분하는 점을 $P_1$이라 하자. 세 선분 $AB_1$, $B_1P_1$, $AD_1$ 위의 점 $B_2$, $C_2$, $D_2$를 사각형 $AB_2C_2D_2$가 정사각형이 되도록 잡은 후, 선분 $C_2D_2$를 3 : 1로 내분하는 점을 $P_2$라 하자. 세 선분 $AB_2$, $B_2P_2$, $AD_2$ 위의 점 $B_3$, $C_3$, $D_3$을 사각형 $AB_3C_3D_3$이 정사각형이 되도록 잡은 후, 선분 $C_3D_3$을 3 : 1로 내분하는 점을 $P_3$이라 하자. 이와 같은 과정을 계속하여 $n$번째 생기는 삼각형 $P_nB_nC_n$의 넓이를 $S_n$이라 할 때, $\displaystyle\sum_{n=1}^{\infty}S_n$의 값은? [4점]

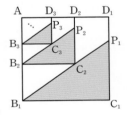

① $\dfrac{58}{3}$   ② $\dfrac{68}{5}$   ③ $\dfrac{78}{7}$

④ $\dfrac{88}{9}$   ⑤ $\dfrac{98}{11}$

## 01

$\displaystyle\sum_{n=3}^{\infty}\log_2\frac{n^2-4}{n^2-1}$ 의 값은? [3점]

① $-2$　　　　② $-1$　　　　③ $0$

④ $1$　　　　⑤ $2$

## 02

자연수 $n$에 대하여 $3^n \cdot 5^{n+1}$의 모든 양의 약수의 개수를 $a_n$이라 할 때, $\displaystyle\sum_{n=1}^{\infty}\frac{1}{a_n}$의 값은? [3점]

① $\dfrac{1}{2}$　　　　② $\dfrac{7}{12}$　　　　③ $\dfrac{2}{3}$

④ $\dfrac{3}{4}$　　　　⑤ $\dfrac{5}{6}$

## 03

수열 $\{a_n\}$에 대하여 급수 $\displaystyle\sum_{n=1}^{\infty}\left(a_n-\frac{5n}{n+1}\right)$이 수렴할 때, $\displaystyle\lim_{n\to\infty}a_n$의 값을 구하시오. [3점]

## 04

두 수열 $\{a_n\}$, $\{b_n\}$에 대하여

$$\sum_{n=1}^{\infty}a_n=3, \quad \sum_{n=1}^{\infty}(2a_n-b_n)=1$$

일 때, $\displaystyle\sum_{n=1}^{\infty}b_n$의 값을 구하시오. [3점]

## 05

수열 $\{a_n\}$의 첫째항부터 제$n$항까지의 합을 $S_n$이라 할 때, $S_n=n^3-n+1(n=1,\ 2,\ 3,\ \cdots)$이 성립한다. 이때 $\displaystyle\sum_{n=1}^{\infty}\frac{3}{a_n}$의 값은? [3점]

① $3$　　　　② $\dfrac{7}{2}$　　　　③ $4$

④ $\dfrac{9}{2}$　　　　⑤ $5$

## 06

두 수열 $\{a_n\}$, $\{b_n\}$에 대하여 급수 $\displaystyle\sum_{n=1}^{\infty}\left(a_n-\frac{3n}{n+1}\right)$ 과 $\displaystyle\sum_{n=1}^{\infty}(a_n+b_n)$이 모두 수렴할 때, $\displaystyle\lim_{n\to\infty}\frac{3-b_n}{a_n}$의 값은? (단, $a_n\neq0$) [3점]

① $1$　　　　② $2$　　　　③ $3$

④ $4$　　　　⑤ $5$

## 07

$\displaystyle\sum_{n=1}^{\infty}\frac{1+2^n}{6^n}$의 값은? [3점]

① $\dfrac{1}{10}$      ② $\dfrac{3}{10}$      ③ $\dfrac{1}{2}$

④ $\dfrac{7}{10}$      ⑤ $\dfrac{9}{10}$

## 08

등비수열 $\{a_n\}$에 대하여 $a_1=4$, $a_4=\dfrac{1}{2}$일 때, 등비급수 $\displaystyle\sum_{n=1}^{\infty}a_n$의 합은? [3점]

① 6      ② 7      ③ 8

④ 9      ⑤ 10

## 09

등비수열 $\{a_n\}$에 대하여

$$a_1=3,\quad \sum_{n=1}^{\infty}a_n=4$$

일 때, $\displaystyle\sum_{n=2}^{\infty}a_{2n}$의 값은? [3점]

① $\dfrac{1}{20}$      ② $\dfrac{1}{10}$      ③ $\dfrac{3}{20}$

④ $\dfrac{1}{5}$      ⑤ $\dfrac{1}{4}$

## 10

급수 $x+2+\dfrac{(x+2)(x-1)}{3}+\dfrac{(x+2)(x-1)^2}{3^2}+\cdots$이

수렴하도록 하는 모든 정수 $x$의 합을 구하시오. [3점]

## 11

그림과 같이 좌표평면 위의 점 $P_n$을 $\overline{OP_1}=1$, $\overline{P_1P_2}=\dfrac{2}{3}\overline{OP_1}$,

$\overline{P_2P_3}=\dfrac{2}{3}\overline{P_1P_2}$, $\cdots$, $\angle OP_1P_2=90°$,

$\angle P_1P_2P_3=90°$, $\cdots$

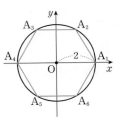

을 만족시키도록 정해나간다. 점 $P_n$의 $x$좌표를 $a_n$, $y$좌표를 $b_n$이라 할 때, $\displaystyle\lim_{n\to\infty}(a_n+b_n)$의 값은? [3점]

① $\dfrac{14}{13}$      ② $\dfrac{15}{13}$      ③ $\dfrac{16}{13}$

④ $\dfrac{17}{13}$      ⑤ $\dfrac{18}{13}$

## 12

오른쪽 그림과 같이 반지름의 길이가 2인 원 O에 내접하고 두 꼭짓점 $A_1$, $A_4$가 $x$축 위에 있는 정육각형 $A_1A_2A_3A_4A_5A_6$이 있다. 자연수 $n$에 대하여 $A_{n+6}=A_n$을 만족시키고, 점 $A_n$의 $x$좌표를 $a_n$이라 할 때, 급수 $\displaystyle\sum_{n=1}^{\infty}\frac{a_n}{2^n}$의 합을 구하시오. [3점]

# 03 지수함수와 로그함수의 미분

*Young people should strive towards their ideals.*

**출제경향** 무리수 $e$의 정의를 이용한 지수함수와 로그함수의 극한, 지수함수와 로그함수의 미분가능성은 매년 빠지지 않고 출제되는 내용으로, 개념만 알면 쉽게 풀 수 있으므로 충분한 연습을 하여야 한다.

---

## 핵심개념 1 　 지수함수와 로그함수의 극한

(1) 지수함수 $y=a^x$ $(a>0,\ a\ne1)$에서

　① $a>1$일 때, $\displaystyle\lim_{x\to\infty}a^x=\infty$, $\displaystyle\lim_{x\to-\infty}a^x=0$

　② $0<a<1$일 때, $\displaystyle\lim_{x\to\infty}a^x=0$, $\displaystyle\lim_{x\to-\infty}a^x=\infty$

(2) 로그함수 $y=\log_a x$ $(a>0,\ a\ne1)$에서

　① $a>1$일 때, $\displaystyle\lim_{x\to\infty}\log_a x=\infty$, $\displaystyle\lim_{x\to0+}\log_a x=-\infty$

　② $0<a<1$일 때, $\displaystyle\lim_{x\to\infty}\log_a x=-\infty$, $\displaystyle\lim_{x\to0+}\log_a x=\infty$

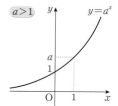 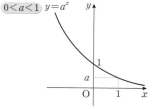

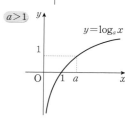 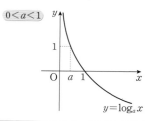

---

**01** $\displaystyle\lim_{x\to\infty}\dfrac{1+5^x}{3^x+5^x}$ 의 값은? [2점]

① 1 　　　 ② 2 　　　 ③ 3 　　　 ④ 4 　　　 ⑤ 5

**02** $\displaystyle\lim_{x\to\infty}\{\log_3(3x+1)-\log_3 x\}$ 의 값을 구하시오. [3점]

---

## 핵심개념 2 　 무리수 $e$와 자연로그

(1) 무리수 $e$의 정의

$$\lim_{x\to0}(1+x)^{\frac{1}{x}}=\lim_{x\to\infty}\left(1+\frac{1}{x}\right)^x=e\ (e=2.718281828459045\cdots)$$

(2) 자연로그

　① 무리수 $e$를 밑으로 하는 로그 $\log_e x$를 자연로그라 하며 $\ln x$로 나타낸다.

　② 지수함수 $y=e^x$ 과 로그함수 $y=\ln x$는 서로 역함수 관계에 있다.

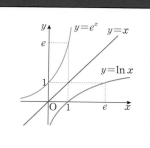

[2015학년도 수능 모의평가]

**03** $\displaystyle\lim_{x\to0}(1+x)^{\frac{5}{x}}$ 의 값은? [2점]

① $\dfrac{1}{e^5}$ 　　　 ② $\dfrac{1}{e^3}$ 　　　 ③ 1 　　　 ④ $e^3$ 　　　 ⑤ $e^5$

**04** $e^{\ln\sqrt{8}}$ 의 값은? [2점]

① $\dfrac{\sqrt{2}}{2e}$ 　　　 ② $\dfrac{\sqrt{2}}{e}$ 　　　 ③ 1 　　　 ④ $\sqrt{2}$ 　　　 ⑤ $2\sqrt{2}$

**핵심개념 3**　　**무리수 $e$의 정의를 이용한 지수함수와 로그함수의 극한**

(1) 밑을 $e$로 하는 경우 : ① $\displaystyle\lim_{x\to0}\frac{\ln(1+x)}{x}=1$　　② $\displaystyle\lim_{x\to0}\frac{e^x-1}{x}=1$

(2) 밑이 $e$가 아닌 경우 : ① $\displaystyle\lim_{x\to0}\frac{\log_a(1+x)}{x}=\frac{1}{\ln a}$　　② $\displaystyle\lim_{x\to0}\frac{a^x-1}{x}=\ln a$

**참고** (1) ① $\displaystyle\lim_{x\to0}\frac{\ln(1+x)}{x}=\lim_{x\to0}\ln(1+x)^{\frac{1}{x}}=\ln e=1$

② $\displaystyle\lim_{x\to0}\frac{e^x-1}{x}$ 에서 분자 $e^x-1=t$로 놓으면 $x=\ln(1+t)$이고 $x\to0$일 때 $t\to0$이므로

$\displaystyle\lim_{x\to0}\frac{e^x-1}{x}=\lim_{t\to0}\frac{t}{\ln(1+t)}=\lim_{t\to0}\frac{1}{\ln(1+t)^{\frac{1}{t}}}=\frac{1}{\ln e}=1$

(2) ① $\displaystyle\lim_{x\to0}\frac{\log_a(1+x)}{x}=\lim_{x\to0}\log_a(1+x)^{\frac{1}{x}}=\lim_{x\to0}\frac{\ln(1+x)^{\frac{1}{x}}}{\ln a}=\frac{\ln e}{\ln a}=\frac{1}{\ln a}$

② $\displaystyle\lim_{x\to0}\frac{a^x-1}{x}$ 에서 $a^x-1=t$로 놓으면 $x=\log_a(1+t)$이고 $x\to0$일 때 $t\to0$이므로

$\displaystyle\lim_{x\to0}\frac{a^x-1}{x}=\lim_{t\to0}\frac{t}{\log_a(1+t)}=\lim_{t\to0}\frac{1}{\log_a(1+t)^{\frac{1}{t}}}=\lim_{t\to0}\frac{\ln a}{\ln(1+t)^{\frac{1}{t}}}=\frac{\ln a}{\ln e}=\ln a$

[2018학년도 수능 모의평가]

**05** $\displaystyle\lim_{x\to0}\frac{\ln(1+3x)}{x}$ 의 값은? [2점]

① 1　　② 2　　③ 3　　④ 4　　⑤ 5

[2018학년도 교육청]

**06** $\displaystyle\lim_{x\to0}\frac{e^{3x}-1}{2x}$ 의 값은? [2점]

① 1　　② $\frac{3}{2}$　　③ 2　　④ $\frac{5}{2}$　　⑤ 3

**핵심개념 4**　　**지수함수와 로그함수의 도함수**

(1) 지수함수의 도함수

① $y=e^x\Rightarrow y'=e^x$　　② $y=a^x\Rightarrow y'=a^x\ln a\,(a>0,\,a\neq1)$

**참고** $y=e^{f(x)}\Rightarrow y'=e^{f(x)}f'(x)$, $y=a^{f(x)}\Rightarrow y'=a^{f(x)}f'(x)\ln a\,(a>0,a\neq1)$

(2) 로그함수의 도함수

① $y=\ln x\Rightarrow y'=\frac{1}{x}\,(x>0)$　　② $y=\log_a x\Rightarrow y'=\frac{1}{x\ln a}\,(x>0,\,a>0,a\neq1)$

[2018학년도 교육청]

**07** 함수 $f(x)=e^x+x$에 대하여 $f'(0)$의 값은? [2점]

① 1　　② 2　　③ 3　　④ 4　　⑤ 5

[2017학년도 교육청]

**08** 함수 $f(x)=\ln x$에 대하여 $f'(3)$의 값은? [2점]

① $\frac{1}{2}$　　② $\frac{1}{3}$　　③ $\frac{1}{4}$　　④ $\frac{1}{5}$　　⑤ $\frac{1}{6}$

**기출유형 01** **지수함수와 로그함수의 극한**

$\lim\limits_{x\to\infty}\dfrac{3^x-2^x}{3^x+2^x}$의 값은? [2점]

① 1      ② 2      ③ 3      ④ 4      ⑤ 5

**Act ①**

분모에서 밑이 가장 큰 항으로 분모, 분자를 나누어 $0<a<1$일 때, $\lim\limits_{x\to\infty}a^x=0$임을 이용한다.

**해결의 실마리**

**(1)** 지수함수의 극한

① $\lim\limits_{x\to\infty}\dfrac{a^x}{b^x+c^x}$ 꼴 ⇨ 분모에서 밑이 가장 큰 항으로 분모, 분자를 나눈다.

② $\lim\limits_{x\to\infty}(a^x-b^x)$ 꼴 ⇨ 밑이 가장 큰 항으로 묶는다.

**(2)** 로그함수의 극한

주어진 식을 로그의 성질을 이용하여 $\lim\limits_{x\to\infty}\{\log_a f(x)\}$꼴로 변형한 후

⇨ $\lim\limits_{x\to\infty}\{\log_a f(x)\}=\log_a\left\{\lim\limits_{x\to\infty}f(x)\right\}$임을 이용한다. (단, $a>0$, $a\neq1$, $f(x)>0$, $\lim\limits_{x\to\infty}f(x)>0$)

## 01

$\lim\limits_{x\to\infty}\dfrac{5^{x+1}-2^x}{5^x+3^x}$의 값을 구하시오. [3점]

## 03

$\lim\limits_{x\to\infty}\{\log_5 x-\log_5(25x+1)\}$의 값은? [2점]

① $-5$      ② $-4$      ③ $-3$

④ $-2$      ⑤ $-1$

## 02

$\lim\limits_{x\to\infty}\dfrac{a\cdot4^x+3^x}{4^{x+1}-2^x}=8$을 만족하는 상수 $a$의 값을 구하시오. [3점]

## 04

$\lim\limits_{x\to\infty}\{\log_2(4x+3)-\log_2 x\}$의 값을 구하시오. [3점]

## 기출유형 02 무리수 $e$의 정의와 자연로그

[2018학년도 교육청]

$\lim\limits_{x \to 0} (1+2x)^{\frac{1}{x}}$ 의 값은? [2점]

① $\dfrac{1}{e^2}$　　　　② $\dfrac{1}{2e}$　　　　③ $\dfrac{1}{e}$　　　　④ $2e$　　　　⑤ $e^2$

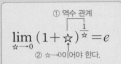

**Act ①**

$\lim\limits_{\star \to 0} (1+\star)^{\frac{1}{\star}}$ 을 포함한 꼴로 변형한다.

---

**해결의 실마리**

(1) 무리수 $e$의 정의 : $\lim\limits_{x \to 0} (1+x)^{\frac{1}{x}} = \lim\limits_{x \to \infty} \left(1+\dfrac{1}{x}\right)^{x} = e$

(2) 자연로그 : 무리수 $e$를 밑으로 하는 로그 $\log_e x$를 자연로그라 하며 $\ln x$로 나타낸다.

$$\lim_{\substack{☆ \to 0}} (1+☆)^{\frac{1}{☆}} = e$$
① 역수 관계
② ☆→0이어야 한다.

---

### 05

[2012학년도 수능 모의평가]

$\lim\limits_{x \to 0} (1+3x)^{\frac{1}{6x}}$의 값은? [2점]

① $\dfrac{1}{e^2}$　　　　② $\dfrac{1}{e}$　　　　③ $\sqrt{e}$

④ $e$　　　　⑤ $e^2$

### 06

[2017학년도 교육청]

$\lim\limits_{x \to 0} (1+2x)^{\frac{3}{2x}}$의 값은? [2점]

① $e$　　　　② $e^2$　　　　③ $e^3$

④ $e^4$　　　　⑤ $e^5$

### 07

$\lim\limits_{x \to \infty} \left(1+\dfrac{1}{2x}\right)^{x}$의 값은? [2점]

① $\dfrac{1}{e^2}$　　　　② $\dfrac{1}{e}$　　　　③ $\sqrt[3]{e}$

④ $\sqrt{e}$　　　　⑤ $e$

### 08

$\lim\limits_{x \to \infty} \left(1+\dfrac{1}{5x}\right)^{x}$의 값은? [2점]

① $\dfrac{1}{e^5}$　　　　② $\dfrac{1}{\sqrt[5]{e}}$　　　　③ $\sqrt[5]{e}$

④ $e$　　　　⑤ $e^5$

[2019학년도 수능 모의평가]

$\displaystyle\lim_{x \to 0} \frac{\ln(1+12x)}{3x}$ 의 값은? [2점]

① 1　　　② 2　　　③ 3　　　④ 4　　　⑤ 5

**Act ①**

$\displaystyle\lim_{x \to 0} \frac{\ln(1+ax)}{ax}=1$을 이용할 수 있도록 주어진 식을 변형한다.

**해결의 실마리**

(1) $\displaystyle\lim_{x \to 0} \frac{\ln(1+x)}{x}=1 \longrightarrow \lim_{x \to 0} \frac{\ln(1+ax)}{ax}=1$

(2) $\displaystyle\lim_{x \to 0} \frac{e^x-1}{x}=1 \longrightarrow \lim_{x \to 0} \frac{e^{ax}-1}{ax}=1$

① ☆ → 0이어야 한다.

$\displaystyle\lim_{☆ \to 0} \frac{\ln(1+☆)}{☆}=1$

② 일치

① ☆ → 0이어야 한다.

$\displaystyle\lim_{☆ \to 0} \frac{e^{☆}-1}{☆}=1$

② 일치

---

## 09

[2019학년도 수능]

$\displaystyle\lim_{x \to 0} \frac{x^2+5x}{\ln(1+3x)}$ 의 값은? [2점]

① $\dfrac{7}{3}$　　　② 2　　　③ $\dfrac{5}{3}$

④ $\dfrac{4}{3}$　　　⑤ 1

## 10

[2019학년도 수능 모의평가]

$\displaystyle\lim_{x \to 0} \frac{e^x-1}{x(x^2+2)}$ 의 값은? [2점]

① 1　　　② $\dfrac{1}{2}$　　　③ $\dfrac{1}{3}$

④ $\dfrac{1}{4}$　　　⑤ $\dfrac{1}{5}$

## 11

[2018학년도 수능]

$\displaystyle\lim_{x \to 0} \frac{\ln(1+5x)}{e^{2x}-1}$ 의 값은? [2점]

① 1　　　② $\dfrac{3}{2}$　　　③ 2

④ $\dfrac{5}{2}$　　　⑤ 3

## 12

[2017학년도 수능]

$\displaystyle\lim_{x \to 0} \frac{e^{6x}-1}{\ln(1+3x)}$ 의 값은? [2점]

① 1　　　② 2　　　③ 3

④ 4　　　⑤ 5

## 기출유형 04 · 무리수 $e$의 정의를 이용한 지수함수와 로그함수의 극한 (2)

$\displaystyle\lim_{x \to 0} \frac{\log_3 (1+2x)}{4x}$ 의 값은? [3점]

① $\dfrac{1}{2\ln 3}$      ② $\dfrac{1}{3\ln 2}$      ③ $\ln 2$      ④ $\ln 3$      ⑤ $2\ln 2$

**Act ①**
$\displaystyle\lim_{x \to 0} \frac{\log_a (1+x)}{x} = \frac{1}{\ln a}$ 임을 이용한다.

**해결의 실마리**

**(1)** $\displaystyle\lim_{x \to 0} \frac{\log_a(1+x)}{x} = \frac{1}{\ln a}$      **(2)** $\displaystyle\lim_{x \to 0} \frac{a^x - 1}{x} = \ln a$

(1) $\displaystyle\lim_{x \to 0} \frac{\log_a(1+x)}{x} = \lim_{x \to 0} \log_a (1+x)^{\frac{1}{x}} = \lim_{x \to 0} \frac{\ln(1+x)^{\frac{1}{x}}}{\ln a} = \frac{\ln e}{\ln a} = \frac{1}{\ln a}$

(2) $\displaystyle\lim_{x \to 0} \frac{a^x - 1}{x}$ 에서 $a^x - 1 = t$로 놓으면 $x = \log_a (1+t)$이고 $x \to 0$일 때 $t \to 0$이므로

$\displaystyle\lim_{x \to 0} \frac{a^x - 1}{x} = \lim_{t \to 0} \frac{t}{\log_a (1+t)} = \lim_{t \to 0} \frac{1}{\log_a (1+t)^{\frac{1}{t}}} = \lim_{t \to 0} \frac{\ln a}{\ln(1+t)^{\frac{1}{t}}} = \frac{\ln a}{\ln e} = \ln a$

## 13

$\displaystyle\lim_{x \to 0} \frac{\log_3 (4+x) - \log_3 4}{x}$ 의 값은? [3점]

① $\dfrac{1}{10\ln 2}$      ② $\dfrac{1}{4\ln 3}$      ③ $\dfrac{1}{6\ln 2}$

④ $2\ln 2$      ⑤ $2\ln 3$

## 15

$\displaystyle\lim_{x \to 0} \frac{8^x - 3^x}{x}$ 의 값은? [3점]

① $\ln 2 - 2\ln 3$      ② $\ln 3 - 3\ln 2$      ③ $2\ln 2 - 3\ln 3$

④ $2\ln 3 - \ln 2$      ⑤ $3\ln 2 - \ln 3$

## 14

$\displaystyle\lim_{x \to 0} \frac{\log_5 (5+x) - 1}{x}$ 의 값은? [3점]

① $\dfrac{1}{5\ln 5}$      ② $\dfrac{1}{4\ln 5}$      ③ $1$

④ $4\ln 5$      ⑤ $5\ln 5$

## 16

[2008학년도 수능 모의평가]

양수 $a$가 $\displaystyle\lim_{x \to 0} \frac{(a+12)^x - a^x}{x} = \ln 3$을 만족시킬 때, $a$의 값은? [3점]

① $2$      ② $3$      ③ $4$

④ $5$      ⑤ $6$

함수 $f(x)=(x+a)2^x$에 대하여 $f'(0)=1+\ln 4$일 때, 상수 $a$의 값은? [3점]

① 1          ② 2          ③ 3          ④ 4          ⑤ 5

**Act ①**
$y=a^x$이면 $y'=a^x\ln a$임을 이용한다.

**해결의 실마리**

(1) 지수함수의 도함수

① $y=e^x \Rightarrow y'=e^x$          ② $y=a^x \Rightarrow y'=a^x\ln a \ (a>0,\ a\neq 1)$

(2) 로그함수의 도함수

① $y=\ln x \Rightarrow y'=\dfrac{1}{x} \ (x>0)$          ② $y=\log_a x \Rightarrow y'=\dfrac{1}{x\ln a} \ (x>0,\ a>0,\ a\neq 1)$

## 17
[2017학년도 수능 모의평가]

함수 $f(x)=(2x+7)e^x$에 대하여 $f'(0)$의 값은? [3점]

① 6          ② 7          ③ 8
④ 9          ⑤ 10

## 18
[2018학년도 수능 모의평가]

함수 $f(x)=e^x(2x+1)$에 대하여 $f'(1)$의 값은? [3점]

① $8e$          ② $7e$          ③ $6e$
④ $5e$          ⑤ $4e$

## 19
[2018학년도 교육청]

함수 $f(x)=x\ln x$에 대하여 $\displaystyle\lim_{h\to 0}\dfrac{f(1+h)-f(1)}{h}$의 값은? [3점]

① 1          ② 2          ③ 3
④ 4          ⑤ 5

## 20
[2017학년도 수능 모의평가]

함수 $f(x)=\log_3 x$에 대하여 $\displaystyle\lim_{h\to 0}\dfrac{f(3+h)-f(3-h)}{h}$의 값은? [3점]

① $\dfrac{1}{2\ln 3}$          ② $\dfrac{2}{3\ln 3}$          ③ $\dfrac{5}{6\ln 3}$
④ $\dfrac{1}{\ln 3}$          ⑤ $\dfrac{7}{6\ln 3}$

## 기출유형 06 · 지수함수와 로그함수의 연속, 미분가능성

[2012학년도 수능 모의평가]

함수 $f(x)$가 $f(x)=\begin{cases} \dfrac{e^{3x}-1}{x(e^x+1)} & (x\neq 0) \\ a & (x=0) \end{cases}$ 이다. $f(x)$가 $x=0$에서 연속일 때, 상수 $a$의 값은? [3점]

**Act ①**
함수 $f(x)$가 $x=0$에서 연속이 면 $\lim\limits_{x\to 0} f(x)=f(0)$임을 이용 한다.

① 1          ② $\dfrac{3}{2}$          ③ 2          ④ $\dfrac{5}{2}$          ⑤ 3

### 해결의 실마리

(1) $x\neq a$인 모든 실수 $x$에서 연속인 함수 $g(x)$에 대하여 함수 $f(x)=\begin{cases} g(x) & (x\neq a) \\ k & (x=a) \end{cases}$ ($k$는 상수)가 모든 실수 $x$에 대하여 연속이면

⇨ $\lim\limits_{x\to a} g(x)=k$

(2) 함수 $h(x)=\begin{cases} f(x) & (x\geq a) \\ g(x) & (x<a) \end{cases}$ 가 $x=a$에서 미분가능하면

① 함수 $h(x)$가 $x=a$에서 연속이다. ⇨ $\lim\limits_{x\to a+} f(x)=\lim\limits_{x\to a-} g(x)=h(a)$     ② $h'(a)$가 존재한다. ⇨ $\lim\limits_{x\to a+} f'(x)=\lim\limits_{x\to a-} g'(x)$

---

## 21
[2017학년도 교육청]

함수 $f(x)=\begin{cases} \dfrac{e^{ax}-1}{3x} & (x<0) \\ x^2+3x+2 & (x\geq 0) \end{cases}$ 이 실수 전체의 집합에서

연속일 때, 상수 $a$의 값은? (단, $a\neq 0$) [3점]

① 6          ② 7          ③ 8
④ 9          ⑤ 10

## 23
[2017학년도 교육청]

함수 $f(x)=\begin{cases} x+1 & (x<0) \\ e^{ax+b} & (x\geq 0) \end{cases}$ 은 $x=0$에서 미분가능하다.

$f(10)=e^k$일 때, 상수 $k$의 값을 구하시오. (단, $a$와 $b$는 상수 이다.) [3점]

## 22
[2014학년도 수능]

이차항의 계수가 1인 이차함수 $f(x)$와 함수

$g(x)=\begin{cases} \dfrac{1}{\ln(x+1)} & (x\neq 0) \\ 8 & (x=0) \end{cases}$ 에 대하여 함수 $f(x)g(x)$가

구간 $(-1,\infty)$에서 연속일 때, $f(3)$의 값은? [3점]

① 6          ② 9          ③ 12
④ 15          ⑤ 18

## 24

함수 $f(x)=\begin{cases} ax^2+4 & (x\leq 2) \\ \ln b(x-1) & (x>2) \end{cases}$ 가 $x=2$에서 미분가능할

때, 두 상수 $a$, $b$의 곱 $ab$의 값은? [3점]

① $e^2$          ② $\dfrac{e^3}{2}$          ③ $\dfrac{e^4}{3}$
④ $\dfrac{e^5}{4}$          ⑤ $\dfrac{e^6}{5}$

## 01

$\lim\limits_{x\to\infty} (5^x - 3^x)^{\frac{1}{x}}$의 값은? [2점]

① $\dfrac{3}{5}$      ② $1$      ③ $\dfrac{5}{3}$

④ $3$      ⑤ $5$

## 02

함수 $f(x)=\left(\dfrac{x}{x-1}\right)^x (x>1)$에 대하여 $\lim\limits_{x\to\infty} f(3x)$의 값은? (단, $e$는 자연로그의 밑이다.) [3점]

① $e$      ② $e^2$      ③ $3e$

④ $e^3$      ⑤ $9e$

## 03

$\lim\limits_{x\to 0} \dfrac{e^{2x}-1}{x^2-x}$의 값은? [2점]

① $-\dfrac{1}{2}$      ② $-1$      ③ $-\dfrac{3}{2}$

④ $-2$      ⑤ $-\dfrac{5}{2}$

## 04

$\lim\limits_{x\to 1} \dfrac{e^{\frac{x-1}{2}}-x^2}{x-1}=a$에서 $a$의 값은? [3점]

① $-\dfrac{3}{2}$      ② $-\dfrac{1}{2}$      ③ $\dfrac{1}{2}$

④ $\dfrac{3}{2}$      ⑤ $\dfrac{5}{2}$

## 05

$\lim\limits_{x\to 0} \dfrac{\ln(1+2x)+\ln(1-2x)}{x^2}$의 값은? [3점]

① $-4$      ② $-2$      ③ $0$

④ $2$      ⑤ $4$

## 06

$\lim\limits_{x\to 0} \dfrac{\ln(ax+1)}{x^3+2x}=2$일 때, $\lim\limits_{x\to 0} \dfrac{\ln(3x+1)}{ax}$의 값은? [3점]

① $\dfrac{1}{4}$      ② $\dfrac{1}{2}$      ③ $\dfrac{3}{4}$

④ $1$      ⑤ $\dfrac{5}{4}$

## 07

$\lim\limits_{x \to 0} \dfrac{(2a+3)^x - a^x}{x} = 2\ln 2$일 때, 양수 $a$의 값은?

(단, $a \neq 1$) [3점]

① $\dfrac{3}{2}$      ② 2      ③ $\dfrac{5}{2}$

④ 3      ⑤ $\dfrac{7}{2}$

## 08

$f(x) = e^x$에 대하여 $\lim\limits_{x \to 0} \dfrac{f(x)-1}{x}$의 값은? [2점]

① $\dfrac{1}{e}$      ② $\dfrac{1}{2}$      ③ 1

④ 2      ⑤ $e$

## 09

$f(x) = e^{-x}\ln x$일 때, $f'(1)$의 값은? (단, $e$는 자연로그의 밑이다.) [3점]

① $-\dfrac{1}{e}$      ② $-1$      ③ $\dfrac{1}{e}$

④ 1      ⑤ $e$

## 10

함수 $f(x) = x^3 \ln x^2$에 대하여 $f'(e)$의 값은? [3점]

① $4e^2$      ② $6e^2$      ③ $8e^2$

④ $10e^2$      ⑤ $12e^2$

## 11

함수 $f(x) = \begin{cases} \dfrac{4x}{e^x + 3x - 1} & (x \neq 0) \\ k & (x = 0) \end{cases}$ 가 $x = 0$에서 연속일 때, 상수 $k$의 값을 구하시오. (단, $e$는 자연로그의 밑이다.) [3점]

## 12

함수 $f(x) = \begin{cases} ax^2 + 1 & (x \leq 1) \\ \ln x + b & (x \geq 1) \end{cases}$ 가 $x = 1$에서 미분가능할 때, $a + b$의 값은? [3점]

① 1      ② 2      ③ 3

④ 4      ⑤ 5

Ⅱ. 여러 가지 함수의 미분

# 04 삼각함수의 미분

출제경향 삼각함수의 덧셈정리, 삼각함수의 극한에 대한 계산과 활용 문제가 출제된다. 4점짜리 활용 문제를 풀기 위해서 3점짜리 계산 문제를 막힘없이 풀 수 있도록 연습하여야 한다.

Young people should
strive towards their ideals.

---

## 핵심개념 1 　 삼각함수의 덧셈정리

(1) $\sin(\alpha+\beta)=\sin\alpha\cos\beta+\cos\alpha\sin\beta$, $\sin(\alpha-\beta)=\sin\alpha\cos\beta-\cos\alpha\sin\beta$

(2) $\cos(\alpha+\beta)=\cos\alpha\cos\beta-\sin\alpha\sin\beta$, $\cos(\alpha-\beta)=\cos\alpha\cos\beta+\sin\alpha\sin\beta$

(2) $\tan(\alpha+\beta)=\dfrac{\tan\alpha+\tan\beta}{1-\tan\alpha\tan\beta}$, $\tan(\alpha-\beta)=\dfrac{\tan\alpha-\tan\beta}{1+\tan\alpha\tan\beta}$

[2015학년도 교육청]

**01** $\tan\theta=\dfrac{1}{2}$일 때, $\tan2\theta$의 값은? [2점]

① $\dfrac{3}{2}$　　　② $\dfrac{4}{3}$　　　③ $\dfrac{5}{4}$　　　④ $\dfrac{6}{5}$　　　⑤ 1

[2017학년도 수능 모의평가]

**02** $\cos(\alpha+\beta)=\dfrac{5}{7}$, $\cos\alpha\cos\beta=\dfrac{4}{7}$일 때, $\sin\alpha\sin\beta$의 값은? [3점]

① $-\dfrac{1}{7}$　　② $-\dfrac{2}{7}$　　③ $-\dfrac{3}{7}$　　④ $-\dfrac{4}{7}$　　⑤ $-\dfrac{5}{7}$

[2018학년도 교육청]

**03** $\sin\alpha=\dfrac{3}{5}$, $\cos\beta=\dfrac{\sqrt{5}}{5}$일 때, $\sin(\beta-\alpha)$의 값은? (단, $\alpha$, $\beta$는 예각이다.) [3점]

① $\dfrac{3\sqrt{5}}{20}$　② $\dfrac{\sqrt{5}}{5}$　③ $\dfrac{\sqrt{5}}{4}$　④ $\dfrac{3\sqrt{5}}{10}$　⑤ $\dfrac{7\sqrt{5}}{20}$

---

## 핵심개념 2 　 두 직선이 이루는 예각의 크기

두 직선 $y_1=m_1x+n_1$, $y_2=m_2x+n_2$가 $x$축의 양의 방향과 이루는 각의 크기를 각각 $\alpha$, $\beta$라 하면

　　　$\tan\alpha=m_1$, $\tan\beta=m_2$

이고, 두 직선이 이루는 예각의 크기를 $\theta$라 하면

$\tan\theta=|\tan(\alpha-\beta)|$

　　　$=\left|\dfrac{\tan\alpha-\tan\beta}{1+\tan\alpha\tan\beta}\right|=\left|\dfrac{m_1-m_2}{1+m_1m_2}\right|$

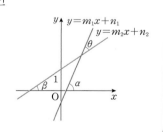

**04** 두 직선 $y=3x-1$, $y=\dfrac{1}{2}x+3$이 이루는 예각의 크기를 $\theta$라 할 때, $\tan\theta$의 값은? [3점]

① $\dfrac{3}{4}$　　　② 1　　　③ $\dfrac{5}{4}$　　　④ $\dfrac{3}{2}$　　　⑤ $\dfrac{7}{4}$

## 핵심개념 3    삼각함수의 극한

$y=\sin x$, $y=\cos x$는 모든 실수에서 연속이고, $y=\tan x$는 $x \neq n\pi + \dfrac{\pi}{2}$ ($n$은 정수)인 모든 실수에서 연속이므로, 임의의 실수 $a$에 대하여

(1) $\displaystyle\lim_{x \to a} \sin x = \sin a$

(2) $\displaystyle\lim_{x \to a} \cos x = \cos a$

(3) $\displaystyle\lim_{x \to a} \tan x = \tan a$

$\left(\text{단, } a \neq n\pi + \dfrac{\pi}{2}, \ n\text{은 정수}\right)$

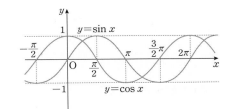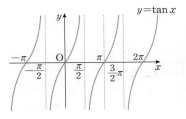

**05** 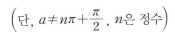 $\displaystyle\lim_{x \to \pi} \dfrac{\sin 2x}{\tan x}$ 의 값을 구하시오. [3점]

## 핵심개념 4    $\displaystyle\lim_{x \to 0}\dfrac{\sin x}{x}$, $\displaystyle\lim_{x \to 0}\dfrac{\tan x}{x}$ 의 값

$x$의 단위가 라디안일 때

(1) $\displaystyle\lim_{x \to 0}\dfrac{\sin x}{x}=1 \longrightarrow \lim_{x \to 0}\dfrac{\sin bx}{ax}=\lim_{x \to 0}\left(\dfrac{\sin bx}{bx}\times\dfrac{b}{a}\right)=\dfrac{b}{a}$

(2) $\displaystyle\lim_{x \to 0}\dfrac{\tan x}{x}=1 \longrightarrow \lim_{x \to 0}\dfrac{\tan bx}{ax}=\lim_{x \to 0}\left(\dfrac{\tan bx}{bx}\times\dfrac{b}{a}\right)=\dfrac{b}{a}$

> **참고** (2) $\displaystyle\lim_{x \to 0}\dfrac{\tan x}{x}=\lim_{x \to 0}\dfrac{\sin x}{x\cos x}=\lim_{x \to 0}\dfrac{\sin x}{x}\times\lim_{x \to 0}\dfrac{1}{\cos x}=1\times 1=1$

[2018학년도 수능 모의평가]

**06** $\displaystyle\lim_{x \to 0}\dfrac{\sin 7x}{4x}$ 의 값은? [2점]

① $\dfrac{3}{4}$　　　　② $1$　　　　③ $\dfrac{5}{4}$　　　　④ $\dfrac{3}{2}$　　　　⑤ $\dfrac{7}{4}$

## 핵심개념 5    사인함수와 코사인함수의 도함수

(1) $y=\sin x$이면 $y'=\cos x$

(2) $y=\cos x$이면 $y'=-\sin x$

[2017학년도 교육청]

**07** 함수 $f(x)=\cos x$에 대하여 $f'\left(\dfrac{\pi}{2}\right)$의 값은? [3점]

① $-1$　　　　② $-\dfrac{1}{2}$　　　　③ $0$　　　　④ $\dfrac{1}{2}$　　　　⑤ $1$

## 기출유형 01　삼각함수의 덧셈정리

$\sin\alpha=\dfrac{1}{3}$일 때, $\cos\left(\dfrac{\pi}{6}+\alpha\right)$의 값은? $\left(\text{단, } 0<\alpha<\dfrac{\pi}{2}\right)$ [3점]

① $\dfrac{\sqrt{6}-2}{6}$　　② $\dfrac{\sqrt{6}-1}{6}$　　③ $\dfrac{2\sqrt{6}-1}{6}$　　④ $\dfrac{\sqrt{6}+1}{6}$　　⑤ $\dfrac{2\sqrt{6}+1}{6}$

**Act ①**
두 각의 합, 차에 대한 삼각함수의 값은 삼각함수의 덧셈정리를 이용한다.

**해결의 실마리**
두 각의 합, 차에 대한 삼각함수의 값 ⇨ 삼각함수의 덧셈정리를 이용한다.

**01** [2016학년도 교육청]

$\sin\theta=\dfrac{\sqrt{3}}{3}$일 때, $2\sin\left(\theta-\dfrac{\pi}{6}\right)+\cos\theta$의 값은?

$\left(\text{단, } 0<\theta<\dfrac{\pi}{2}\right)$ [3점]

① $\dfrac{1}{2}$　　　　② $\dfrac{\sqrt{3}}{3}$　　　③ $1$

④ $\sqrt{3}$　　　　⑤ $2$

**03** [2018학년도 교육청]

$\tan\alpha=4$, $\tan\beta=-2$일 때, $\tan(\alpha+\beta)=\dfrac{q}{p}$이다. $p+q$의 값을 구하시오. (단, $p$와 $q$는 서로소인 자연수이다.) [3점]

**02** [2018학년도 교육청]

$\tan(\alpha-\beta)=\dfrac{7}{8}$, $\tan\beta=1$일 때, $\tan\alpha$의 값을 구하시오.

$\left(\text{단, } 0<\alpha<\dfrac{\pi}{2},\ 0<\beta<\dfrac{\pi}{2}\right)$ [3점]

**04**

$\sin\alpha=\dfrac{1}{3}$, $\cos\beta=-\dfrac{1}{2}$일 때, $\cos(\alpha+\beta)$의 값은?

$\left(\text{단, } 0<\alpha<\dfrac{\pi}{2},\ \dfrac{\pi}{2}<\beta<\pi\right)$ [3점]

① $\dfrac{-2\sqrt{2}-\sqrt{3}}{2}$　　② $\dfrac{-2\sqrt{2}-\sqrt{3}}{3}$　　③ $\dfrac{-2\sqrt{2}-\sqrt{3}}{4}$

④ $\dfrac{-2\sqrt{2}-\sqrt{3}}{5}$　　⑤ $\dfrac{-2\sqrt{2}-\sqrt{3}}{6}$

## 기출유형 02 두 직선이 이루는 예각의 크기

두 직선 $y=-3x+1$, $y=x+3$이 이루는 예각의 크기를 $\theta$라 할 때, $\tan\theta$의 값을 구하시오. [3점]

**Act ❶**

두 직선이 이루는 예각에 대한 탄젠트함수의 값은

$$|\tan(\alpha-\beta)|=\left|\frac{\tan\alpha-\tan\beta}{1+\tan\alpha\tan\beta}\right|$$

를 이용하여 구한다.

**해결의 실마리**

두 직선이 $x$축의 양의 방향과 이루는 각의 크기를 각각 $\alpha$, $\beta$라 하고, 두 직선이 이루는 예각의 크기를 $\theta$라 하면

$$\Rightarrow \tan\theta=|\tan(\alpha-\beta)|=\left|\frac{\tan\alpha-\tan\beta}{1+\tan\alpha\tan\beta}\right|$$

## 05

[2012학년도 수능 모의평가]

좌표평면에서 두 직선 $y=x$, $y=-2x$가 이루는 예각의 크기를 $\theta$라 할 때, $\tan\theta$의 값은? [3점]

① 2
② $\dfrac{7}{3}$
③ $\dfrac{8}{3}$

④ 3
⑤ $\dfrac{10}{3}$

## 07

두 직선 $2x-y+1=0$과 $x-3y+3=0$이 이루는 예각의 크기를 $\theta$라 할 때, $\tan\theta$의 값을 구하시오. [3점]

## 06

두 직선 $x-4y+2=0$, $3x-y+5=0$이 이루는 예각의 크기를 $\theta$라 할 때, $\tan\theta$의 값은? [3점]

① 1
② $\dfrac{8}{7}$
③ $\dfrac{9}{7}$

④ $\dfrac{10}{7}$
⑤ $\dfrac{11}{7}$

## 08

[2016학년도 수능 모의평가]

좌표평면에서 두 직선 $x-y-1=0$, $ax-y+1=0$이 이루는 예각의 크기를 $\theta$라 하자. $\tan\theta=\dfrac{1}{6}$일 때, 상수 $a$의 값은? (단, $a>1$) [3점]

① $\dfrac{11}{10}$
② $\dfrac{6}{5}$
③ $\dfrac{13}{10}$

④ $\dfrac{7}{5}$
⑤ $\dfrac{3}{2}$

$\lim\limits_{x \to 0} \dfrac{\cos^2 x - 1}{x^2}$ 의 값은? [2점]

① $-1$      ② $-\dfrac{1}{3}$      ③ $\dfrac{1}{3}$      ④ $1$      ⑤ $\dfrac{5}{3}$

**Act ①**

주어진 식을 $\lim\limits_{\bigstar \to 0} \dfrac{\sin\bigstar}{\bigstar}$ 꼴로 변형하여 계산한다.

**해결의 실마리**

(1) 삼각함수를 포함한 함수의 극한 ⇨ 삼각함수의 여러 가지 공식을 이용하여 주어진 식을 간단히 한다.

(2) 임의의 실수 $a$에 대하여

  ① $\lim\limits_{x \to a} \sin x = \sin a$      ② $\lim\limits_{x \to a} \cos x = \cos a$      ③ $\lim\limits_{x \to a} \tan x = \tan a \left(\text{단, } a \ne n\pi + \dfrac{\pi}{2},\ n \text{은 정수}\right)$

(3) $x$의 단위가 라디안일 때

  ① $\lim\limits_{x \to 0} \dfrac{\sin x}{x} = 1 \longrightarrow \lim\limits_{x \to 0} \dfrac{\sin bx}{ax} = \lim\limits_{x \to 0} \left(\dfrac{\sin bx}{bx} \times \dfrac{b}{a}\right) = \dfrac{b}{a}$

  ② $\lim\limits_{x \to 0} \dfrac{\tan x}{x} = 1 \longrightarrow \lim\limits_{x \to 0} \dfrac{\tan bx}{ax} = \lim\limits_{x \to 0} \left(\dfrac{\tan bx}{bx} \times \dfrac{b}{a}\right) = \dfrac{b}{a}$

---

**09**            [2015학년도 교육청]

$\lim\limits_{x \to 0} \dfrac{\sin^2 x}{1 - \cos x}$ 의 값을 구하시오. [3점]

**11**            [2016학년도 수능 모의평가]

$\lim\limits_{x \to 0} \dfrac{\tan x}{x e^x}$ 의 값은? [2점]

① $1$      ② $2$      ③ $3$

④ $4$      ⑤ $5$

---

**10**            [2017학년도 수능 모의평가]

$\lim\limits_{x \to 0} \dfrac{\sin 2x}{x \cos x}$ 의 값을 구하시오. [3점]

**12**            [2016학년도 수능]

$\lim\limits_{x \to 0} \dfrac{\ln(1 + 5x)}{\sin 3x}$ 의 값은? [2점]

① $1$      ② $\dfrac{4}{3}$      ③ $\dfrac{5}{3}$

④ $2$      ⑤ $\dfrac{7}{3}$

## 기출유형 **04** 사인함수와 코사인함수의 도함수

[2015학년도 수능 모의평가]

함수 $f(x)=\sin x-4x$에 대하여 $f'(0)$의 값은? [2점]

① $-5$     ② $-4$     ③ $-3$     ④ $-2$     ⑤ $-1$

**Act ❶**
$y=\sin x$이면 $y'=\cos x$임을 이용한다.

**해결의 실마리**

(1) $y=\sin x$이면 $y'=\cos x$      (2) $y=\cos x$이면 $y'=-\sin x$

---

## 13
[2016학년도 교육청]

$f(x)=\sin x$일 때, $f'\left(\dfrac{\pi}{3}\right)$의 값은? [2점]

① $-1$     ② $-\dfrac{1}{2}$     ③ $0$

④ $\dfrac{1}{2}$     ⑤ $1$

## 15
[2018학년도 교육청]

함수 $f(x)=\cos x-3\sin x$에 대하여 $\displaystyle\lim_{h\to 0}\dfrac{f(\pi+3h)-f(\pi)}{h}$의 값을 구하시오. [3점]

## 14
[2018학년도 교육청]

함수 $f(x)=x+2\sin x$에 대하여 $f'\left(\dfrac{\pi}{3}\right)$의 값은? [2점]

① $1$     ② $\dfrac{3}{2}$     ③ $2$

④ $\dfrac{5}{2}$     ⑤ $3$

## 16
[2016학년도 교육청]

함수 $f(x)=\sin x+a\cos x$에 대하여 $\displaystyle\lim_{x\to\frac{\pi}{2}}\dfrac{f(x)-1}{x-\dfrac{\pi}{2}}=3$일 때, $f\left(\dfrac{\pi}{4}\right)$의 값은?

(단, $a$는 상수이다.) [3점]

① $-2\sqrt{2}$     ② $-\sqrt{2}$     ③ $0$

④ $\sqrt{2}$     ⑤ $2\sqrt{2}$

## 01

$\sin\alpha=\dfrac{1}{2}$, $\cos\beta=-\dfrac{1}{3}$일 때, $\sin(\alpha+\beta)$의 값은?

$\left(단,\ 0<\alpha<\dfrac{\pi}{2},\ \dfrac{\pi}{2}<\beta<\pi\right)$ [3점]

① $\dfrac{-1+2\sqrt{6}}{3}$    ② $\dfrac{-1+2\sqrt{6}}{4}$    ③ $\dfrac{-1+2\sqrt{6}}{5}$

④ $\dfrac{-1+2\sqrt{6}}{6}$    ⑤ $\dfrac{-1+2\sqrt{6}}{7}$

## 02

$\sin\alpha=\dfrac{3}{5}$, $\cos\beta=\dfrac{4}{5}$일 때, $\cos(\alpha+\beta)$의 값은?

$\left(단,\ 0<\alpha<\dfrac{\pi}{2},\ \dfrac{3}{2}\pi<\beta<2\pi\right)$ [3점]

① $\dfrac{9}{25}$    ② $\dfrac{12}{25}$    ③ $\dfrac{3}{5}$

④ $\dfrac{4}{5}$    ⑤ $1$

## 03

이차방정식 $2x^2-3x+1=0$의 두 근이 $\tan\alpha$, $\tan\beta$일 때, $\tan(\alpha+\beta)$의 값을 구하시오. [3점]

## 04

그림과 같이 두 직선 $y=3x$, $y=\dfrac{1}{3}x$ 위의 두 점 A, B와 원점 O 를 꼭짓점으로 하고 ∠B=90°인 직 각삼각형 AOB가 있다. $\overline{OA}=2$일 때, $\overline{AB}$의 길이는? [3점]

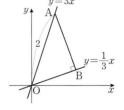

① $\dfrac{8}{5}$    ② $\dfrac{9}{5}$    ③ $2$

④ $\dfrac{11}{5}$    ⑤ $\dfrac{12}{5}$

## 05

다음 중 극한값이 존재하지 <u>않는</u> 것은? [3점]

① $\displaystyle\lim_{x\to\infty}\dfrac{\sin x}{x}$    ② $\displaystyle\lim_{x\to\infty}x\sin\dfrac{1}{x}$    ③ $\displaystyle\lim_{x\to0}x\sin\dfrac{1}{x}$

④ $\displaystyle\lim_{x\to0}x\sin x$    ⑤ $\displaystyle\lim_{x\to\infty}x\sin x$

## 06

$\displaystyle\lim_{x\to0}\dfrac{2\cos^2x-\cos x-1}{x^2}$ 의 값은? [3점]

① $-\dfrac{5}{2}$    ② $-2$    ③ $-\dfrac{3}{2}$

④ $-1$    ⑤ $-\dfrac{1}{2}$

## 07

$\displaystyle\lim_{x \to \pi} \frac{1+\cos x}{(x-\pi)\sin x}$ 의 값은? [3점]

① $-\dfrac{5}{2}$      ② $-2$      ③ $-\dfrac{3}{2}$

④ $-1$      ⑤ $-\dfrac{1}{2}$

## 08

$\displaystyle\lim_{x \to 0} \frac{\sin 2x}{\sqrt{ax+b}-1}=3$을 만족시키는 두 상수 $a$, $b$에 대하여 $a+b$의 값은? [3점]

① $\dfrac{7}{3}$      ② $\dfrac{8}{3}$      ③ $3$

④ $\dfrac{10}{3}$      ⑤ $\dfrac{11}{3}$

## 09

$f(x)=\sin^2 x$에 대하여 $f'\!\left(\dfrac{\pi}{6}\right)$의 값은? [2점]

① $0$      ② $\dfrac{\sqrt{2}}{2}$      ③ $\dfrac{\sqrt{3}}{2}$

④ $\sqrt{2}$      ⑤ $\sqrt{3}$

## 10

$f(x)=x\cos x$에 대하여 $\displaystyle\lim_{h \to 0} \frac{f(\pi+h)-f(\pi-h)}{h}$의 값은? [3점]

① $-2$      ② $-1$      ③ $0$

④ $1$      ⑤ $2$

## 11

함수 $f(x)=\displaystyle\lim_{h \to 0} \frac{x\sin(x+h)-x\sin x}{h}$에 대하여 $f'\!\left(\dfrac{\pi}{2}\right)$의 값은? [3점]

① $-\dfrac{\pi}{2}$      ② $-\dfrac{\pi}{3}$      ③ $0$

④ $\dfrac{\pi}{3}$      ⑤ $\dfrac{\pi}{2}$

## 12

함수 $f(x)=\begin{cases} ae^{x-1}+2x & (x<1) \\ b\ln x+\sin\pi x-3 & (x\geq 1) \end{cases}$ 이 $x=1$에서 미분 가능할 때, $a+b$의 값은? [3점]

① $\pi-8$      ② $\pi-3$      ③ $\pi+2$

④ $-\pi$      ⑤ $-2\pi$

Ⅲ. 미분법

# 05 여러 가지 미분법

**출제경향** 최근 수능에서는 몫의 미분, 합성함수의 미분, 매개변수로 나타낸 함수의 미분, 음함수와 역함수의 미분에 대한 문제가 골고루 출제되었다. 기본적인 개념만 알면 풀 수 있는 문제가 출제되므로 실수하지 않고 풀 수 있도록 연습해 두어야 한다.

## 핵심개념 1 　함수의 몫의 미분법

(1) 함수의 몫의 미분법

미분가능한 두 함수 $f(x)$, $g(x)$ $(g(x) \neq 0)$에 대하여

① $y = \dfrac{1}{g(x)}$이면 $y' = -\dfrac{g'(x)}{\{g(x)\}^2}$
　　　② $y = \dfrac{f(x)}{g(x)}$이면 $y' = \dfrac{f'(x)g(x) - f(x)g'(x)}{\{\{g(x)\}^2}$

**참고** $\dfrac{f(x)}{g(x)} = f(x) \times \dfrac{1}{g(x)}$ 이므로 함수 $y = \dfrac{f(x)}{g(x)}$ 의 도함수는 다음과 같이 함수의 곱의 미분법을 이용하여 구할 수 있다.

$$\left\{\dfrac{f(x)}{g(x)}\right\}' = \left\{f(x) \times \dfrac{1}{g(x)}\right\}' = f'(x) \times \dfrac{1}{g(x)} + f(x) \times \left\{\dfrac{1}{g(x)}\right\}' = f'(x) \times \dfrac{1}{g(x)} - f(x) \times \dfrac{g'(x)}{\{g(x)\}^2} = \dfrac{f'(x)g(x) - f(x)g'(x)}{\{g(x)\}^2}$$

(2) 함수 $y = x^n$ ($n$은 정수)의 도함수

$n$이 정수일 때, $y = x^n$이면 $y' = nx^{n-1}$

[2017학년도 교육청]

**01** 함수 $f(x) = -\dfrac{1}{x^2}$ 에 대하여 $f'\left(\dfrac{1}{3}\right)$의 값을 구하시오. [3점]

## 핵심개념 2 　여러 가지 삼각함수의 도함수

(1) 코시컨트함수, 시컨트함수, 코탄젠트함수의 정의

각 $\theta$를 나타내는 동경이 반지름의 길이가 $r$인 원 O와 만나는 점을 $P(x, y)$라 할 때

① 코시컨트함수 : $\csc\theta = \dfrac{r}{y}(y \neq 0)$ ← $\csc\theta = \dfrac{1}{\sin\theta}$

② 시컨트함수 : $\sec\theta = \dfrac{r}{x}(x \neq 0)$ ← $\sec\theta = \dfrac{1}{\cos\theta}$

③ 코탄젠트함수 : $\cot\theta = \dfrac{x}{y}(y \neq 0)$ ← $\cot\theta = \dfrac{1}{\tan\theta}$

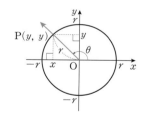

(2) 삼각함수 사이의 관계

① $1 + \tan^2\theta = \sec^2\theta$ 　② $1 + \cot^2\theta = \csc^2\theta$

**참고** $\sin^2\theta + \cos^2\theta = 1$의 양변을 $\cos^2\theta(\cos\theta \neq 0)$로 나누면 ①을, $\sin^2\theta(\sin\theta \neq 0)$로 나누면 ②를 얻을 수 있다.

(3) 여러 가지 삼각함수의 도함수

① $y = \tan x$이면 $y' = \sec^2 x$
　　　② $y = \csc x$이면 $y' = -\csc x \cot x$

③ $y = \sec x$이면 $y' = \sec x \tan x$
　　　④ $y = \cot x$이면 $y' = -\csc^2 x$

**참고** $\tan x$, $\csc x$, $\sec x$, $\cot x$의 도함수는 $\sin x$, $\cos x$의 도함수와 함수의 몫의 미분법을 이용하여 구할 수 있다.

[2019학년도 수능 모의평가]

**02** $\cos\theta = \dfrac{1}{7}$일 때, $\sec^2\theta$의 값을 구하시오. [3점]

[2018학년도 교육청]

**03** $\tan\theta = -3$일 때, $\sec^2\theta$의 값은? [3점]

① 7　　　　② 8　　　　③ 9　　　　④ 10　　　　⑤ 11

**핵심개념 3**　　**합성함수의 미분법**

**(1) 합성함수의 미분법**

미분가능한 두 함수 $y=f(u)$, $u=g(x)$에 대하여 합성함수 $y=f(g(x))$의 도함수는

$\dfrac{dy}{dx}=\dfrac{dy}{du}\times\dfrac{du}{dx}$ 또는 $y'=f'(g(x))g'(x)$

**(2) 로그함수의 도함수**

① $y=\ln|x|$ 이면 $y'=\dfrac{1}{x}$ (단, $x\neq 0$)

② $y=\ln|f(x)|$이면 $y'=\dfrac{f'(x)}{f(x)}$ (단, 함수 $f(x)$는 미분가능하고 $f(x)\neq 0$)

**참고** $y=\log_a|x|=\dfrac{\ln|x|}{\ln a}$에서 $y'=\dfrac{1}{x\ln a}$ (단, $x\neq 0$, $a>0$, $a\neq 1$)

$y=\log_a|f(x)|=\dfrac{\ln|f(x)|}{\ln a}$에서 $y'=\dfrac{f'(x)}{f(x)\ln a}$ (단, 함수 $f(x)$는 미분가능하고 $f(x)\neq 0$, $a>0$, $a\neq 1$)

**(3) 함수 $y=x^n$ ($n$은 실수)의 도함수**

$n$이 실수일 때, $y=x^n$이면 $y'=nx^{n-1}$ (단, $x>0$)

**참고** $(x^n)'=(e^{\ln x^n})'=(e^{n\ln x})'=e^{n\ln x}\times(n\ln x)'=e^{n\ln x}\times\dfrac{n}{x}=x^n\times\dfrac{n}{x}=nx^{n-1}$

**04** 함수 $h(x)=(x^3-2x)^3$에 대하여 $h'(1)$의 값을 구하시오. [3점]

[2016학년도 교육청]

**05** 함수 $f(x)=6\tan 2x$에 대하여 $f'\left(\dfrac{\pi}{6}\right)$의 값을 구하시오. [3점]

**핵심개념 4**　　**매개변수로 나타낸 함수의 미분법**

**(1)** 두 변수 $x$, $y$ 사이의 관계를 변수 $t$를 매개로 하여 $\begin{cases} x=f(t) \\ y=g(t) \end{cases}$ 의 꼴로 나타낼 때, 변수 $t$를 **매개변수**라고 하며, 이 함수를 매개변수로 나타낸 함수라고 한다.

**(2)** 매개변수로 나타낸 두 함수 $x=f(t)$, $y=g(t)$가 $t$에 대하여 미분가능하고 $f'(t)\neq 0$이면

$\dfrac{dy}{dx}=\dfrac{\dfrac{dy}{dt}}{\dfrac{dx}{dt}}=\dfrac{g'(t)}{f'(t)}$

[2016학년도 수능 모의평가]

**06** 매개변수 $t(t>0)$으로 나타내어진 함수 $x=t^2+1$, $y=\dfrac{2}{3}t^3+10t-1$에서 $t=1$일 때, $\dfrac{dy}{dx}$의 값을 구하시오. [3점]

## (1) 음함수의 미분법

① 방정식 $f(x, y)=0$은 $x$와 $y$의 값의 범위를 적절히 정하면 $y$가 $x$에 대한 함수가 된다. 이와 같이 $x$의 함수 $y$가 방정식 $f(x, y)=0$의 꼴로 주어질 때, $y$는 $x$의 **음함수**라고 한다.

② $x$의 함수 $y$가 음함수 $f(x, y)=0$의 꼴로 주어질 때, $y$를 $x$의 함수로 보고 각 항을 $x$에 대하여 미분하여 $\dfrac{dy}{dx}$를 구한다.

**예** $x^2+y^2=1$의 각 항을 $x$에 대하여 미분하면

$$\frac{d}{dx}(x^2)+\frac{d}{dx}(y^2)=\frac{d}{dx}(1),\ 2x+2y\frac{dy}{dx}=0\quad \therefore\ \frac{dy}{dx}=-\frac{x}{y}\ (y\neq0)$$

## (2) 역함수의 미분법

미분가능한 함수 $f(x)$의 역함수 $g(x)$가 존재하고 미분가능할 때, $y=g(x)$의 도함수는

$$g'(x)=\frac{1}{f'(g(x))}\ (단,\ f'(g(x))\neq0)\ 또는\ \frac{dy}{dx}=\frac{1}{\dfrac{dx}{dy}}\ (단,\ \frac{dx}{dy}\neq0)$$

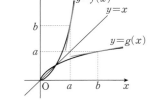

**참고** · 역함수의 정의에 의하여 $f(g(x))=x$이므로 양변을 $x$에 대하여 미분하면 $f'(g(x))g'(x)=1$

$\therefore\ g'(x)=\dfrac{1}{f'(g(x))}$ (단, $f'(g(x))\neq0$)

· 역함수의 미분법을 이용하면 역함수를 직접 구하지 않고도 역함수의 미분계수를 구할 수 있다. 즉 오른쪽 그림에서 $f'(a)g'(b)=1$이다.

[2018학년도 수능 모의평가]

**07** 곡선 $5x+xy+y^2=5$ 위의 점 $(1,\ -1)$에서의 접선의 기울기를 구하시오. [3점]

[2015학년도 교육청]

**08** 함수 $f(x)=x^3+2x+1$에 대하여 $f(x)$의 역함수를 $g(x)$라 할 때, $24g'(1)$의 값을 구하시오. [3점]

함수 $f(x)$의 도함수 $f'(x)$가 미분가능할 때, $f'(x)$의 도함수 $\displaystyle\lim_{h\to0}\frac{f'(x+h)-f'(x)}{h}$를 함수 $f(x)$의 **이계도함수**라고 하고, 이것을 기호로 $f''(x)$, $y''$, $\dfrac{d^2y}{dx^2}$, $\dfrac{d^2}{dx^2}f(x)$와 같이 나타낸다.

**09** 함수 $f(x)=x\cos x$에 대하여 $f''\left(\dfrac{\pi}{2}\right)$의 값은? [3점]

① $-2$      ② $-1$      ③ $0$      ④ $1$      ⑤ $2$

## 기출유형 01   함수의 몫의 미분법

함수 $y = \dfrac{x}{x^2 - 1}$ 에 대하여 $f'(0)$의 값은? [2점]

① $-2$  　　② $-1$  　　③ $0$  　　④ $1$  　　⑤ $2$

**Act ❶**
두 함수 $f(x)$, $g(x)$ $(g(x) \neq 0)$가 미분 가능할 때,
$$\left\{ \frac{f(x)}{g(x)} \right\}' = \frac{f'(x)g(x) - f(x)g'(x)}{\{g(x)\}^2}$$
임을 이용한다.

**해결의 실마리**

미분가능한 두 함수 $f(x)$, $g(x)$ $(g(x) \neq 0)$에 대하여

(1) $y = \dfrac{1}{g(x)}$ 이면 $\Rightarrow y' = -\dfrac{g'(x)}{\{g(x)\}^2}$

(2) $y = \dfrac{f(x)}{g(x)}$ 이면 $\Rightarrow y' = \dfrac{f'(x)g(x) - f(x)g'(x)}{\{g(x)\}^2}$

## 01
[2014학년도 교육청]

함수 $f(x) = 8x - \dfrac{4}{x}$ 에 대하여 $f'(1)$의 값을 구하시오. [3점]

## 03

함수 $f(x) = \dfrac{\ln x}{x}$ 에 대하여 $f'(1)$의 값은? [2점]

① $-2$  　　② $-1$  　　③ $0$

④ $1$  　　⑤ $2$

## 02
[2016학년도 교육청]

함수 $f(x) = \dfrac{e^x}{x}$ 에 대하여 $f'(2)$의 값은? [2점]

① $\dfrac{e^2}{4}$  　　② $\dfrac{e^2}{2}$  　　③ $e^2$

④ $2e^2$  　　⑤ $4e^2$

## 04
[2018학년도 교육청]

함수 $f(x) = \dfrac{x}{x^2 + x + 8}$ 에 대하여 부등식 $f'(x) > 0$의 해 가 $\alpha < x < \beta$일 때, $\alpha^2 + \beta^2$의 값을 구하시오. [3점]

[2016학년도 교육청]

$\sin\theta - \cos\theta = \dfrac{\sqrt{3}}{2}$ 일 때, $\tan\theta + \cot\theta$ 의 값은? [3점]

① 6 ② 7 ③ 8 ④ 9 ⑤ 10

**Act ❶**

$\tan\theta + \cot\theta = \dfrac{\sin\theta}{\cos\theta} + \dfrac{\cos\theta}{\sin\theta} = \dfrac{1}{\sin\theta\cos\theta}$

이므로 주어진 식의 양변을 제곱하여 $\sin\theta\cos\theta$ 의 값을 구한다.

---

**해결의 실마리**

**(1) 삼각함수의 관계**

① $\csc\theta = \dfrac{1}{\sin\theta}$ , $\sec\theta = \dfrac{1}{\cos\theta}$ , $\cot\theta = \dfrac{1}{\tan\theta}$　　② $1 + \tan^2\theta = \sec^2\theta$, $1 + \cot^2\theta = \csc^2\theta$

**(2) 삼각함수의 도함수**

① $y = \tan x$ 이면 $\Rightarrow y' = \sec^2 x$　　② $y = \csc x$ 이면 $\Rightarrow y' = -\csc x \cot x$

③ $y = \sec x$ 이면 $\Rightarrow y' = \sec x \tan x$　　④ $y = \cot x$ 이면 $\Rightarrow y' = -\csc^2 x$

---

**05**

[2019학년도 수능]

$\tan\theta = 5$ 일 때, $\sec^2\theta$ 의 값을 구하시오. [3점]

**07**

함수 $f(x) = \tan x - \cot x$ 에 대하여 $f'\!\left(\dfrac{\pi}{3}\right)$ 의 값은? [3점]

① $\dfrac{13}{3}$　　② $\dfrac{14}{3}$　　③ 5

④ $\dfrac{16}{3}$　　⑤ $\dfrac{17}{3}$

**06**

$\tan\theta + \cot\theta = 6$ 일 때, $\sec^2\theta + \csc^2\theta$ 의 값을 구하시오. [3점]

**08**

함수 $f(x) = \dfrac{1 - \csc x}{\cot x}$ 에 대하여 $f'\!\left(\dfrac{\pi}{4}\right)$ 의 값은? [3점]

① $2 - 2\sqrt{2}$　　② $2 - \sqrt{2}$　　③ 1

④ $2 + \sqrt{2}$　　⑤ $2 + 2\sqrt{2}$

## 기출유형 03 합성함수의 도함수

[2016학년도 수능 모의평가]

함수 $f(x)=(2e^x+1)^3$에 대하여 $f'(0)$의 값은? [3점]

① 48      ② 51      ③ 54      ④ 57      ⑤ 60

**Act①**
합성함수 $y=f(g(x))$의 도함수는 $y'=f'(g(x))g'(x)$임을 이용한다.

---

**해결의 실마리**

두 함수 $f(x)$, $g(x)$가 미분가능할 때

(1) $y=f(g(x))$이면 ⇒ $y'=f'(g(x))g'(x)$

(2) $y=f(ax+b)$ $(a, b$는 상수)이면 ⇒ $y'=af'(ax+b)$

(3) $y=\{f(x)\}^n$ $(n$은 정수)이면 ⇒ $y'=n\{f(x)\}^{n-1}f'(x)$

---

## 09

[2016학년도 수능]

함수 $f(x)=4\sin7x$에 대하여 $f'(2\pi)$의 값을 구하시오.

[3점]

## 11

[2017학년도 수능 모의평가]

실수 전체의 집합에서 미분가능한 함수 $f(x)$가 모든 실수 $x$에 대하여

$$f(2x+1)=(x^2+1)^2$$

을 만족시킬 때, $f'(3)$의 값은? [3점]

① 1      ② 2      ③ 3

④ 4      ⑤ 5

## 10

[2013학년도 수능 모의평가]

양의 실수 전체의 집합에서 정의된 미분가능한 함수 $f(x)$가

$$f(x^3)=2x^3-x^2+32x$$

를 만족시킬 때, $f'(1)$의 값을 구하시오. [3점]

## 12

[2018학년도 교육청]

함수 $f(x)=\dfrac{x}{2}+2\sin x$에 대하여 함수 $g(x)$를 $g(x)=(f\circ f)(x)$라 할 때, $g'(\pi)$의 값은? [3점]

① $-1$      ② $-\dfrac{7}{8}$      ③ $-\dfrac{3}{4}$

④ $-\dfrac{5}{8}$      ⑤ $-\dfrac{1}{2}$

[2019학년도 수능 모의평가]

함수 $f(x)=e^{3x-2}$에 대하여 $f'(1)$의 값은? [2점]

① $e$        ② $2e$        ③ $3e$        ④ $4e$        ⑤ $5e$

**Act ❶**
$f(x)$가 미분가능할 때,
$\{e^{f(x)}\}'=e^{f(x)}f'(x)$임을 이용한다.

---

**해결의 실마리**

미분가능한 함수 $f(x)$에 대하여

**(1)** $y=e^{f(x)}$이면 $\Rightarrow y'=e^{f(x)}f'(x)$      **(2)** $y=a^{f(x)}\,(a>0,\ a\neq1)$이면 $\Rightarrow y'=a^{f(x)}\ln a\times f'(x)$

---

## 13
[2018학년도 교육청]

함수 $f(x)=4e^{3x-3}$에 대하여 $f'(1)$의 값을 구하시오. [3점]

## 15
[2015학년도 교육청]

곡선 $y=2^{2x-3}+1$ 위의 점 $\left(1,\ \dfrac{3}{2}\right)$에서의 접선의 기울기는? [3점]

① $\dfrac{1}{2}\ln2$      ② $\ln2$      ③ $\dfrac{3}{2}\ln2$

④ $2\ln2$      ⑤ $\dfrac{5}{2}\ln2$

## 14
[2014학년도 수능]

함수 $f(x)=5e^{3x-3}$에 대하여 $f'(1)$의 값을 구하시오. [3점]

## 16
[2017학년도 교육청]

두 함수 $f(x)=kx^2-2x$, $g(x)=e^{3x}+1$이 있다. 함수 $h(x)=(f\circ g)(x)$에 대하여 $h'(0)=42$일 때, 상수 $k$의 값을 구하시오. [3점]

**기출유형 05** **합성함수의 미분법 — 로그함수**

함수 $f(x)=\log_2 (2x+1)^3$에 대하여 $f'(a)=\dfrac{2}{\ln 2}$일 때, 상수 $a$의 값을 구하시오.

[3점]

**Act ❶**

함수 $f(x)$가 미분가능하고 $f(x)\neq 0$일 때,

$$(\log_a |f(x)|)'=\left(\frac{\ln|f(x)|}{\ln a}\right)'=\frac{f'(x)}{f(x)\ln a}$$ 임을

이용한다.

---

**해결의 실마리**

(1) $y=\ln|x|$ 이면 $\Rightarrow y'=\dfrac{1}{x}$ (단, $x\neq 0$)

(2) $y=\ln|f(x)|$ 이면 $\Rightarrow y'=\dfrac{f'(x)}{f(x)}$ (단, 함수 $f(x)$는 미분가능하고 $f(x)\neq 0$)

**참고** $y=\log_a|x|=\dfrac{\ln|x|}{\ln a}$ 에서 $y'=\dfrac{1}{x\ln a}$ (단, $x\neq 0$, $a>0$, $a\neq 1$)

$y=\log_a|f(x)|=\dfrac{\ln|f(x)|}{\ln a}$ 에서 $y'=\dfrac{f'(x)}{f(x)\ln a}$ (단, 함수 $f(x)$는 미분가능하고 $f(x)\neq 0$, $a>0$, $a\neq 1$)

---

**17**

[2018학년도 수능]

함수 $f(x)=\ln(x^2+1)$에 대하여 $f'(1)$의 값을 구하시오.

[3점]

**18**

[2012학년도 수능 모의평가]

함수 $f(x)=\ln(2x-1)$에 대하여 $f'(10)=\dfrac{q}{p}$일 때, $p+q$의 값을 구하시오. (단, $p$와 $q$는 서로소인 자연수이다. ) [3점]

**19**

함수 $f(x)=\log_3|5x-2|$에 대하여 $f'(1)$의 값은? [3점]

① $\dfrac{7}{5\ln 3}$  ② $\dfrac{3}{2\ln 3}$  ③ $\dfrac{5}{3\ln 3}$

④ $\dfrac{2}{\ln 3}$  ⑤ $\dfrac{3}{\ln 3}$

**20**

함수 $f(x)=x(\ln x+1)$일 때, $\displaystyle\lim_{x\to 1}\dfrac{f(x)-1}{\sqrt{x}-1}$의 값을 구하시오. [3점]

함수 $f(x)=\sqrt{2x^2+1}$에 대하여 $f'(2)$의 값은? [3점]

① $\dfrac{1}{12}$　　② $\dfrac{1}{6}$　　③ $\dfrac{1}{4}$　　④ $\dfrac{1}{3}$　　⑤ $\dfrac{5}{12}$

**Act ❶**

$n$이 실수일 때,
$[\{f(x)\}^n]'=n\{f(x)\}^{n-1}f'(x)$
임을 이용한다.

---

**해결의 실마리**

(1) $n$이 실수일 때, $y=x^n$이면 $\Rightarrow y'=nx^{n-1}$

(2) 미분가능한 함수 $f(x)$에 대하여 $y=\{f(x)\}^n$ ($n$은 실수)이면 $\Rightarrow y'=n\{f(x)\}^{n-1}f'(x)$

---

**21** [2018학년도 교육청]

함수 $f(x)=x\sqrt{x}$에 대하여 $f'(16)$의 값을 구하시오. [3점]

**23** [2018학년도 교육청]

곡선 $y=x\sqrt{x}$ 위의 점 $(4,\ 8)$에서의 접선의 기울기는? [3점]

① $\sqrt{2}$　　② $\sqrt{3}$　　③ $2$

④ $2\sqrt{2}$　　⑤ $3$

**22** [2018학년도 수능 모의평가]

함수 $f(x)=\sqrt{x^3+1}$에 대하여 $f'(2)$의 값을 구하시오. [3점]

**24** [2013학년도 교육청]

미분가능한 함수 $y=f(x)$의 그래프 위의 점 $(2,\ f(2))$에서의 접선의 기울기가 $2$이다. 양의 실수 전체의 집합에서 정의된 함수 $y=f(\sqrt{x})$의 $x=4$에서의 미분계수는? [3점]

① $\dfrac{1}{2}$　　② $\dfrac{\sqrt{2}}{2}$　　③ $1$

④ $\sqrt{2}$　　⑤ $2$

## 기출유형 07  매개변수로 나타낸 함수의 미분법

[2017학년도 교육청]

매개변수 $t(t>0)$으로 나타내어진 함수 $x=t+\sqrt{t}$, $y=t^3+\dfrac{1}{t}$에서 $t=1$일 때, $\dfrac{dy}{dx}$의 값은? [3점]

① $\dfrac{2}{3}$      ② $1$      ③ $\dfrac{4}{3}$      ④ $\dfrac{5}{3}$      ⑤ $2$

**Act ❶**
매개변수로 나타낸 함수 $x=f(t)$, $y=g(t)$가 $t$에 대하여 미분가능하고 $f'(t) \neq 0$이면 $\dfrac{dy}{dx}=\dfrac{g'(t)}{f'(t)}$ 임을 이용한다.

**해결의 실마리**

매개변수로 나타낸 두 함수 $x=f(t)$, $y=g(t)$가 $t$에 대하여 미분가능하고 $f'(t) \neq 0$이면 ⇨ $\dfrac{dy}{dx}=\dfrac{\frac{dy}{dt}}{\frac{dx}{dt}}=\dfrac{g'(t)}{f'(t)}$

---

## 25
[2018학년도 수능 모의평가]

매개변수 $t$로 나타내어진 곡선 $x=t^2+2$, $y=t^3+t-1$에서 $t=1$일 때, $\dfrac{dy}{dx}$의 값은? [3점]

① $\dfrac{1}{2}$      ② $1$      ③ $\dfrac{3}{2}$

④ $2$      ⑤ $\dfrac{5}{2}$

## 27
[2018학년도 교육청]

매개변수 $t$로 나타내어진 곡선 $x=e^{2t-6}$, $y=t^2-t+5$에서 $t=3$일 때, $\dfrac{dy}{dx}$의 값은? [3점]

① $\dfrac{1}{2}$      ② $1$      ③ $\dfrac{3}{2}$

④ $2$      ⑤ $\dfrac{5}{2}$

## 26
[2017학년도 교육청]

매개변수 $t(t>0)$로 나타내어진 함수 $x=t+2\sqrt{t}$, $y=4t^3$에 대하여 $t=1$일 때, $\dfrac{dy}{dx}$의 값을 구하시오. [3점]

## 28
[2016학년도 교육청]

매개변수 $\theta$로 나타내어진 함수 $\begin{cases} x=2\sin\theta-1 \\ y=4\cos\theta+\sqrt{3} \end{cases}$ 에 대하여 $\theta=\dfrac{\pi}{3}$일 때, $\dfrac{dy}{dx}$의 값은? [3점]

① $-2\sqrt{3}$      ② $-2\sqrt{2}$      ③ $-\sqrt{3}$

④ $-\sqrt{2}$      ⑤ $-\dfrac{\sqrt{2}}{2}$

곡선 $e^x - xe^y = y$ 위의 점 $(0, 1)$에서의 접선의 기울기는? [3점]

[2019학년도 수능]

① $3-e$  ② $2-e$  ③ $1-e$  ④ $-e$  ⑤ $-1-e$

**Act ❶**

음함수 $f(x, y) = 0$에서 $y$를 $x$의 함수로 보고 각 항을 $x$에 대하여 미분하여 $\dfrac{dy}{dx}$를 구한다.

**해결의 실마리**

음함수 $f(x, y) = 0$에서 $\dfrac{dy}{dx}$를 구할 때는 ⇨ $y$를 $x$의 함수로 보고 각 항을 $x$에 대하여 미분하여 $\dfrac{dy}{dx}$를 구한다.

---

**29**

[2018학년도 수능]

곡선 $2x + x^2y - y^3 = 2$ 위의 점 $(1, 1)$에서의 접선의 기울기를 구하시오. [3점]

**31**

[2017학년도 교육청]

곡선 $x^2 - y^2 - y = 1$ 위의 점 $A(a, b)$에서의 접선의 기울기가 $\dfrac{2}{15}a$일 때, $b$의 값을 구하시오. [3점]

---

**30**

[2007학년도 수능 모의평가]

$y$가 $x$의 함수일 때, 곡선 $e^x \ln y = 1$ 위의 점 $(0, e)$에서의 접선의 기울기는? [3점]

① $-e$  ② $-\dfrac{1}{e}$  ③ $\dfrac{1}{e}$

④ $e$  ⑤ $2e$

**32**

[2019학년도 수능 모의평가]

곡선 $e^x - e^y = y$ 위의 점 $(a, b)$에서의 접선의 기울기가 1일 때, $a+b$의 값은? [3점]

① $1+\ln(e+1)$  ② $2+\ln(e^2+2)$  ③ $3+\ln(e^3+3)$

④ $4+\ln(e^4+4)$  ⑤ $5+\ln(e^5+5)$

## 기출유형 09  역함수의 미분법

[2018학년도 수능]

실수 전체의 집합에서 미분가능한 두 함수 $f(x)$, $g(x)$가 있다. $f(x)$가 $g(x)$의 역함수이고 $f(1)=2$, $f'(1)=3$이다. 함수 $h(x)=xg(x)$라 할 때, $h'(2)$의 값은? [3점]

① 1　　　② $\dfrac{4}{3}$　　　③ $\dfrac{5}{3}$　　　④ 2　　　⑤ $\dfrac{7}{3}$

**Act①**

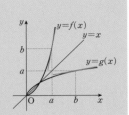

$f(x)$의 역함수 $g(x)$에 대하여 $f(a)=b$이면 $f'(a)g'(b)=1$, 즉 $g'(b)=\dfrac{1}{f'(a)}$ 임을 이용한다.

**해결의 실마리**

미분가능한 함수 $f(x)$의 역함수 $g(x)$가 존재하고 미분가능할 때,

(1) $y=g(x)$의 도함수는

⇨ $g'(x)=\dfrac{1}{f'(y)}=\dfrac{1}{f'(g(x))}$ (단, $f'(y)\neq0$) 또는 $\dfrac{dy}{dx}=\dfrac{1}{\dfrac{dx}{dy}}$ (단, $\dfrac{dx}{dy}\neq0$)

(2) $f(a)=b$, 즉 $g(b)=a$이면 ⇨ $f'(a)g'(b)=1$, 즉 $g'(b)=\dfrac{1}{f'(a)}$ (단, $f'(a)\neq0$)

---

### 33
[2017학년도 수능]

함수 $f(x)=x^3+x+1$의 역함수를 $g(x)$라 할 때, $g'(1)$의 값은? [3점]

① $\dfrac{1}{3}$　　　② $\dfrac{2}{5}$　　　③ $\dfrac{2}{3}$

④ $\dfrac{4}{5}$　　　⑤ 1

### 35
[2019학년도 수능 모의평가]

$x\geq\dfrac{1}{e}$에서 정의된 함수 $f(x)=3x\ln x$의 그래프가 점 $(e, 3e)$를 지난다. 함수 $f(x)$의 역함수를 $g(x)$라 할 때,

$\displaystyle\lim_{h\to0}\dfrac{g(3e+h)-g(3e-h)}{h}$의 값은? [3점]

① $\dfrac{1}{3}$　　　② $\dfrac{1}{2}$　　　③ $\dfrac{2}{3}$

④ $\dfrac{5}{6}$　　　⑤ 1

### 34
[2018학년도 수능 모의평가]

함수 $f(x)=x^3+5x+3$의 역함수를 $g(x)$라 할 때, $g'(3)$의 값은? [3점]

① $\dfrac{1}{7}$　　　② $\dfrac{1}{6}$　　　③ $\dfrac{1}{5}$

④ $\dfrac{1}{4}$　　　⑤ $\dfrac{1}{3}$

### 36
[2019학년도 수능]

함수 $f(x)=\dfrac{1}{1+e^{-x}}$의 역함수를 $g(x)$라 할 때, $g'(f(-1))$의 값은? [3점]

① $\dfrac{1}{(1+e)^2}$　　　② $\dfrac{e}{1+e}$　　　③ $\left(\dfrac{1+e}{e}\right)^2$

④ $\dfrac{e^2}{1+e}$　　　⑤ $\dfrac{(1+e)^2}{e}$

함수 $f(x)=e^x\sin x$에 대하여 $f''(\pi)$의 값은? [3점]

① $-2e^\pi$  ② $-e^\pi$  ③ 0  ④ $e^\pi$  ⑤ $2e^\pi$

**Act ①**
$f(x)$에서 $f'(x)$, $f''(x)$를 차례로 구한다.

**해결의 실마리**

함수 $f(x)$의 도함수 $f'(x)$가 미분가능할 때, $f'(x)$의 이계도함수는 $\Rightarrow f''(x)=\lim\limits_{h\to 0}\dfrac{f'(x+h)-f'(x)}{h}$

## 37
[2017학년도 교육청]

함수 $f(x)=12x\ln x-x^3+2x$에 대하여 $f''(a)=0$인 실수 $a$의 값은? [3점]

① $\dfrac{1}{2}$  ② $\dfrac{\sqrt{2}}{2}$  ③ 1

④ $\sqrt{2}$  ⑤ 2

## 39

함수 $f(x)=x\ln(x-1)$에 대하여 $\lim\limits_{x\to 2}\dfrac{f'(x)-2}{x-2}$의 값은? [3점]

① $-1$  ② $-\dfrac{1}{2}$  ③ 0

④ $\dfrac{1}{2}$  ⑤ 1

## 38
[2018학년도 수능 모의평가]

함수 $f(x)=\dfrac{1}{x+3}$에 대하여 $\lim\limits_{h\to 0}\dfrac{f'(a+h)-f'(a)}{h}=2$를 만족시키는 실수 $a$의 값은? [3점]

① $-2$  ② $-1$  ③ 0

④ 1  ⑤ 2

## 40

함수 $f(x)=e^{-2x}\sin x$에 대하여 $f''(x)=0$의 해가 $x=\alpha$일 때, $\tan\alpha$의 값은? $\left(\text{단, } \pi<\alpha<\dfrac{3}{2}\pi\right)$ [3점]

① $\dfrac{1}{3}$  ② $\dfrac{2}{3}$  ③ 1

④ $\dfrac{4}{3}$  ⑤ $\dfrac{5}{3}$

# Very Important Test

친절한 해설 28쪽

## 01

함수 $f(x) = \dfrac{\ln x}{x+1}$ 에 대하여 $f'(1)$의 값은? [2점]

① 1       ② $\dfrac{1}{2}$       ③ $\dfrac{1}{3}$

④ $\dfrac{1}{4}$       ⑤ $\dfrac{1}{5}$

## 02

함수 $f(x) = \dfrac{4x}{\sqrt{x^2+2}}$ 에 대하여 $f'(\sqrt{2})$의 값을 구하시오.

[3점]

## 03

미분가능한 함수 $g(x)$에 대하여 함수 $f(x) = \dfrac{x-1}{g(x)+3}$ 이고 $f'(1)=2$일 때, $g(1)$의 값은? [3점]

① $\dfrac{3}{2}$       ② $\dfrac{1}{2}$       ③ $-\dfrac{1}{2}$

④ $-\dfrac{3}{2}$       ⑤ $-\dfrac{5}{2}$

## 04

점 $P(8, 15)$에 대하여 동경 OP가 나타내는 각의 크기를 $\theta$라 할 때, $\tan\theta \csc\theta$의 값은? (단, O는 원점이다.) [3점]

① $\dfrac{11}{8}$       ② $\dfrac{13}{8}$       ③ $\dfrac{15}{8}$

④ $\dfrac{17}{8}$       ⑤ $\dfrac{19}{8}$

## 05

이차방정식 $x^2-4x+1=0$의 두 근이 $\tan\theta$, $\cot\theta$일 때, $\sin\theta+\cos\theta$의 값은? $\left(단, 0<\theta<\dfrac{\pi}{2}\right)$ [3점]

① $\dfrac{\sqrt{6}}{2}$       ② $\sqrt{2}$       ③ $\dfrac{\sqrt{10}}{2}$

④ $\sqrt{3}$       ⑤ $\dfrac{\sqrt{14}}{2}$

## 06

미분가능한 함수 $f(x)$가 $\displaystyle\lim_{x\to 1}\dfrac{f(x)-1}{x-1}=2$를 만족시킬 때, 함수 $(f\circ f)\left(\dfrac{x}{2}\right)$의 $x=2$에서의 미분계수는? [3점]

① $\dfrac{1}{4}$       ② $\dfrac{1}{2}$       ③ 1

④ $\dfrac{3}{2}$       ⑤ 2

## 07

함수 $f(x)=\sin(e^x-4)$에 대하여 $f'(2\ln2)$의 값을 구하시오. [3점]

## 08

함수 $y=e^{\sin(\cos x)}$의 $x=\dfrac{\pi}{2}$에서의 미분계수는? [3점]

① $-3$      ② $-2$      ③ $-1$
④ $1$      ⑤ $2$

## 09

함수 $f(x)=e^x\ln2x$에 대하여 $f'\!\left(\dfrac{1}{2}\right)$의 값은? [3점]

① $\sqrt{e}$      ② $2\sqrt{e}$      ③ $3\sqrt{e}$
④ $\dfrac{e}{2}$      ⑤ $\dfrac{e}{4}$

## 10

함수 $f(x)=\dfrac{1}{\sqrt{x-3}}$에 대하여 $f'(4)$의 값은? [3점]

① $-\dfrac{1}{2}$      ② $-\dfrac{\sqrt{2}}{2}$      ③ $1$
④ $\sqrt{2}$      ⑤ $2$

## 11

함수 $f(x)=x\log_2 ax^3(x>0)$에 대하여

$\displaystyle\lim_{x\to1}\dfrac{f(x)-\log_2a}{x-1}=1$일 때, 상수 $a$의 값은? [3점]

① $\dfrac{2}{e^3}$      ② $\dfrac{2}{e^2}$      ③ $2e$
④ $\dfrac{e^2}{2}$      ⑤ $\dfrac{e^3}{2}$

## 12

매개변수 $t$로 나타내어진 곡선

$$x=t^2+3,\ y=t^3-2t+1$$

에서 $t=1$일 때, $\dfrac{dy}{dx}$의 값은? [3점]

① $\dfrac{1}{2}$      ② $1$      ③ $\dfrac{3}{2}$
④ $2$      ⑤ $\dfrac{5}{2}$

## 13

매개변수 $t$로 나타내어진 함수 $x=t+\dfrac{a}{t}$ , $y=t-\dfrac{a}{t}$ 에 대하여 $t=3$ 일 때, $\dfrac{dy}{dx}$ 의 값이 $\dfrac{3}{2}$ 이 되도록 하는 상수 $a$의 값은? [3점]

① $\dfrac{7}{3}$      ② $\dfrac{9}{5}$      ③ $\dfrac{11}{7}$

④ $\dfrac{13}{9}$      ⑤ $\dfrac{15}{11}$

## 14

음함수 $x=y(y-2)^3$ 에서 $y=\dfrac{3}{2}$ 일 때, $\dfrac{dy}{dx}$ 의 값을 구하시오. [3점]

## 15

곡선 $x^2+y^2+ax^2y^2+b=0$ 위의 점 $(1,\ 2)$에서의 접선의 기울기가 1일 때, 두 상수 $a$, $b$에 대하여 $ab$의 값은? $\left(\text{단},\ y\neq0,\ x^2\neq-\dfrac{1}{a}\right)$ [3점]

① $1$      ② $\dfrac{3}{2}$      ③ $2$

④ $\dfrac{5}{2}$      ⑤ $3$

## 16

함수 $f(x)=x^3+3x+1$의 역함수를 $g(x)$라 할 때, $g'(1)$의 값은? [3점]

① $1$      ② $\dfrac{1}{2}$      ③ $\dfrac{1}{3}$

④ $\dfrac{1}{4}$      ⑤ $\dfrac{1}{5}$

## 17

미분가능한 함수 $f(x)$의 역함수 $g(x)$가

$$\lim_{x\to-1}\frac{g(x)-4}{x+1}=3$$

을 만족시킬 때, $f'(4)$의 값은? [3점]

① $1$      ② $\dfrac{1}{2}$      ③ $\dfrac{1}{3}$

④ $\dfrac{1}{4}$      ⑤ $\dfrac{1}{5}$

## 18

함수 $f(x)=e^{2x}\sin^2 x$ 에 대하여 $f''\left(\dfrac{\pi}{4}\right)$의 값은? [3점]

① $4e^{\frac{\pi}{2}}$      ② $5e^{\frac{\pi}{2}}$      ③ $6e^{\frac{\pi}{2}}$

④ $-2e^{\frac{\pi}{2}}$      ⑤ $-4e^{\frac{\pi}{2}}$

# 06 도함수의 활용 (1)

Young people should strive towards their ideals.

**출제경향** 접점의 좌표 또는 곡선 밖의 한 점이 주어진 접선의 방정식, 음함수로 나타낸 곡선의 접선의 방정식, 함수의 극댓값과 극솟값에 대한 문제가 출제된다. 특히, 함수의 극댓값과 극솟값 문제는 매년 빠지지 않고 출제되므로 이에 대한 철저한 대비가 필요하다.

## 핵심개념 1 | 접선의 방정식

(1) 접점의 좌표 $(a, f(a))$가 주어진 경우

① 접선의 기울기 $f'(a)$를 구한다.　　② 접선의 방정식은 ⇨ $y-f(a)=f'(a)(x-a)$

(2) 기울기 $m$이 주어진 경우

① 접점의 좌표를 $(a, f(a))$로 놓는다.　　② $f'(a)=m$에서 접점의 좌표 $(a, f(a))$를 구한다.

③ 접선의 방정식은 ⇨ $y-f(a)=m(x-a)$

(3) 곡선 밖의 한 점의 좌표 $(x_1, y_1)$이 주어진 경우

① 접점의 좌표를 $(a, f(a))$로 놓는다.

② $y-f(a)=f'(a)(x-a)$에 점 $(x_1, y_1)$의 좌표를 대입하여 $a$의 값을 구한다.

③ 접선의 방정식은 ⇨ $a$의 값을 $y-f(a)=f'(a)(x-a)$에 대입한다.

**01** 곡선 $y=xe^x$ 위의 점 $(1, e)$에서의 접선의 방정식이 $y=ax+b$일 때, 두 상수 $a$, $b$의 곱 $ab$의 값은? [3점]

① $-e$　　　② $-2e$　　　③ $-2e^2$　　　④ $2e$　　　⑤ $2e^2$

## 핵심개념 2 | 매개변수, 음함수로 나타낸 곡선의 접선의 방정식

(1) 매개변수로 나타낸 곡선 $x=f(t)$, $y=g(t)$에 대하여 $t=a$에 대응하는 점에서의 접선의 방정식

① $\dfrac{g'(t)}{f'(t)}$를 구한다.　　② $f(a)$, $g(a)$, $\dfrac{g'(a)}{f'(a)}$의 값을 구한다.

③ ②에서 구한 값을 $y-g(a)=\dfrac{g'(a)}{f'(a)}\{x-f(a)\}$에 대입하여 접선의 방정식을 구한다.

(2) 곡선 $f(x, y)=0$ 위의 점 $(x_1, y_1)$에서의 접선의 방정식

① 음함수의 미분법을 이용하여 $\dfrac{dy}{dx}$를 구한다. ② ①에서 구한 $\dfrac{dy}{dx}$에 $x=x_1$, $y=y_1$을 대입하여 접선의 기울기 $m$을 구한다.

③ ②에서 구한 $m$의 값을 $y-y_1=m(x-x_1)$에 대입하여 접선의 방정식을 구한다.

**02** 매개변수로 나타낸 곡선 $x=t^2$, $y=t^2-4t$에 대하여 $t=1$에 대응하는 점에서의 접선의 방정식이 $y=ax+b$일 때, 두 상수 $a$, $b$의 곱 $ab$의 값을 구하시오. [3점]

**03** 곡선 $x^2-xy+y^2=1$ 위의 점 $(1, 1)$에서의 접선의 방정식을 $y=ax+b$라 할 때, $b-a$의 값을 구하시오. (단, $a$, $b$는 상수이다.) [3점]

**핵심개념 3**  **함수의 증가, 감소**

함수 $f(x)$가 어떤 구간에서 미분가능하고 이 구간의 모든 $x$에 대하여

① $f'(x)>0$이면 $f(x)$는 이 구간에서 증가한다.

② $f'(x)<0$이면 $f(x)$는 이 구간에서 감소한다.

**참고** 일반적으로 위의 역은 성립하지 않음을 수학 Ⅱ에서 배웠다. 즉 함수 $f(x)$가 어떤 구간에서
미분가능할 때, 그 구간에서
　　• $f(x)$가 증가하면 그 구간의 모든 $x$에 대하여 $f'(x)\geq0$
　　• $f(x)$가 감소하면 그 구간의 모든 $x$에 대하여 $f'(x)\geq0$

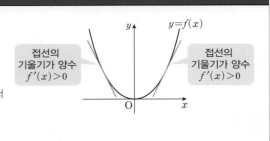

[2016학년도 교육청]

**04** 실수 전체의 집합에서 함수 $f(x)=(x^2+2ax+11)e^x$이 증가하도록 하는 자연수 $a$의 최댓값은? [3점]

① 3　　　　　　② 4　　　　　　③ 5　　　　　　④ 6　　　　　　⑤ 7

**핵심개념 4**  **함수의 극대, 극소**

(1) 함수의 극대, 극소

함수 $f(x)$가 실수 $a$를 포함하는 어떤 열린구간에 속하는 모든 $x$에 대하여

① $f(x)\leq f(a)$이면 함수 $f(x)$는 $x=a$에서 극대라 하고, $f(a)$를 극댓값이라 한다.

② $f(x)\geq f(a)$이면 함수 $f(x)$는 $x=a$에서 극소라 하고, $f(a)$를 극솟값이라 한다.

이때 극댓값과 극솟값을 통틀어 극값이라 한다.

(2) 함수의 극대, 극소의 판정

① 도함수를 이용한 함수의 극대, 극소의 판정

함수 $f(x)$가 미분가능하고 $f'(a)=0$일 때, $x=a$의 좌우에서

　• $f'(x)$의 부호가 양($+$)에서 음($-$)으로 바뀌면 $f(x)$는 $x=a$에서 극대이다.

　• $f'(x)$의 부호가 음($-$)에서 양($+$)으로 바뀌면 $f(x)$는 $x=a$에서 극소이다.

② 이계도함수를 이용한 함수의 극대, 극소의 판정

함수 $f(x)$의 이계도함수 $f''(x)$가 존재하고 $f'(a)=0$일 때

　• $f''(a)<0$이면 $f(x)$는 $x=a$에서 극대이고, 극댓값은 $f(a)$

　• $f''(a)>0$이면 $f(x)$는 $x=a$에서 극소이고, 극솟값은 $f(a)$

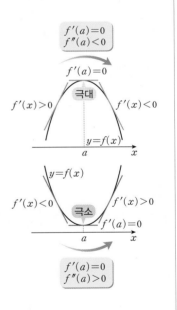

**05** 닫힌구간 $[0, \pi]$에서 함수 $f(x)=x-2\sin x$의 극값은? [3점]

① $\dfrac{\pi}{3}-\sqrt{3}$　　　　② $\dfrac{\pi}{2}-\sqrt{2}$　　　　③ $\dfrac{2\pi}{3}-\sqrt{3}$　　　　④ $\sqrt{2}-\dfrac{\pi}{2}$　　　　⑤ $\sqrt{3}-\dfrac{\pi}{3}$

곡선 $y=e^{-x^2+x}$ 위의 점 $(1, 1)$에서의 접선이 $y=ax+b$일 때, 두 상수 $a$, $b$에 대하여 $ab$의 값은? [3점]

① $-2$ ② $-1$ ③ $0$ ④ $1$ ⑤ $2$

**Act ①**
$y=f(x)$ 위의 점 $(a, b)$에서의 접선의 방정식은 $y-f(a)=f'(a)(x-a)$임을 이용한다.

**해결의 실마리**

곡선 $y=f(x)$ 위의 점 $(a, b)$에서의 접선의 방정식
① 접선의 기울기 $f'(a)$를 구한다.
② 접선의 방정식은 ⇨ $y-f(a)=f'(a)(x-a)$

## 01
[2017학년도 수능 모의평가]

곡선 $y=\ln(x-3)+1$ 위의 점 $(4, 1)$에서의 접선의 방정식이 $y=ax+b$일 때, 두 상수 $a$, $b$의 합 $a+b$의 값은? [3점]

① $-2$ ② $-1$ ③ $0$
④ $1$ ⑤ $2$

## 02
[2016학년도 수능 모의평가]

곡선 $y=\ln 5x$ 위의 점 $\left(\dfrac{1}{5}, 0\right)$에서의 접선의 $y$절편은? [3점]

① $-\dfrac{5}{2}$ ② $-2$ ③ $-\dfrac{3}{2}$
④ $-1$ ⑤ $-\dfrac{1}{2}$

## 03
[2017학년도 교육청]

좌표평면에서 곡선 $y=e^{x-2}$ 위의 점 $(3, e)$에서의 접선이 $x$축, $y$축과 만나는 점을 각각 A, B라 하자. 삼각형 OAB의 넓이는? (단, O는 원점이다.) [3점]

① $e$ ② $\dfrac{3}{2}e$ ③ $2e$
④ $\dfrac{5}{2}e$ ⑤ $3e$

## 04
[2018학년도 교육청]

$0<x<\dfrac{\pi}{2}$에서 정의된 함수 $f(x)=\ln(\tan x)$의 그래프와 $x$축이 만나는 점을 P라 하자. 곡선 $y=f(x)$ 위의 점 P에서의 접선의 $y$절편은? [3점]

① $-\pi$ ② $-\dfrac{5}{6}\pi$ ③ $-\dfrac{2}{3}\pi$
④ $-\dfrac{\pi}{2}$ ⑤ $-\dfrac{\pi}{3}$

## 기출유형 02  기울기가 주어진 접선의 방정식

곡선 $y=e^{-x}$에 접하고 기울기가 $-1$인 접선의 $y$절편은? [3점]

① $-2$  ② $-1$  ③ $0$  ④ $1$  ⑤ $2$

**Act ❶**
접점의 좌표를 $(a,\ e^{-a})$로 놓고 접선의 방정식을 구한다.

**해결의 실마리**

곡선 $y=f(x)$에 접하고 기울기가 $m$인 직선의 방정식

① 접점의 좌표를 $(a, f(a))$로 놓는다.

② $f'(a)=m$에서 접점의 좌표 $(a, f(a))$를 구한다.

③ 접선의 방정식은 ⇨ $y-f(a)=m(x-a)$

---

## 05

[2016학년도 교육청]

곡선 $y=\ln(x-7)$에 접하고 기울기가 1인 직선이 $x$축, $y$축과 만나는 점을 각각 A, B라 할 때, 삼각형 AOB의 넓이를 구하시오. (단, O는 원점이다.) [3점]

## 07

곡선 $y=\sqrt{2x+1}$에 접하고 기울기가 1인 접선이 점 $(k, 4)$를 지날 때, $k$의 값은? [3점]

① $1$  ② $2$  ③ $3$
④ $4$  ⑤ $5$

## 06

곡선 $y=x\ln x+x$에 접하고 직선 $x+2y+2=0$에 수직인 직선의 방정식을 $y=ax+b$라 할 때, 상수 $a$, $b$에 대하여 $a+b$의 값을 구하시오. [3점]

## 08

곡선 $y=ke^{x-1}$과 직선 $y=3x$가 $x=a$에서 서로 접할 때, $a+k$의 값은? (단, $k$는 상수) [3점]

① $1$  ② $2$  ③ $3$
④ $4$  ⑤ $5$

점 $(-2, 0)$에서 곡선 $y=\sqrt{x+1}$에 그은 접선이 점 $(k, 4)$를 지날 때, $k$의 값은? [3점]

① 2          ② 3          ③ 4          ④ 5          ⑤ 6

**Act ❶**
접점의 좌표를 $(a, \sqrt{a+1})$로 놓고 접선의 방정식을 구한다.

**해결의 실마리**

곡선 $y=f(x)$ 밖의 한 점 $(x_1, y_1)$에서 곡선에 그은 접선의 방정식

① 접점의 좌표를 $(a, f(a))$로 놓는다.          ② $y-f(a)=f'(a)(x-a)$에 점 $(x_1, y_1)$의 좌표를 대입하여 $a$의 값을 구한다.

③ 접선의 방정식은 ⇨ $a$의 값을 $y-f(a)=f'(a)(x-a)$에 대입한다.

## 09

점 $(0, 1)$에서 곡선 $y=\ln x$에 그은 접선이 점 $(e^2, k)$를 지날 때, $k$의 값은? [3점]

① 1          ② 2          ③ 3

④ 4          ⑤ 5

## 11

점 $(1, 0)$에서 곡선 $y=\ln(x-1)$에 그은 접선이 점 $\left(k, \dfrac{1}{e}\right)$을 지날 때, $k$의 값을 구하시오. [3점]

## 10

점 $(0, 0)$에서 곡선 $y=\dfrac{e^x}{x}$에 그은 접선이 점 $\left(k, \dfrac{e}{2}\right)$를 지날 때, $k$의 값은? [3점]

① $\dfrac{1}{e}$          ② $\dfrac{2}{e}$          ③ 1

④ $\dfrac{e}{2}$          ⑤ $e$

## 12

[2016학년도 수능]

곡선 $y=3e^{x-1}$ 위의 점 A에서의 접선이 원점 O를 지날 때, 선분 OA의 길이는? [3점]

① $\sqrt{6}$          ② $\sqrt{7}$          ③ $2\sqrt{2}$

④ 3          ⑤ $\sqrt{10}$

## 기출유형 **04**　매개변수로 나타낸 곡선의 접선의 방정식

매개변수로 나타낸 곡선 $x=t+1$, $y=2t^2-5$에 대하여 $t=1$에 대응하는 점에서의 접선의 방정식이 $y=ax+b$일 때, 두 상수 $a$, $b$의 차 $a-b$의 값은? [3점]

① 11　　　　② 12　　　　③ 13　　　　④ 14　　　　⑤ 15

**Act ❶**

$\dfrac{dy}{dx}=\dfrac{\dfrac{dy}{dt}}{\dfrac{dx}{dt}}$ 임을 이용하여

$t=1$에 대응하는 점에서의 접선의 기울기를 구한다.

---

**해결의 실마리**

매개변수로 나타낸 곡선 $x=f(t)$, $y=g(t)$에 대하여 $t=a$에 대응하는 점에서의 접선의 방정식

① $\dfrac{g'(t)}{f'(t)}$ 를 구한다.　　　　② $f(a)$, $g(a)$, $\dfrac{g'(a)}{f'(a)}$ 의 값을 구한다.

③ ②에서 구한 값을 $y-g(a)=\dfrac{g'(a)}{f'(a)}\{x-f(a)\}$에 대입하여 접선의 방정식을 구한다.

---

## 13

매개변수 $t$로 나타낸 곡선 $x=at-1$, $y=at^2-(a+1)t$에 대하여 $t=2$일 때의 접선이 점 $(-1, 1)$을 지날 때, 이 접선의 $y$절편은? (단, $a\neq0$) [3점]

① 6　　　　　　② 7　　　　　　③ 8

④ 9　　　　　　⑤ 10

## 14

매개변수 $t$로 나타낸 곡선 $x=t+\sin t$, $y=-1+\cos t$에 대하여 $t=\dfrac{\pi}{2}$에 대응하는 점에서의 접선과 $x$축 및 $y$축으로 둘러싸인 부분의 넓이는? [3점]

① $\dfrac{\pi^2}{8}$　　　　② $\dfrac{\pi^2}{4}$　　　　③ $\dfrac{\pi^2}{2}$

④ $\pi^2$　　　　⑤ $2\pi^2$

## 15

매개변수 $\theta$로 나타낸 곡선 $x=\tan\theta$, $y=\cos^2\theta\Big($단, $-\dfrac{\pi}{2}<\theta<\dfrac{\pi}{2}\Big)$에 대하여 이 곡선 위의 점 $\Big(1, \dfrac{1}{2}\Big)$에서의 접선의 방정식이 $y=ax+b$일 때, 두 상수 $a$, $b$의 곱 $ab$의 값은? [3점]

① $-\dfrac{1}{4}$　　　　② $-\dfrac{1}{2}$　　　　③ $-\dfrac{3}{4}$

④ $-1$　　　　⑤ $-\dfrac{5}{4}$

## 16

매개변수로 나타낸 곡선 $x=a\cos t$, $y=b\sin t$에 대하여 $t=\dfrac{\pi}{4}$에 대응하는 점에서의 접선의 방정식이 $y=x+\sqrt{2}$일 때, 두 상수 $a$, $b$의 곱 $ab$의 값은? [3점]

① $-5$　　　　② $-4$　　　　③ $-3$

④ $-2$　　　　⑤ $-1$

곡선 $x^2+4\sqrt{y}=9$ 위의 점 $(1, 4)$에서의 접선의 방정식을 $y=ax+b$라 할 때, $b-a$의 값을 구하시오. (단, $a$, $b$는 상수이다.) [3점]

**Act ❶**
음함수의 미분법을 이용하여 $\dfrac{dy}{dx}$를 구하고 $x=1$, $y=4$를 대입하여 접선의 기울기를 구한다.

---

**해결의 실마리**

곡선 $f(x, y)=0$ 위의 점 $(a, b)$에서의 접선의 방정식

① 음함수의 미분법을 이용하여 $\dfrac{dy}{dx}$를 구한다.　　　② ①에서 구한 $\dfrac{dy}{dx}$에 $x=a$, $y=b$를 대입하여 접선의 기울기 $m$을 구한다.

③ ②에서 구한 $m$의 값을 $y-b=m(x-a)$에 대입하여 접선의 방정식을 구한다.

---

## 17

[2019학년도 수능 모의평가]

곡선 $e^y\ln x=2y+1$ 위의 점 $(e, 0)$에서의 접선의 방정식을 $y=ax+b$라 할 때, $ab$의 값은? (단, $a$, $b$는 상수이다.) [3점]

① $-2e$　　　　② $-e$　　　　③ $-1$

④ $-\dfrac{2}{e}$　　　　⑤ $-\dfrac{1}{e}$

## 18

곡선 $x^3-y^3-4xy-1=0$ 위의 점 $(1,0)$에서의 접선의 $y$절편은? [3점]

① $-1$　　　　② $-\dfrac{3}{4}$　　　　③ $-\dfrac{1}{2}$

④ $-\dfrac{1}{4}$　　　　⑤ $0$

## 19

곡선 $3x^2+2xy+y^2=6$ 위의 점 $(1, 1)$에서의 접선과 $x$축, $y$축으로 둘러싸인 부분의 넓이는? [3점]

① $1$　　　　② $2$　　　　③ $\dfrac{9}{4}$

④ $\dfrac{11}{4}$　　　　⑤ $3$

## 20

곡선 $x^3+xy+y^3+8=0$과 $x$축이 만나는 점에서의 접선의 기울기는? [3점]

① $2$　　　　② $3$　　　　③ $4$

④ $5$　　　　⑤ $6$

## 기출유형 06 | 함수의 극대, 극소

[2013학년도 교육청]

열린구간 $(0, 2\pi)$에서 정의된 함수 $f(x)=e^x(\sin x+\cos x)$의 극댓값을 $M$, 극솟값을 $m$이라 할 때, $Mm$의 값은? [3점]

① $-e^{2\pi}$
② $-e^\pi$
③ $\dfrac{1}{e^{3\pi}}$
④ $\dfrac{1}{e^{2\pi}}$
⑤ $\dfrac{1}{e^\pi}$

**Act ❶**
주어진 범위에서 $f'(x)=0$이 되는 $x$의 값을 구하고 그 값의 좌우에서 $f'(x)$의 부호가 바뀌는지 조사한다.

**해결의 실마리**

(1) 도함수를 이용한 함수의 극대, 극소 판정

$x=a$의 좌우에서 $f'(x)$의 부호가

① 양에서 음으로 바뀌면 ⇨ $f(x)$는 $x=a$에서 극대
② 음에서 양으로 바뀌면 ⇨ $f(x)$는 $x=a$에서 극소

(2) 이계도함수를 이용한 함수의 극대, 극소 판정

① $f'(a)=0$, $f''(a)<0$ ⇨ $f(x)$는 $x=a$에서 극대
② $f'(a)=0$, $f''(a)>0$ ⇨ $f(x)$는 $x=a$에서 극소

(3) 미분가능한 함수 $f(x)$가 $x=\alpha$에서 극값 $\beta$를 가지면 ⇨ $f'(\alpha)=0$, $f(\alpha)=\beta$

---

### 21

[2018학년도 교육청]

함수 $f(x)=\dfrac{x-1}{x^2-x+1}$의 극댓값과 극솟값의 합은? [3점]

① $-1$
② $-\dfrac{5}{6}$
③ $-\dfrac{2}{3}$
④ $-\dfrac{1}{2}$
⑤ $-\dfrac{1}{3}$

### 22

[2017학년도 수능 모의평가]

함수 $f(x)=(x^2-8)e^{-x+1}$은 극솟값 $a$와 극댓값 $b$를 갖는다. 두 수 $a$, $b$의 곱 $ab$의 값은? [3점]

① $-34$
② $-32$
③ $-30$
④ $-28$
⑤ $-26$

### 23

[2012학년도 수능 모의평가]

함수 $f(x)=\dfrac{1}{2}x^2-a\ln x$ $(a>0)$의 극솟값이 0일 때, 상수 $a$의 값은? [3점]

① $\dfrac{1}{e}$
② $\dfrac{2}{e}$
③ $\sqrt{e}$
④ $e$
⑤ $2e$

### 24

열린구간 $(0, 2\pi)$에서 정의된 함수 $f(x)=\sin x \cos x+\sin x$가 $x=\alpha$에서 극댓값을 갖고, $x=\beta$에서 극솟값을 가질 때, $\beta-\alpha$의 값은? [3점]

① $\dfrac{\pi}{3}$
② $\dfrac{2}{3}\pi$
③ $\pi$
④ $\dfrac{4}{3}\pi$
⑤ $\dfrac{5}{3}\pi$

## 01

곡선 $y=e^{\frac{x^2}{2}}$ 위의 점 $(\sqrt{2},\ e)$에서의 접선의 $y$절편은?

[3점]

① $-3e$      ② $-e$      ③ $\sqrt{2}\,e$

④ $3e$      ⑤ $5e$

## 02

직선 $y=x+a$가 곡선 $y=x+\sin x$에 접할 때, 상수 $a$의 값을 구하시오. (단, $0 \le x \le \pi$) [3점]

## 03

곡선 $y=e^{x+1}$에 접하고 $x+4y-1=0$에 수직인 직선의 방정식을 $y=ax+b$라 할 때, 상수 $a$, $b$에 대하여 $4\ln a+b$의 값을 구하시오. [3점]

## 04

곡선 $y=\ln x$ 위의 점 $(e,\ 1)$에서의 접선이 곡선 $y=\dfrac{1}{4}x^2+k$에 접할 때, 상수 $k$의 값은? [3점]

① $\dfrac{1}{e}$      ② $\dfrac{1}{e^2}$      ③ $\dfrac{1}{e^3}$

④ $\dfrac{1}{1+e}$      ⑤ $\dfrac{1}{1+e^2}$

## 05

점 $\left(3,\ \dfrac{1}{4}\right)$에서 곡선 $y=\dfrac{1}{x}$에 그은 두 접선 중에서 기울기가 큰 접선의 $y$절편은? [3점]

① $\dfrac{1}{6}$      ② $\dfrac{1}{3}$      ③ $\dfrac{1}{2}$

④ $\dfrac{2}{3}$      ⑤ $\dfrac{5}{6}$

## 06

매개변수 $t$로 나타내어진 함수 $x=e^t-2e^{-t}$, $y=e^{2t}+e^t$ 위의 점 $(1,\ a)$에서의 접선의 $y$절편을 $b$라 할 때, 두 상수 $a$, $b$의 곱 $ab$의 값은? [3점]

① $1$      ② $2$      ③ $4$

④ $8$      ⑤ $16$

## 07

곡선 $x^2-y+y^2=11$ $(x>0)$에 접하고 기울기가 2인 접선의 방정식이 $y=mx+n$일 때, 두 상수 $m$, $n$에 대하여 $m-n$의 값을 구하시오. [3점]

## 08

미분가능한 함수 $f(x)$가 $\displaystyle\lim_{x\to 9}\frac{\sqrt{f(x)}-2}{\sqrt{x}-3}=1$을 만족시킬 때, 곡선 $y=f(x)$ 위의 점 $(9, f(9))$에서의 접선의 방정식은 $y=mx+n$이다. 이때 $\dfrac{n}{m}$의 값은? (단, $m$, $n$은 0이 아닌 정수이다.) [3점]

① $-1$        ② $-2$        ③ $-3$

④ $-4$        ⑤ $-5$

## 09

함수 $f(x)=(2x+a)e^{x^2}$이 실수 전체의 집합에서 증가하도록 하는 정수 $a$의 개수는? [3점]

① 2        ② 3        ③ 4

④ 5        ⑤ 6

## 10

함수 $f(x)=\dfrac{x}{x^2+4}$는 $x=a$에서 극댓값 $\dfrac{1}{4}$을 갖고 $x=b$에서 극솟값 $k$를 갖는다. 이때 세 상수 $a$, $b$, $k$에 대하여 $a+b-12k$의 값은? [3점]

① 1        ② 2        ③ 3

④ 4        ⑤ 5

## 11

함수 $f(x)=\ln x^2+\dfrac{a}{x}-x+b$가 $x=-1$에서 극솟값 5를 가질 때, $f(x)$의 극댓값은? (단, $a$, $b$는 상수이다.)

[3점]

① $\ln 3-2$        ② $\ln 3+2$        ③ $\ln 3+1$

④ $2\ln 3-3$        ⑤ $2\ln 3+3$

## 12

$f(x)=x+2\cos x$ $(0\le x\le 2\pi)$의 극댓값을 $M$, 극솟값을 $m$이라 할 때, $M-m$의 값은? [3점]

① $-\dfrac{2}{3}\pi+2\sqrt{3}$        ② $-\dfrac{1}{3}\pi+2\sqrt{3}$        ③ $\dfrac{1}{3}\pi+\sqrt{3}$

④ $\dfrac{1}{3}\pi-2\sqrt{3}$        ⑤ $\dfrac{2}{3}\pi+2\sqrt{3}$

# 07 도함수의 활용 (2)

**출제경향** 함수의 최대·최소, 방정식의 실근의 개수, 속도와 가속도는 단골로 출제되는 내용이다. 함수의 최대·최소 활용 문제는 어려워 보이지만 도형의 넓이를 함수로 나타내기만 하면 쉽게 풀 수 있으므로 충분한 연습을 하면 고득점이 가능하다.

---

**핵심개념 1**  **곡선의 오목, 볼록과 변곡점**

(1) **곡선의 오목, 볼록**

어떤 구간에서 곡선 $y=f(x)$ 위의 임의의 두 점 P, Q에 대하여

① 두 점 P, Q를 잇는 곡선 부분이 항상 선분 PQ의 아래쪽에 있으면 곡선 $y=f(x)$는 이 구간에서 아래로 볼록(또는 위로 오목)하다고 한다.

② 두 점 P, Q를 잇는 곡선 부분이 항상 선분 PQ의 위쪽에 있으면 곡선 $y=f(x)$는 이 구간에서 위로 볼록(또는 아래로 오목)하다고 한다.

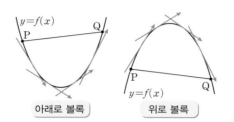

(2) **곡선의 오목, 볼록의 판정**

이계도함수가 존재하는 함수 $f(x)$에 대하여 어떤 구간에서

① $f''(x)>0$이면 $y=f(x)$는 이 구간에서 아래로 볼록(또는 위로 오목)하다. ← $f'(x)$가 증가하므로 아래로 볼록

② $f''(x)<0$이면 $y=f(x)$는 이 구간에서 위로 볼록(또는 아래로 오목)하다. ← $f'(x)$가 감소하므로 위로 볼록

(3) **변곡점**

곡선 $y=f(x)$ 위의 점 $P(a, f(a))$에 대하여 $x=a$의 좌우에서 곡선의 모양이 아래로 볼록에서 위로 볼록으로 바뀌거나 위로 볼록에서 아래로 볼록으로 바뀔 때, 점 $P$를 곡선 $y=f(x)$의 변곡점이라 한다.

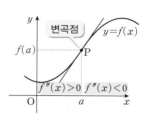

(4) **변곡점의 판정**

이계도함수가 존재하는 함수 $f(x)$에 대하여 $f''(a)=0$이고 $x=a$의 좌우에서 $f''(x)$의 부호가 바뀌면 점 $(a, f(a))$는 곡선 $y=f(x)$의 변곡점이다.

**01** 곡선 $y=\dfrac{1}{x^2+3}$ 의 두 변곡점의 $y$좌표의 곱은? [3점]

① $\dfrac{1}{4}$ 　　　　② $\dfrac{1}{9}$ 　　　　③ $\dfrac{1}{16}$ 　　　　④ $\dfrac{1}{25}$ 　　　　⑤ $\dfrac{1}{36}$

---

**핵심개념 2**  **함수의 최댓값, 최솟값**

함수 $f(x)$가 닫힌구간 $[a, b]$에서 연속이면 그 구간에서 반드시 최댓값과 최솟값을 갖는다.

① 닫힌구간 $[a, b]$에서의 극댓값과 극솟값을 모두 구한다. 　　② 구간의 양 끝점에서의 함숫값 $f(a)$, $f(b)$를 구한다.

③ ①, ②에서 구한 값 중에서 가장 큰 값이 최댓값이고, 가장 작은 값이 최솟값이다.

**02** 닫힌구간 $[0, 9]$에서 함수 $f(x)=x-2\sqrt{x}$의 최댓값을 $M$, 최솟값을 $m$이라 할 때, $M-m$의 값을 구하시오. [3점]

**핵심개념 3** 　　　**방정식과 부등식에의 활용**

(1) 방정식에의 활용

　① 방정식 $f(x)=0$의 실근의 개수

　　함수 $y=f(x)$의 그래프의 개형을 그린 다음, $y=f(x)$의 그래프와 $x$축의 교점의 개수를 구한다.

　② 방정식 $f(x)=g(x)$의 실근의 개수

　　**[방법 1]** $y=f(x)$, $y=g(x)$의 그래프의 개형을 그린 다음, $y=f(x)$와 $y=g(x)$의 그래프의 교점의 개수를 구한다.

　　**[방법 2]** $y=f(x)-g(x)$의 그래프의 개형을 그린 다음, $y=f(x)-g(x)$의 그래프와 $x$축의 교점의 개수를 구한다.

(2) 부등식에의 활용

　① $x>a$에서 부등식 $f(x)>0$이 성립함을 보일 때

　　• 그 구간에서 최솟값이 존재하면 ⇨ ($f(x)$의 최솟값)$>0$임을 보인다.

　　• 그 구간에서 최솟값이 존재하지 않으면 ⇨ $x>a$에서 $f(x)$가 증가하고 $f(a)\geq0$임을 보인다.

　② 두 함수 $f(x)$, $g(x)$에 대하여 부등식 $f(x)\geq g(x)$가 성립함을 보일 때

　　⇨ $h(x)=f(x)-g(x)$로 놓고 ($h(x)$의 최솟값)$\geq0$임을 보인다.

**03** 방정식 $e^x+e^{-x}=2$의 서로 다른 실근의 개수를 구하시오. [3점]

**04** $x>0$일 때, 부등식 $x\ln x-x\geq k$를 만족시키는 실수 $k$의 최댓값은? [3점]

① $-5$　　　　② $-4$　　　　③ $-3$　　　　④ $-2$　　　　⑤ $-1$

**핵심개념 4** 　　　**속도와 가속도**

(1) 수직선 위를 움직이는 점 $P$의 시각 $t$에서의 위치 $x$가 $x=f(t)$일 때, 점 P의 시각 $t$에서의 속도 $v$와 가속도 $a$는

　① $v=\dfrac{dx}{dt}=f'(t)$ 　　　　　　　　　② $a=\dfrac{dv}{dt}=f''(t)$

(2) 좌표평면 위를 움직이는 점 $P$의 시각 $t$에서의 위치가 함수 $x=f(t)$, $y=g(t)$일 때, 점 P의 시각 $t$에서의 속도 $v$, 속력 $|v|$, 가속도 $a$, 가속도의 크기 $|a|$는

　① $v=\left(\dfrac{dx}{dt},\dfrac{dy}{dt}\right)=(f'(t),g'(t))$ 　　② $|v|=\sqrt{\left(\dfrac{dx}{dt}\right)^2+\left(\dfrac{dy}{dt}\right)^2}=\sqrt{\{f'(t)\}^2+\{g'(t)\}^2}$

　③ $a=\left(\dfrac{d^2x}{dt^2},\dfrac{d^2y}{dt^2}\right)=(f''(t),g''(t))$ 　　④ $|a|=\sqrt{\left(\dfrac{d^2x}{dt^2}\right)^2+\left(\dfrac{d^2y}{dt^2}\right)^2}=\sqrt{\{f''(t)\}^2+\{g''(t)\}^2}$

[2015학년도 7월 고3 B형]

**05** 수직선 위를 움직이는 점 P의 시각 $t$에서의 위치 $x(t)$가 $x(t)=t+\dfrac{20}{\pi^2}\cos(2\pi t)$이다. 점 P의 시각 $t=\dfrac{1}{3}$에서의 가속도의 크기를 구하시오. [4점]

곡선 $f(x)=xe^x$의 변곡점의 좌표가 $(a, b)$일 때, $ab$의 값은? [3점]

① $-\dfrac{4}{e^2}$  ② $-\dfrac{1}{4e^2}$  ③ $0$  ④ $\dfrac{1}{4e^2}$  ⑤ $\dfrac{4}{e^2}$

**Act①**

함수 $f(x)$에서 $f''(a)=0$이고 $x=a$의 좌우에서 $f''(x)$의 부호가 바뀌면 점 $(a, f(a))$는 곡선 $y=f(x)$의 변곡점이다.

**해결의 실마리**

(1) 함수 $f(x)$가 어떤 구간에서

　① $f''(x)>0$이면 ⇨ $y=f(x)$는 이 구간에서 아래로 볼록 ← $f'(x)$가 증가하므로 아래로 볼록

　② $f''(x)<0$이면 ⇨ $y=f(x)$는 이 구간에서 위로 볼록 ← $f'(x)$가 감소하므로 위로 볼록

(2) 함수 $f(x)$에 대하여 $f''(a)=0$이고 $x=a$의 좌우에서 $f''(x)$의 부호가 바뀌면

　⇨ 점 $(a, f(a))$는 곡선 $y=f(x)$의 변곡점 ← 점 $(a, \beta)$가 $y=f(x)$의 변곡점이면 $f(a)=\beta, f''(a)=0$

## 01

[2018학년도 교육청]

곡선 $y=x^2-2x\ln x$의 변곡점의 $x$좌표는? [3점]

① $1$  ② $\sqrt{e}$  ③ $2$

④ $e$  ⑤ $3$

## 02

[2017학년도 교육청]

곡선 $y=(\ln x)^2-x+1$의 변곡점에서의 접선의 기울기는? [3점]

① $\dfrac{1}{e}-1$  ② $\dfrac{2}{e}-1$  ③ $\dfrac{1}{e}$

④ $\dfrac{2}{e}+1$  ⑤ $\dfrac{5}{2}$

## 03

[2011학년도 수능 모의평가]

곡선 $y=\left(\ln\dfrac{1}{ax}\right)^2$의 변곡점이 직선 $y=2x$ 위에 있을 때, 양수 $a$의 값은? [3점]

① $e$  ② $\dfrac{5}{4}e$  ③ $\dfrac{3}{2}e$

④ $\dfrac{7}{4}e$  ⑤ $2e$

## 04

[2019학년도 수능 모의평가]

좌표평면에서 점 $(2, a)$가 곡선 $y=\dfrac{2}{x^2+b}(b>0)$의 변곡점일 때, $\dfrac{b}{a}$의 값을 구하시오. (단, $a$, $b$는 상수이다.) [4점]

## 기출유형 **02**  함수의 최댓값, 최솟값

닫힌구간 $[0, \pi]$에서 함수 $f(x)=\sin^2 x+\cos x$의 최댓값을 $M$, 최솟값을 $m$이라 할 때, $M+m$의 값은? [3점]

① $\dfrac{1}{4}$      ② $\dfrac{1}{2}$      ③ $\dfrac{3}{4}$      ④ $1$      ⑤ $\dfrac{5}{4}$

**Act ①**
주어진 구간에서 함수의 극값을 구한 후 구간의 양 끝에서의 함숫값과 비교하여 최댓값, 최솟값을 구한다.

**해결의 실마리**

함수 $f(x)$가 닫힌구간 $[a, b]$에서 연속일 때, 최댓값과 최솟값은
⇨ 닫힌구간 $[a, b]$에서 $f(x)$의 극값, $f(a)$, $f(b)$를 구하여 비교한다.

## 05

닫힌구간 $\left[\dfrac{1}{e}, e\right]$에서 함수 $f(x)=x\ln x-x+3$의 최댓값을 $M$, 최솟값을 $m$이라 할 때, $Mm$의 값을 구하시오. [3점]

## 06

닫힌구간 $[-1, 1]$에서 함수 $f(x)=e^x+e^{-x}$의 최솟값을 구하시오. [3점]

## 07

닫힌구간 $[-1, 1]$에서 함수 $f(x)=x\sqrt{1-x^2}$의 최댓값은? [3점]

① $\dfrac{1}{2}$      ② $\dfrac{2}{3}$      ③ $\dfrac{3}{4}$

④ $\dfrac{4}{5}$      ⑤ $\dfrac{5}{6}$

## 08

닫힌구간 $[0, 2\pi]$에서 함수 $f(x)=x-2\sin x$의 최댓값을 $M$, 최솟값을 $m$이라 할 때, $M+m$의 값은? [3점]

① $\dfrac{\pi}{3}-\sqrt{3}$      ② $0$      ③ $\dfrac{5}{3}\pi$

④ $\dfrac{5}{3}\pi+\sqrt{3}$      ⑤ $2\pi$

곡선 $y=e^x$ 위의 점 $A(t,\ e^t)(t<0)$을 지나고 $y$축과 평행한 직선이 $x$축과 만나는 점을 $B(t,\ 0)$이라 하자. 삼각형 ABO의 넓이의 최댓값은? (단, O는 원점이다.) [4점]

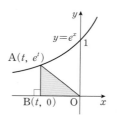

 **Act ❶**
도형의 넓이를 함수로 나타낸 다음 함수의 최대, 최소를 이용한다.

① $\dfrac{1}{2e}$ 　　② $\dfrac{1}{e}$ 　　③ 1

④ $e$ 　　⑤ $2e$

**해결의 실마리**

도형의 길이, 넓이, 부피 등의 최댓값 또는 최솟값을 구할 때는

① 미지수와 그 범위를 정한다. 　② 도형의 길이, 넓이, 부피를 함수로 나타낸다. 　③ 함수의 최대, 최소를 이용하여 최댓값, 최솟값을 구한다.

**참고** 극값이 하나만 존재할 때
• 그것이 극댓값이면 극댓값이 최댓값이다. 　　• 그것이 극솟값이면 극솟값이 최솟값이다.

## 09

곡선 $y=\ln x$ 위의 점 P에서 $x$축, $y$축에 내린 수선의 발을 각각 A, B라 할 때, 직사각형 OBPA의 넓이의 최댓값은? (단, O는 원점이고 점 P는 제4사분면 위의 점이다.) [4점]

① $\dfrac{1}{2e}$ 　　② $\dfrac{1}{e}$ 　　③ 1

④ $e$ 　　⑤ $2e$

## 11

[2017학년도 수능]

곡선 $y=2e^{-x}$ 위의 점 $P(t,\ 2e^{-t})\ (t>0)$에서 $y$축에 내린 수선의 발을 A라 하고, 점 P에서의 접선이 $y$축과 만나는 점을 B라 하자. 삼각형 APB의 넓이가 최대가 되도록 하는 $t$의 값은? [4점]

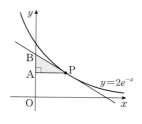

① 1 　　② $\dfrac{e}{2}$ 　　③ $\sqrt{2}$

④ 2 　　⑤ $e$

## 10

양수 $a$에 대하여 두 곡선 $y=e^{-2x}$, $y=e^{2x}$ 위의 두 점 $(a,\ e^{-2a})$, $(-a,\ e^{-2a})$를 잡아 그림과 같이 직사각형을 만들었을 때, 이 직사각형의 넓이의 최댓값은? [4점]

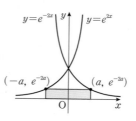

① $\dfrac{1}{2e}$ 　　② $\dfrac{1}{e}$

③ 1 　　④ $e$ 　　⑤ $2e$

## 12

[2017학년도 수능]

직선 $x=a$가 직선 $y=x$, 곡선 $y=\sqrt{x-2}$와 만나는 점을 각각 P, Q라 할 때, 선분 PQ의 길이의 최솟값은? (단, $a>2$) [4점]

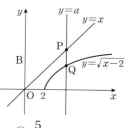

① $\dfrac{3}{2}$ 　　② $\dfrac{7}{4}$

③ 2 　　④ $\dfrac{9}{4}$ 　　⑤ $\dfrac{5}{2}$

## 기출유형 04    방정식의 실근의 개수

방정식 $e^x - x - k = 0$이 서로 다른 두 실근을 갖도록 하는 상수 $k$의 값의 범위가 $k > \alpha$일 때, $\alpha$의 값은? [3점]

① $-2$        ② $-1$        ③ $0$        ④ $1$        ⑤ $2$

**Act ❶**
$y = e^x - x$의 그래프와 직선 $y = k$의 교점의 개수가 2가 되도록 하는 $k$의 값의 범위를 구한다.

---

**해결의 실마리**

(1) 방정식 $f(x) = k$의 실근의 개수는 ⇨ $y = f(x)$의 그래프와 직선 $y = k$의 교점의 개수와 같다.

(2) 방정식 $f(x) = g(x)$의 실근의 개수는 ⇨ $y = f(x)$, $y = g(x)$의 그래프의 교점의 개수와 같다.

---

## 13

방정식 $x - \ln x - k = 0$이 서로 다른 두 실근을 갖도록 하는 상수 $k$의 값의 범위가 $k > \alpha$일 때, $\alpha$의 값은? [3점]

① $-2$        ② $-1$        ③ $0$
④ $1$        ⑤ $2$

## 14

방정식 $\ln x - x + 3 - n = 0$이 실근을 갖도록 하는 자연수 $n$의 개수를 구하시오. [3점]

## 15

[2016학년도 교육청]

닫힌구간 $[0,\ 2\pi]$에서 $x$에 대한 방정식 $\sin x - x \cos x - k = 0$의 서로 다른 실근의 개수가 2가 되도록 하는 모든 정수 $k$의 값의 합은? [4점]

① $-6$        ② $-3$        ③ $0$
④ $3$        ⑤ $6$

## 16

닫힌구간 $[-\pi,\ \pi]$에서 방정식 $\sin x = kx$가 서로 다른 세 실근을 가지기 위한 정수 $k$의 개수를 구하시오. [4점]

$x>0$일 때, 부등식 $\dfrac{x^2+k}{x} \geq 8$이 성립하도록 하는 양수 $k$의 최솟값을 구하시오. [3점]

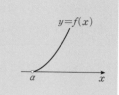

**Act❶**

어떤 구간에서 부등식 $f(x) \geq m$이 성립하려면 그 구간에서 $(f(x)$의 최솟값$) \geq m$이어야 함을 이용한다.

**해결의 실마리**

(1) $x>a$에서 부등식 $f(x)>0$이 성립함을 보일 때

 ① 그 구간에서 최솟값이 존재하면 ⇨ $(f(x)$의 최솟값$)>0$임을 보인다.

 ② 그 구간에서 최솟값이 존재하지 않으면 ⇨ $x>a$에서 $f(x)$가 증가하고 $f(a) \geq 0$임을 보인다.

(2) 두 함수 $f(x)$, $g(x)$에 대하여 부등식 $f(x) \geq g(x)$가 성립함을 보일 때

 ⇨ $h(x)=f(x)-g(x)$로 놓고 $(h(x)$의 최솟값$) \geq 0$임을 보인다.

## 17

$x>1$일 때, 부등식 $\dfrac{x^2}{\ln x} \geq k$가 성립하도록 하는 실수 $k$의 값의 최댓값은? [3점]

① $\dfrac{1}{2e}$      ② $\dfrac{1}{e}$      ③ $1$

④ $e$      ⑤ $2e$

## 18

$0 \leq x \leq \dfrac{3}{4}\pi$일 때, 부등식 $-e^x(\sin x+\cos x) \geq k$가 성립하도록 하는 실수 $k$의 최댓값은? [3점]

① $-e^{\frac{3}{2}\pi}$      ② $-e^{\frac{5}{4}\pi}$      ③ $-e^{\pi}$

④ $-e^{\frac{3}{4}\pi}$      ⑤ $-e^{\frac{\pi}{2}}$

## 19

$x>0$인 모든 실수 $x$에 대하여 부등식 $e^x - \dfrac{x^2}{2} - x + k > 0$이 성립하도록 하는 실수 $k$의 최솟값은? [3점]

① $-3$      ② $-\dfrac{5}{2}$      ③ $-2$

④ $-\dfrac{3}{2}$      ⑤ $-1$

## 20

$x>0$인 모든 실수 $x$에 대하여 부등식 $\ln(1+x)-x < -k+1$이 성립하도록 하는 실수 $k$의 값의 최댓값을 구하시오. [3점]

## 기출유형 06 　속도와 가속도

좌표평면 위를 움직이는 점 P의 시간 $t(t \geq 0)$에서의 위치 $(x, y)$가 $x=3t-\sin t$, $y=4-\cos t$이다.
점 P의 속력의 최댓값을 $M$, 최솟값을 $m$이라 할 때, $M+m$의 값은? [3점]

[2019학년도 수능 모의평가]

**Act ❶**
시각 $t$에서의 위치가 $x=f(t)$, $y=g(t)$일 때, 속력은 $\sqrt{\{f'(t)\}^2+\{g'(t)\}^2}$임을 이용한다.

① 3　　　② 4　　　③ 5　　　④ 6　　　⑤ 7

**해결의 실마리**

좌표평면 위를 움직이는 점 $P$의 시각 $t$에서의 위치가 함수 $x=f(t)$, $y=g(t)$로 나타내어질 때, 시각 $t$에서의 점 $P$의 속도, 속력, 가속도, 가속도의 크기는

(1) 속도 $v=(f'(t), g'(t))$
(2) 속력 $|v|=\sqrt{\{f'(t)\}^2+\{g'(t)\}^2}$
(3) 가속도 $a=(f''(t), g''(t))$
(4) 가속도의 크기 $|a|=\sqrt{\{f''(t)\}^2+\{g''(t)\}^2}$

## 21
[2017학년도 수능]

좌표평면 위를 움직이는 점 P의 시각 $t(t>0)$에서의 위치 $(x, y)$가 $x=t-\dfrac{2}{t}$, $y=2t+\dfrac{1}{t}$이다. 시각 $t=1$에서 점 P의 속력은? [3점]

① $2\sqrt{2}$　　② 3　　③ $\sqrt{10}$
④ $\sqrt{11}$　　⑤ $2\sqrt{3}$

## 23

좌표평면 위를 움직이는 점 $P(x, y)$의 시각 $t$에서의 위치가 $x=t+\cos t$, $y=2\sin t$일 때, 점 P의 속력이 최대가 되는 점에서의 가속도의 크기는? [3점]

① $\dfrac{\sqrt{6}}{3}$　　② $\dfrac{2\sqrt{3}}{3}$　　③ $\dfrac{2\sqrt{6}}{3}$
④ $\sqrt{6}$　　⑤ $2\sqrt{3}$

## 22

좌표평면 위를 움직이는 점 P의 시각 $t$에서의 좌표 $(x, y)$가 $x=2t$, $y=-3t^2+12t$로 주어질 때, 점 P의 속력이 최소가 되는 순간의 점 P의 좌표는 $(m, n)$이다. 이때 $m+n$의 값은? [3점]

① 10　　② 12　　③ 14
④ 16　　⑤ 18

## 24
[2019학년도 수능]

좌표평면 위를 움직이는 점 P의 시각 $t(t \geq 0)$에서의 위치 $(x, y)$가 $x=1-\cos 4t$, $y=\dfrac{1}{4}\sin 4t$이다. 점 P의 속력이 최대일 때, 점 P의 가속도의 크기를 구하시오. [3점]

## 01

함수 $f(x)=\ln(x^2+1)$의 두 변곡점 사이의 거리는? [3점]

① 1      ② 2      ③ 3

④ 4      ⑤ 5

## 02

곡선 $y=(\ln ax)^2$의 변곡점이 직선 $y=x$ 위에 있을 때, 양수 $a$의 값은? [3점]

① $e$      ② $2e$      ③ $e^2$

④ $3e$      ⑤ $4e^2$

## 03

닫힌구간 $[-3, 1]$에서 함수 $f(x)=x^2e^x$의 최댓값을 $M$, 최솟값을 $m$이라 할 때, $M+m$의 값은? [3점]

① $\dfrac{9}{e^3}$      ② $\dfrac{4}{e^2}$      ③ $e$

④ $e^2$      ⑤ $e^3$

## 04

닫힌구간 $[1, 3]$에서 함수 $f(x)=\dfrac{\ln x}{x}$의 최댓값을 $M$, 최솟값을 $m$이라 할 때, $M+m$의 값은? [3점]

① $\dfrac{\ln 3}{3}$      ② $\dfrac{1}{e}$      ③ 1

④ $\ln 3$      ⑤ $e$

## 05

그림과 같이 곡선 $y=e^{-x}$ 위의 점 P에서 $x$축, $y$축에 내린 수선의 발을 각각 A, B라 할 때, 직사각형 OAPB의 넓이의 최댓값은? (단, O는 원점이고 점 P는 제1사분면 위에 있다.) [3점]

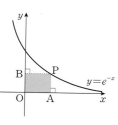

① $\dfrac{1}{2}$      ② $\dfrac{1}{e}$      ③ 1

④ $e$      ⑤ $2e$

## 06

방정식 $e^x-x=n$이 서로 다른 두 실근을 갖도록 하는 자연수 $n$의 최솟값은? [3점]

① 1      ② 2      ③ 3

④ 4      ⑤ 5

## 07

방정식 $x\ln x = \dfrac{x}{2} + k$가 적어도 하나의 실근을 갖기 위한 상수 $k$의 최솟값은? [3점]

① $-2e^{\frac{1}{2}}$　　　　② $-e^{\frac{1}{2}}$　　　　③ $e^{-\frac{1}{2}}$

④ $2e^{-\frac{1}{2}}$　　　　⑤ $e$

## 08

$x > 0$인 모든 실수 $x$에 대하여 부등식 $x\ln x \geq a - x$가 성립하도록 하는 실수 $a$의 최댓값은? [3점]

① $-\dfrac{1}{2e^2}$　　　　② $-\dfrac{1}{e^2}$　　　　③ $e$

④ $e^2$　　　　⑤ $2e^2$

## 09

$x > 0$일 때, 부등식 $\dfrac{x^2 + k}{x} \geq 8$이 성립하도록 하는 양수 $k$의 최솟값을 구하시오. [3점]

## 10

좌표평면 위를 움직이는 점 P의 시각 $t$에서의 위치 $(x, y)$가 $x = e^{2t}\cos t$, $y = e^{2t}\sin t$로 나타내어질 때, 시각 $t = \dfrac{\pi}{2}$에서의 점 P의 가속도의 크기는? [3점]

① $2e^{\pi}$　　　　② $3e^{\pi}$　　　　③ $4e^{\pi}$

④ $5e^{\pi}$　　　　⑤ $6e^{\pi}$

## 11

좌표평면 위를 움직이는 점 P의 시각 $t$에서의 위치 $(x, y)$가 $x = 1 - \sin 2t$, $y = -2\cos 2t$로 나타내어질 때, 점 P의 속도의 크기가 $2\sqrt{3}$이 되는 순간 가속도의 크기는? [3점]

① $\sqrt{2}$　　　　② $2\sqrt{2}$　　　　③ $3\sqrt{2}$

④ $4\sqrt{2}$　　　　⑤ $5\sqrt{2}$

## 12

좌표평면 위를 움직이는 점 P의 시각 $t$에서의 위치 $(x, y)$가 $x = \dfrac{1}{2}t^2 + \dfrac{1}{2}$, $y = \dfrac{1}{2}t^2 - 6t + \dfrac{11}{2}$로 나타내어진다. 점 P의 속도의 크기가 최소일 때, 점 P의 위치는? [3점]

① $(4, -9)$　　② $(5, -8)$　　③ $(6, -7)$

④ $(7, -6)$　　⑤ $(8, -5)$

# 08 여러 가지 적분법

출제경향 $y=x^n$의 부정적분, 지수함수의 부정적분, 삼각함수의 부정적분, 그리고 치환적분법, 부분적분법에 대한 문제가 출제된다. 도함수를 적분하여 적분상수를 결정한 다음 함숫값을 구하는 형태로 출제 패턴이 정해져 있으므로, 적분 공식과 적분 방법을 확실하게 익혀 두어야 한다.

---

**핵심개념 1**  **함수 $y=x^n$ ($n$은 실수)의 부정적분**

(1) $n \neq -1$일 때, $\displaystyle\int x^n dx = \frac{1}{n+1}x^{n+1}+C$ ← 일반적으로 부정적분에서 적분상수는 $C$로 나타낸다.

(2) $n=-1$일 때, $\displaystyle\int x^{-1}dx = \int \frac{1}{x}dx = \ln|x|+C$

**01** 함수 $f(x)=\displaystyle\int x^2\sqrt{x}\,dx$에 대하여 $f(0)=\dfrac{5}{7}$일 때, $f(1)$의 값을 구하시오. [3점]

---

**핵심개념 2**  **지수함수의 부정적분**

(1) $\displaystyle\int e^x dx = e^x + C$  (2) $\displaystyle\int a^x dx = \frac{a^x}{\ln a}+C$  (단, $a>0$, $a \neq 1$)

**02** $\displaystyle\int 2^x dx = \dfrac{2^x}{k}+C$ 를 만족시키는 상수 $k$의 값은? (단, $C$는 적분상수이다.) [2점]

① $\dfrac{1}{2}$  ② 1  ③ $\ln 2$  ④ $2\ln 2$  ⑤ 3

---

**핵심개념 3**  **삼각함수의 부정적분**

(1) $\displaystyle\int \sin x\, dx = -\cos x + C$  (2) $\displaystyle\int \cos x\, dx = \sin x + C$

(3) $\displaystyle\int \sec^2 x\, dx = \tan x + C$  (4) $\displaystyle\int \csc^2 x\, dx = -\cot x + C$

(5) $\displaystyle\int \sec x \tan x\, dx = \sec x + C$  (6) $\displaystyle\int \csc x \cot x\, dx = -\csc x + C$

**참고** 삼각함수를 적분할 때 $\sin^2 x + \cos^2 x = 1$, $1+\tan^2 x = \sec^2 x$, $1+\cot^2 x = \csc^2 x$를 이용하여 적분하기 쉬운 꼴로 변형한다.

**03** 함수 $f(x)=\displaystyle\int (\cos x - 3\sin x)dx$에 대하여 $f(0)=5$일 때, $f\left(\dfrac{\pi}{2}\right)$의 값을 구하시오. [3점]

**04** 함수 $f(x)=\displaystyle\int \dfrac{1}{1-\sin^2 x}\,dx$에 대하여 $f(0)=1$일 때, $f\left(\dfrac{\pi}{4}\right)$의 값을 구하시오. [3점]

## 핵심개념 **4**　　치환적분법

미분가능한 함수 $g(x)$에 대하여 $g(x)=t$로 놓으면

$$\int f(g(x))g'(x)dx=\int f(t)dt$$

→ $g(x)=t$로 놓으면 $g'(x)=\dfrac{dt}{dx}$이므로 $g'(x)dx=dt$

가 성립한다. 이와 같이 미분가능한 함수를 다른 변수로 치환하여 적분하는 방법을 **치환적분법**이라 한다.

[2016학년도 교육청]

**05** 함수 $f(x)=\int(x+1)\sqrt{x+1}\,dx$에 대하여 $f(0)=\dfrac{3}{5}$일 때, $f(3)$의 값은? [3점]

① 11　　　　② 12　　　　③ 13　　　　④ 14　　　　⑤ 15

## 핵심개념 **5**　　분수함수의 부정적분

(1) $\dfrac{f'(x)}{f(x)}$ 꼴의 부정적분

$$\int \frac{f'(x)}{f(x)}dx=\int \frac{1}{t}dt=\ln|t|+C=\ln|f(x)|+C$$

→ $f(x)=t$로 놓으면 $f'(x)=\dfrac{dt}{dx}$이므로 $f'(x)dx=dt$

(2) $\dfrac{f'(x)}{f(x)}$ 꼴이 아닌 분수함수의 부정적분

① (분자의 차수)≥(분모의 차수)인 경우 ⇨ 분자를 분모로 나누어 몫과 나머지의 꼴로 나타낸 후 부정적분을 구한다.

② (분자의 차수)<(분모의 차수)이고 분모가 인수분해되는 경우 ⇨ 부분분수로 변형한 후 부정적분을 구한다.

참고 　$\dfrac{1}{(x+a)(x+b)}$ 꼴 ⇨ $\dfrac{1}{(x+a)(x+b)}=\dfrac{1}{b-a}\left(\dfrac{1}{x+a}-\dfrac{1}{x+b}\right)$ (단, $a\neq b$)

$\dfrac{px+q}{(x+a)(x+b)}$ 꼴 ⇨ $\dfrac{px+q}{(x+a)(x+b)}=\dfrac{A}{x+a}+\dfrac{B}{x+b}$로 놓고 $x$에 대한 항등식임을 이용하여 $A$, $B$의 값을 구한다.

**06** 함수 $f(x)=\int\dfrac{2x+2}{x^2+2x-1}\,dx$에 대하여 $f(0)=0$일 때, $f(1)$의 값은? [3점]

① $\ln2$　　　　② $\ln3$　　　　③ $2\ln2$　　　　④ $\ln5$　　　　⑤ $\ln6$

## 핵심개념 **6**　　부분적분법

미분가능한 두 함수 $f(x)$, $g(x)$에 대하여

$$\int f(x)g'(x)dx=f(x)g(x)-\int f'(x)g(x)dx$$

가 성립한다. 이와 같이 적분하는 방법을 **부분적분법**이라 한다.

참고 　1. 부분적분법을 이용할 때는 미분하면 그 결과가 간단해지는 함수를 $f(x)$, 적분하기 쉬운 함수를 $g'(x)$로 놓으면 계산이 편리하다.

2. 부분적분법을 한 번 적용하여 적분이 되지 않는 경우에는 부분적분법을 한 번 더 적용한다.

| 로 | 로그함수 $\ln x$, $\log x$ | 미분하기 쉽다. |
|---|---|---|
| 다 | 다항함수 $x$, $x^2$, $\cdots$ | ↕ |
| 삼 | 삼각함수 $\sin x$, $\cos x$ | |
| 지 | 지수함수 $e^x$, $a^x$ | 적분하기 쉽다. |

**07** 함수 $f(x)$에 대하여 $f'(x)=\ln x$이고 $f(e)=0$일 때, $f(1)$의 값은? [3점]

① $-1$　　　　② $-2$　　　　③ 3　　　　④ $e$　　　　⑤ $e^2$

함수 $f(x) = \int \dfrac{-x^3 - 1}{x^2} dx$에 대하여 $f(1) = \dfrac{1}{2}$일 때, $f(2)$의 값은? [3점]

① $-2$  ② $-\dfrac{3}{2}$  ③ $-1$  ④ $-\dfrac{1}{2}$  ⑤ $0$

**Act ❶**
$n \neq -1$일 때,
$$\int x^n dx = \frac{1}{n+1} x^{n+1} + C$$
임을 이용한다.

**해결의 실마리**

$\dfrac{1}{x^m}$ 또는 $\sqrt[n]{x}$의 부정적분은 ⇨ $\dfrac{1}{x^m} = x^{-m}$, $\sqrt[n]{x} = x^{\frac{1}{n}}$으로 변형한 후 다음을 이용한다.

(1) $n \neq -1$일 때, $\displaystyle\int x^n dx = \dfrac{1}{n+1} x^{n+1} + C$

(2) $n = -1$일 때, $\displaystyle\int x^{-1} dx = \int \dfrac{1}{x} dx = \ln|x| + C$

## 01

함수 $f(x) = \displaystyle\int x\sqrt{x}\, dx$에 대하여 $f(0) = 2$일 때, $5f(1)$의 값은? [3점]

① 8  ② 9  ③ 10
④ 11  ⑤ 12

## 02

[2016학년도 교육청]

연속함수 $f(x)$의 도함수 $f'(x)$가
$$f'(x) = \begin{cases} \dfrac{1}{x^2} & (x < -1) \\ 3x^2 + 1 & (x > -1) \end{cases}$$
이고 $f(-2) = \dfrac{1}{2}$일 때, $f(0)$의 값은? [3점]

① 1  ② 2  ③ 3
④ 4  ⑤ 5

## 03

[2015학년도 교육청]

모든 실수 $x$에서 연속인 함수 $f(x)$에 대하여
$$f'(x) = \begin{cases} 3\sqrt{x} & (x > 1) \\ 2x & (x < 1) \end{cases}$$
이다. $f(4) = 13$일 때, $f(-5)$의 값을 구하시오. [3점]

## 04

$x \neq 0$에서 미분가능한 함수 $f(x)$의 한 부정적분을 $F(x)$라 하면 $F(x) = xf(x) + \dfrac{6}{x}$이 성립한다. $f(1) = 1$일 때, $4f(2)$의 값은? [3점]

① 10  ② 11  ③ 12
④ 13  ⑤ 14

## 기출유형 02 　지수함수의 부정적분

함수 $f(x)=\displaystyle\int\dfrac{e^{2x}-1}{e^{x}-1}dx$에 대하여 곡선 $y=f(x)$가 점 $(0,\ 1)$을 지날 때, $f(\ln4)$의 값이 $p+\ln q$이다. 이때 $p+q$의 값은? [3점]

**Act❶**
$\displaystyle\int e^{x}dx=e^{x}+C$임을 이용한다.

① 5　　　　② 6　　　　③ 7　　　　④ 8　　　　⑤ 9

---

**해결의 실마리**

지수함수의 부정적분은 ⇨ 지수법칙, 인수분해 공식, 곱셈 공식을 이용하여 피적분함수를 변형한다.

(1) $\displaystyle\int e^{x}dx=e^{x}+C$

(2) $\displaystyle\int a^{x}dx=\dfrac{a^{x}}{\ln a}+C$ (단, $a>0,\ a\neq1$)

---

## 05

함수 $f(x)$에 대하여 $f'(x)=\dfrac{xe^{x}+2}{x}$, $f(1)=e^{2}+e$일 때, $f(2)$의 값은 $pe^{2}+q\ln2$이다. 이때 $p+q$의 값은? [3점]

① 3　　　　② 4　　　　③ 5
④ 6　　　　⑤ 7

## 06

함수 $f(x)=\displaystyle\int(2^{x}+4^{x})dx$에 대하여 곡선 $y=f(x)$가 점 $\left(0,\ \dfrac{3}{\ln4}\right)$을 지날 때, $f(1)$의 값은? [3점]

① $\dfrac{4}{\ln2}$　　　② $\dfrac{5}{\ln3}$　　　③ $\dfrac{3}{\ln2}$

④ $\dfrac{7}{\ln5}$　　　⑤ $\dfrac{8}{\ln6}$

## 07

[2016학년도 교육청]

함수 $f(x)$가 모든 실수에서 연속일 때, 도함수 $f'(x)$가

$$f'(x)=\begin{cases}e^{x-1} & (x<1)\\ \dfrac{1}{x} & (x>1)\end{cases}$$

이다. $f(-1)=e+\dfrac{1}{e^{2}}$일 때, $f(e)$의 값은? [3점]

① $e-2$　　　② $e-1$　　　③ $e$
④ $e+1$　　　⑤ $e+2$

## 08

함수 $f(x)$는 $\dfrac{e^{3x}-1}{e^{x}-1}$의 한 부정적분이고, 함수 $F(x)$는 $f(x)$의 한 부정적분이다. $f(0)=2$일 때,

$\displaystyle\lim_{h\to0}\dfrac{F(1+2h)-F(1)}{3h}$의 값은? [3점]

① $\dfrac{e^{2}}{3}-\dfrac{2}{3}e+1$　　② $\dfrac{e^{2}}{3}+\dfrac{2}{3}e-1$　　③ $\dfrac{e^{2}}{3}+\dfrac{2}{3}e+1$

④ $\dfrac{e^{2}}{2}-\dfrac{3}{2}e+1$　　⑤ $\dfrac{e^{2}}{2}+\dfrac{3}{2}e-1$

[2019학년도 수능 모의평가]

곡선 $y=f(x)$ 위의 점 $(x, f(x))$에서의 접선의 기울기가 $\dfrac{\cos^2 x}{1+\sin x}$이고 이 곡선이 점 $(0, 1)$을 지날 때, $f(\pi)$의 값은? [3점]

**Act ❶**
$\cos^2 x = 1 - \sin^2 x$임을 이용하여 주어진 식을 적분하기 쉬운 꼴로 변형한다.

① $\dfrac{\pi}{2}-1$      ② $\pi-1$      ③ $\dfrac{\pi}{2}+1$      ④ $\pi+1$      ⑤ $\dfrac{3}{2}\pi-1$

**해결의 실마리**

삼각함수를 포함한 피적분함수가 간단히 적분되지 않는 경우에는 ⇨ 삼각함수 사이의 관계, 삼각함수의 덧셈정리 등을 이용하여 피적분함수를 적분하기 쉬운 꼴로 변형한 후 적분한다.

(1) 삼각함수 사이의 관계
- $\sin^2 x + \cos^2 x = 1$      $1 + \tan^2 x = \sec^2 x$      $1 + \cot^2 x = \csc^2 x$

(2) 삼각함수의 덧셈정리로부터 얻어지는 결과
- $\sin^2 x = \dfrac{1 - \cos 2x}{2}$      $\cos^2 x = \dfrac{1 + \cos 2x}{2}$

## 09

곡선 $y = f(x)$ 위의 점 $(x, f(x))$에서의 접선의 기울기가 $\dfrac{1}{\sin^2 x \cos^2 x}$이고 이 곡선이 점 $\left(\dfrac{\pi}{4}, 0\right)$을 지날 때, $f\left(\dfrac{\pi}{3}\right)$의 값은? [3점]

① $\dfrac{\sqrt{3}}{3}$      ② $\dfrac{2\sqrt{3}}{3}$      ③ $\sqrt{3}$

④ $\dfrac{4\sqrt{3}}{3}$      ⑤ $\dfrac{5\sqrt{3}}{3}$

## 10

등식 $\displaystyle\int \dfrac{\sin^2 x}{1 - \cos x}\,dx = ax + b\sin x + C$가 성립할 때, 두 상수 $a$, $b$의 합 $a+b$의 값을 구하시오. (단, $C$는 적분상수) [3점]

## 11

연속함수 $f(x)$의 도함수 $f'(x)$가
$$f'(x) = \begin{cases} \sin x & (x > 0) \\ x & (x < 0) \end{cases}$$
이고 $f\left(\dfrac{\pi}{2}\right) = 1$일 때, $f(-2)$의 값을 구하시오. [3점]

## 12

연속함수 $f(x)$의 도함수 $f'(x)$가
$$f'(x) = \begin{cases} \sec^2 x & (x > 0) \\ 4x^3 & (x < 0) \end{cases}$$
이고 $f\left(\dfrac{\pi}{4}\right) = 2$일 때 $f(-2)$의 값을 구하시오. [3점]

## 기출유형 **04**   치환적분법

함수 $f(x) = \int \dfrac{2x}{\sqrt{x^2+1}}\,dx$에 대하여 $f(0)=2$일 때, $f(1)$의 값은? [3점]

**Act ❶**
$x^2+1=t$로 놓고 치환적분법을 이용한다.

① $\sqrt{2}$   ② $\sqrt{3}$   ③ $2$   ④ $2\sqrt{2}$   ⑤ $2\sqrt{3}$

**해결의 실마리**
$\int f(g(x))g'(x)\,dx = \int f(t)\,dt \Rightarrow g(x)=t$로 치환한다.

---

## 13
함수 $f(x) = \int (2x+3)^5\,dx$에 대하여 $f(-1)=1$일 때, $f(-2)$의 값을 구하시오. [3점]

## 15
함수 $f(x) = \dfrac{\ln x}{2x}$의 한 부정적분을 $F(x)$라 하자.

$F(e) = \dfrac{1}{4}$일 때, $F(e^2)$의 값을 구하시오. [3점]

## 14
함수 $f(x) = \int e^{3x+2}\,dx$에 대하여 $y=f(x)$의 그래프가 점 $\left(-\dfrac{2}{3}, \dfrac{1}{3}\right)$을 지날 때, $f(-1)$의 값은? [3점]

① $\dfrac{1}{3e^2}$   ② $\dfrac{1}{3e}$   ③ $1$

④ $3e$   ⑤ $3e^2$

## 16
미분가능한 함수 $f(x)$가
$$\lim_{h \to 0} \frac{f(x+h)-f(x)}{h} = 3\cos 3x$$
를 만족시키고 $f\left(\dfrac{\pi}{6}\right)=1$일 때, $f\left(\dfrac{\pi}{3}\right)$의 값은? [3점]

① $-\dfrac{\sqrt{3}}{2}$   ② $-\dfrac{1}{2}$   ③ $0$

④ $\dfrac{1}{2}$   ⑤ $\dfrac{\sqrt{3}}{2}$

함수 $f(x)$에 대하여 $f'(x) = \dfrac{4x}{x^2+1}$ 이고 $f(0)=1$일 때, $f(1)$의 값은? [3점]

① $\ln 2 + 1$　　② $2\ln 2 + 1$　　③ $3\ln 2 + 1$　　④ $4\ln 2 + 1$　　⑤ $5\ln 2 + 1$

**Act❶**
$\displaystyle \int \dfrac{f'(x)}{f(x)} dx = \ln |f(x)| + C$
임을 이용한다.

**해결의 실마리**

$\dfrac{f'(x)}{f(x)}$ 꼴의 부정적분 ⇨ $\displaystyle \int \dfrac{f'(x)}{f(x)} dx = \ln |f(x)| + C$

## 17

함수 $f(x) = \displaystyle \int \dfrac{2x-3}{x^2-3x+4} dx$에 대하여 $y=f(x)$의 그래프가 점 $(1, 0)$을 지날 때, $f(2)$의 값은? [3점]

① $-2\ln 2$　　② $-\ln 2$　　③ $0$
④ $\ln 2$　　⑤ $2\ln 2$

## 19

함수 $f(x)$에 대하여 $f'(x) = \dfrac{2^x \ln 2}{2^x+1}$ 이고 $f(0)=\ln 2$일 때, $f(3)$의 값은? [3점]

① $\ln 2$　　② $\ln 3$　　③ $2\ln 2$
④ $2\ln 3$　　⑤ $3\ln 2$

## 18

함수 $f(x) = \displaystyle \int \dfrac{2e^{2x}}{e^{2x}+2} dx$에 대하여 $f(\ln 4) - f(\ln 2)$의 값은? [3점]

① $\ln 2$　　② $\ln 3$　　③ $2\ln 2$
④ $\ln 5$　　⑤ $\ln 6$

## 20

함수 $f(x) = \displaystyle \int \dfrac{\cos x}{1+\sin x} dx$에 대하여 $f(0)=0$일 때, $f\left(\dfrac{\pi}{2}\right)$의 값은? [3점]

① $0$　　② $\ln 2$　　③ $\ln 3$
④ $2\ln 2$　　⑤ $\ln 5$

## 기출유형 06    분수함수의 부정적분 − $\dfrac{f'(x)}{f(x)}$ 꼴인 아닌 경우

함수 $f(x)=\displaystyle\int \dfrac{2}{x(x+2)}\,dx$에 대하여 $f(1)=\ln 2$일 때, $f(-1)$의 값은? [3점]

① $\ln 2$　　　② $\ln 3$　　　③ $2\ln 2$　　　④ $\ln 5$　　　⑤ $\ln 6$

**Act ❶**

$\dfrac{1}{(x+a)(x+b)}=\dfrac{1}{b-a}\left(\dfrac{1}{x+a}-\dfrac{1}{x+b}\right)$ 임을 이용하여 피적분함수를 유리함수의 차로 나타내어 적분한다.

**해결의 실마리**

$\dfrac{f'(x)}{f(x)}$ 꼴이 아닌 분수함수의 부정적분

① (분자의 차수)≥(분모의 차수)인 경우 ⇨ 분자를 분모로 나누어 몫과 나머지의 꼴로 나타낸 후 부정적분을 구한다.

② (분자의 차수)<(분모의 차수)이고 분모가 인수분해되는 경우 ⇨ 부분분수로 변형한 후 부정적분을 구한다.

### 21

함수 $f(x)=\displaystyle\int \dfrac{4}{x^2-4}\,dx$에 대하여 $f(0)=0$일 때, $f(1)$의 값은? [3점]

① $-\ln 6$　　　② $-\ln 5$　　　③ $-2\ln 2$

④ $-\ln 3$　　　⑤ $-\ln 2$

### 23

등식 $\displaystyle\int \dfrac{3x}{x^2+x-2}\,dx=\ln|x+a|+b\ln|x+2|+C$가 성립할 때, 두 상수 $a$, $b$의 합 $a+b$의 값을 구하시오. [3점]

### 22

함수 $f(x)$에 대하여 $f'(x)=\dfrac{1}{4x^2-1}$이고 $f(0)=0$일 때, $f(-1)$의 값은? [3점]

① $\dfrac{\ln 6}{7}$　　　② $\dfrac{\ln 5}{6}$　　　③ $\dfrac{\ln 4}{5}$

④ $\dfrac{\ln 3}{4}$　　　⑤ $\dfrac{\ln 2}{3}$

### 24

등식 $\displaystyle\int \dfrac{x+1}{x^2-5x+6}\,dx=a\ln|x+b|+c\ln|x-2|+C$가 성립할 때, 세 상수 $a$, $b$, $c$의 곱 $abc$의 값을 구하시오. [3점]

[2019학년도 수능 모의평가]

함수 $f(x)=\displaystyle\int (x+1)e^xdx$에 대하여 $f(0)=0$일 때, $f(-1)$의 값은? [3점]

**Act ❶**
$u(x)=x+1$, $v'(x)=e^x$으로 놓고 부분적분법을 이용한다.

① $-e^2$     ② $-e$     ③ $-1$     ④ $-\dfrac{1}{e}$     ⑤ $-\dfrac{1}{e^2}$

**해결의 실마리**

곱해져 있는 두 함수 중에서 미분한 결과가 간단해지는 함수를 $f(x)$, 적분하기 쉬운 함수를 $g'(x)$로 놓고

$\Rightarrow \displaystyle\int f(x)g'(x)dx=f(x)g(x)-\int f'(x)g(x)dx$임을 이용한다.

## 25

함수 $f(x)$에 대하여 $f'(x)=x\ln x+\dfrac{5}{2}x$이고 $f(1)=1$일 때, $f(\sqrt{e})$의 값은? [3점]

① $\dfrac{1}{4}e$     ② $\dfrac{1}{2}e$     ③ $\dfrac{3}{4}e$

④ $e$     ⑤ $\dfrac{5}{4}e$

## 27

미분가능한 함수 $f(x)$에 대하여 $f(x)+xf'(x)=x\ln x$이고 $f(1)=-\dfrac{1}{4}$일 때, $f(e^2)$의 값은? [3점]

① $\dfrac{3}{4}e^2$     ② $\dfrac{5}{4}e^2$     ③ $\dfrac{7}{4}e^2$

④ $2e^2$     ⑤ $\dfrac{9}{4}e^2$

## 26

곡선 $y=f(x)$ 위의 임의의 점 $(x, y)$에서의 접선의 기울기가 $x\cos x$이고, 이 곡선이 점 $(0, 1)$을 지날 때, $f\left(\dfrac{\pi}{2}\right)$의 값은? [3점]

① $-\pi$     ② $-\dfrac{\pi}{2}$     ③ $0$

④ $\dfrac{\pi}{2}$     ⑤ $\pi$

## 28

[2014학년도 교육청]

$x>0$에서 미분가능한 함수 $f(x)$가 다음 조건을 만족시킨다.

(가) $f\left(\dfrac{\pi}{2}\right)=1$

(나) $f(x)+xf'(x)=x\cos x$

$f(\pi)$의 값은? [3점]

① $-\dfrac{\pi}{2}$     ② $-\dfrac{1}{\pi}$     ③ $0$

④ $\dfrac{1}{\pi}$     ⑤ $\dfrac{2}{\pi}$

# Very Important Test

## 01

함수 $f(x)$에 대하여 $f'(x) = \dfrac{(\sqrt{x}+1)^2}{\sqrt{x}}$ 이고 $f(1) = \dfrac{14}{3}$ 일 때, $f(9)$의 값은? [3점]

① 18  ② 24  ③ 30
④ 36  ⑤ 42

## 02

함수 $f(x) = \displaystyle\int \dfrac{(x+1)(x-3)}{x^2} dx$에 대하여 $f(1) = 4$일 때, $f(3)$의 값은? [3점]

① $4 + \ln 3$  ② $3 + 2\ln 3$  ③ $4 - \ln 3$
④ $3 + \ln 3$  ⑤ $4 - 2\ln 3$

## 03

함수 $y = f(x)$가 $f'(x) = 2e^{2x} - 3e^x$, $f(0) = 0$을 만족시킬 때, 방정식 $f(x) = 0$의 모든 해의 합은? [3점]

① $2\ln 3$  ② $\ln 3$  ③ $2\ln 2$
④ $\ln 2$  ⑤ $\ln 6$

## 04

함수 $f(x)$에 대하여 $f'(x) = 2x + \dfrac{1}{x} + \dfrac{1}{\sqrt[3]{x^2}}$ 이고, $f(1) = 4$일 때, $f(e^3)$의 값은? (단, $e$는 자연로그의 밑이다. ) [3점]

① $e^6 + e + 3$  ② $e^6 + 3e + 3$  ③ $e^6 - 3e + 3$
④ $e^3 + e^{\frac{1}{3}} + 2$  ⑤ $e^3 + 3e^{\frac{1}{3}} + 1$

## 05

등식 $\displaystyle\int \dfrac{9^x - 1}{3^x - 1} dx = p \times 3^x + qx + C$가 성립할 때, 상수 $p$, $q$에 대하여 $\dfrac{q}{p}$의 값은? (단, $C$는 적분상수) [3점]

① $\dfrac{1}{\ln 2}$  ② $\dfrac{1}{\ln 3}$  ③ 1
④ $\ln 2$  ⑤ $\ln 3$

## 06

함수 $f(x)$가 $f'(x) = 4^x - 2^x$, $f(1) = 0$을 만족시킬 때, $f(2)$의 값은? [3점]

① $\dfrac{1}{\ln 2}$  ② $\dfrac{2}{\ln 2}$  ③ $\dfrac{3}{\ln 2}$
④ $\dfrac{4}{\ln 2}$  ⑤ $\dfrac{5}{\ln 2}$

**07**

함수 $f(x) = \int \dfrac{\cos^2 x}{1 - \sin x} dx$에 대하여 $f\left(\dfrac{\pi}{2}\right) = \dfrac{\pi}{2}$일 때, $f(\pi)$의 값은? [3점]

① $\pi^2$　　　　② $\pi - 1$　　　　③ $0$

④ $\pi + 1$　　　⑤ $\pi$

**08**

곡선 $y = f(x)$ 위의 점 $(x, y)$에서의 접선의 기울기가 $\sec^2 x$이고 이 곡선은 $y$축과 $(0, 1)$에서 만난다. 이때 $f(\pi)$의 값을 구하시오. [3점]

**09**

$0 < x \leq e^\pi$ 일 때, $f(x) = \int \dfrac{1}{x} \sin(\ln x) dx$, $f\left(e^{\frac{\pi}{2}}\right) = 0$을 만족시키는 함수 $f(x)$에 대하여 방정식 $f(x) = 1$의 해는? [3점]

① $e^\pi$　　　　② $e^{\frac{\pi}{2}}$　　　　③ $e^{\frac{\pi}{3}}$

④ $e^{\frac{\pi}{4}}$　　　⑤ $e^{\frac{\pi}{6}}$

**10**

함수 $f(x) = \int 2x e^{x^2 - 1} dx$에 대하여 $f(1) = 1$일 때, $f(\sqrt{2})$의 값은? [3점]

① $e^{-2}$　　　　② $e^{-1}$　　　　③ $1$

④ $e$　　　　　⑤ $e^2$

**11**

함수 $f(x) = \int x\sqrt{x^2 + 1}\, dx$에 대하여 $f(0) = \dfrac{1}{3}$일 때, $f(2\sqrt{2})$의 값을 구하시오. [3점]

**12**

함수 $f(x) = \int \dfrac{\sec^2 x(1 + \tan x)}{\tan^2 x} dx$에 대하여 $f\left(\dfrac{\pi}{4}\right) = -1$일 때, $f\left(\dfrac{\pi}{3}\right)$의 값은? [3점]

① $-\sqrt{3} + \dfrac{1}{2}\ln 3$　　　② $-\dfrac{\sqrt{3}}{3} + \dfrac{1}{2}\ln 3$

③ $-\dfrac{\sqrt{3}}{3} + \ln 3$　　　④ $-\sqrt{3} + \ln 3$

⑤ $-\dfrac{\sqrt{3}}{3} + \dfrac{1}{2}\ln 3$

## 13

함수 $f(x) = \int \tan x \, dx$에 대하여 $f(0) = 0$일 때, $f\left(\dfrac{\pi}{3}\right)$ 의 값은? [3점]

① $\dfrac{1}{2}\ln 2$      ② $\ln 2$      ③ $\dfrac{1}{3}\ln 2$

④ $\dfrac{1}{2}\ln 3$      ⑤ $\ln 3$

## 14

함수 $f(x) = \int \dfrac{1}{x^2 - x - 2} \, dx$에 대하여 $f\left(\dfrac{1}{2}\right) = 0$일 때, $f(0)$의 값은? [3점]

① $\ln 2$      ② $\dfrac{1}{2}\ln 2$      ③ $\dfrac{1}{3}\ln 2$

④ $\dfrac{1}{4}\ln 3$      ⑤ $\dfrac{1}{5}\ln 3$

## 15

곡선 $y = f(x)$ 위의 임의의 점 $(x, y)$에서의 접선의 기울기가 $x\cos x$이고, 이 곡선이 원점을 지날 때, $f\left(\dfrac{\pi}{2}\right)$의 값은? [3점]

① $1 - \pi$      ② $1 - \dfrac{\pi}{2}$      ③ $0$

④ $\dfrac{\pi}{2} - 1$      ⑤ $\pi - 1$

## 16

함수 $f(x)$에 대하여 $f'(x) = (x+1)e^x$이고 $f(x)$의 극솟값이 $e - \dfrac{1}{e}$일 때, $f(1)$의 값은? [3점]

① $\dfrac{1}{2e}$      ② $\dfrac{1}{e}$      ③ $1$

④ $e$      ⑤ $2e$

## 17

$x > 0$에서 함수 $f(x)$와 그 부정적분 $F(x)$ 사이에
$$F(x) = xf(x) - x\ln x + x, \quad f(e) = 1$$
이 성립할 때, $f(e)$의 값을 구하시오. [3점]

## 18

미분가능한 함수 $f(x)$에 대하여 $F'(x) = f(x)$인 함수 $F(x)$가 $F(x) = xf(x) - xe^x + e^x$, $F(1) = e$를 만족시킬 때, $f(1)$의 값은? [3점]

① $e^{-1}$      ② $\sqrt{e}$      ③ $e - 2$

④ $e$      ⑤ $e + 2$

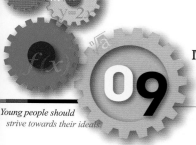

IV. 적분법

# 09 정적분

출제경향 유리함수, 무리함수, 지수함수, 로그함수, 삼각함수에 대한 정적분의 계산 문제, 그리고 치환적분법과 부분적분법을 이용한 정적분의 계산 문제, 정적분으로 정의된 함수에 대한 이해 문제가 출제된다. 계산에서 실수하지 않고 풀 수 있도록 충분히 연습해 두어야 한다.

**핵심개념 1**  **정적분의 정의**

(1) 정적분의 정의

닫힌구간 $[\alpha, \beta]$에서 연속인 함수 $f(x)$의 한 부정적분을 $F(x)$라 하면 $\int_a^b f(x)dx = \Big[F(x)\Big]_b^a = F(b) - F(a)$

(2) 정적분의 성질

두 함수 $f(x)$, $g(x)$가 임의의 세 실수 $a$, $b$, $c$를 포함하는 닫힌구간에서 연속일 때

① $\int_a^b kf(x)\, dx = k\int_a^b f(x)\, dx$ (단, $k$는 상수)

② $\int_a^b \{f(x) \pm g(x)\}dx = \int_b^a f(x)dx \pm \int_a^b g(x)\, dx$ (복호동순)

③ $\int_a^c f(x)dx + \int_c^b f(x)dx = \int_b^a f(x)dx$ ← $a$, $b$, $c$의 대소에 관계없이 성립한다.

[2017학년도 수능]

**01** $\int_0^{\frac{\pi}{2}} 2\sin x\, dx$의 값은? [2점]

① 0        ② $\dfrac{1}{2}$       ③ 1       ④ $\dfrac{3}{2}$       ⑤ 2

**핵심개념 2**  **여러 가지 함수의 정적분**

(1) 구간에 따라 다르게 정의된 함수의 정적분

함수 $h(x) = \begin{cases} f(x) & (x \le c) \\ g(x) & (x \ge c) \end{cases}$ 가 닫힌구간 $[a, b]$에서 연속이고 $a < c < b$일 때 $\int_a^b h(x)dx = \int_a^c f(x)dx + \int_c^b g(x)dx$

(2) 절댓값 기호를 포함한 함수의 정적분

절댓값 기호 안의 식의 값이 0이 되게 하는 $x$의 값을 경계로 적분 구간을 나눈 다음

$\int_a^b f(x)dx = \int_a^c f(x)dx + \int_c^b f(x)dx$임을 이용하여 정적분의 값을 구한다.

(3) 우함수, 기함수의 정적분

함수 $f(x)$가 닫힌구간 $[-a, a]$에서 연속일 때

① $f(-x) = f(x)$이면 함수 $f(x)$를 우함수라 하고 $\int_{-a}^a f(x)\, dx = 2\int_0^a f(x)dx$

② $f(-x) = -f(x)$이면 함수 $f(x)$를 기함수라 하고 $\int_{-a}^a f(x)dx = 0$

**02** 함수 $f(x) = \begin{cases} 2\sin x & \left(x \le \dfrac{\pi}{2}\right) \\ \cos x + 2 & \left(x \ge \dfrac{\pi}{2}\right) \end{cases}$ 에 대하여 $\int_0^{\pi}(x)\, dx$는? [3점]

① $\pi + 1$       ② $\pi + 2$       ③ $\pi + 3$       ④ $2\pi - 2$       ⑤ $2\pi + 1$

　**정적분의 치환적분법**

구간 $[a,\ b]$에서 연속인 함수 $f(x)$에 대하여 미분가능한 함수 $x=g(t)$의 도함수 $g'(t)$가 구간 $[\alpha,\ \beta]$에서 연속이고, $a=g(\alpha)$, $b=g(\beta)$이면

$$\int_a^b f(x)dx=\int_\alpha^\beta f(g(t))g'(t)dt$$

**참고** 치환적분법을 이용한 정적분에서는 적분 구간이 바뀌는 것에 주의한다.

[2016학년도 교육청]

**03** $\int_{\frac{1}{2}}^1 \sqrt{2x-1}\,dx$의 값은? [3점]

① $\dfrac{1}{15}$ 　　　　② $\dfrac{2}{15}$ 　　　　③ $\dfrac{1}{5}$ 　　　　④ $\dfrac{4}{15}$ 　　　　⑤ $\dfrac{1}{3}$

　**정적분의 부분적분법**

미분가능한 두 함수 $f(x)$, $g(x)$에 대하여 $f'(x)$, $g'(x)$가 닫힌구간 $[a,\ b]$에서 연속일 때

$$\int_a^b f(x)g'(x)dx=\Big[f(x)g(x)\Big]_a^b-\int_a^b f'(x)g(x)dx$$

**참고** 부분적분법을 이용할 때는 미분하면 결과가 간단해지는 함수를 $f(x)$, 적분하기 쉬운 함수를 $g'(x)$로 놓으면 계산이 편리하다.

[2017학년도 교육청]

**04** $\int_0^1 xe^x\,dx$의 값은? [3점]

① $1$ 　　　　② $2$ 　　　　③ $e$ 　　　　④ $1+e$ 　　　　⑤ $2e$

　**정적분으로 정의된 함수**

(1) 정적분으로 정의된 함수의 미분

　① $\dfrac{d}{dx}\int_a^x f(t)dt=f(x)$ (단, $a$는 상수) 　　　② $\dfrac{d}{dx}\int_x^{x+a} f(t)dt=f(x+a)-f(x)$ (단, $a$는 상수)

(2) 정적분으로 정의된 함수의 극한

　① $\displaystyle\lim_{x\to 0}\dfrac{1}{x}\int_a^{x+a} f(t)dt=f(a)$ 　　　② $\displaystyle\lim_{x\to a}\dfrac{1}{x-a}\int_a^x f(t)dt=f(a)$

**05** $\displaystyle\lim_{h\to 0}\dfrac{1}{2h}\int_{\frac{\pi}{2}-h}^{\frac{\pi}{2}+h} x\sin x\,dx$의 값은? [3점]

① $\dfrac{1}{2}$ 　　　　② $1$ 　　　　③ $\dfrac{\pi}{2}$ 　　　　④ $\pi$ 　　　　⑤ $2\pi$

**기출유형 01** **정적분의 계산**

[2017학년도 교육청]

$\int_0^4 (5x-3)\sqrt{x}\,dx$의 값은? [3점]

① 47 　　② 48 　　③ 49 　　④ 50 　　⑤ 51

**Act ❶**
$\sqrt[q]{x}=x^{\frac{1}{q}}$으로 변형한 후
$\int_a^b x^n dx = \left[\frac{1}{n+1}x^{n+1}\right]_a^b$ (단, $n \neq -1$)임을 이용한다.

---

**해결의 실마리**

(1) 함수 $y=x^n$의 정적분 : $\frac{1}{x^p}$ 또는 $\sqrt[q]{x}$의 정적분은 $\frac{1}{x^p}=x^{-p}$, $\sqrt[q]{x}=x^{\frac{1}{q}}$으로 변형한 후 다음을 이용한다.

$$\int_a^b x^n dx = \left[\frac{1}{n+1}x^{n+1}\right]_a^b \text{ (단, } n \neq -1\text{)}, \int_a^b \frac{1}{x}dx = \left[\ln|x|\right]_a^b$$

(2) 무리함수의 정적분 : $\sqrt[p]{x^q}$ ($p$, $q$는 자연수)를 $x^{\frac{q}{p}}$로 변형한 후 $\int_a^b x^n dx$를 이용한다.

(3) 지수함수의 정적분 : $\int_\alpha^\beta e^x dx = \left[e^x\right]_\alpha^\beta$, $\int_\alpha^\beta a^x dx = \left[\frac{a^x}{\ln a}\right]_\alpha^\beta$

(4) 삼각함수의 정적분 : $\int_\alpha^\beta \sin x\,dx = \left[-\cos x\right]_\alpha^\beta$, $\int_\alpha^\beta \cos x\,dx = \left[\sin x\right]_\alpha^\beta$

---

## 01

[2016학년도 수능 모의평가]

$\int_0^1 e^{x+4}dx$의 값은? [3점]

① $e^5-e^4$ 　　② $e^5$ 　　③ $e^5+e^4$

④ $e^5+2e^4$ 　　⑤ $e^5+3e^4$

## 02

[2016학년도 수능]

$\int_0^e \frac{5}{x+e}dx$의 값은? [3점]

① $\ln 2$ 　　② $2\ln 2$ 　　③ $3\ln 2$

④ $4\ln 2$ 　　⑤ $5\ln 2$

## 03

[2018학년도 교육청]

$\int_3^6 \frac{2}{x^2-2x}dx$의 값은? [3점]

① $\ln 2$ 　　② $\ln 3$ 　　③ $2\ln 2$

④ $\ln 5$ 　　⑤ $\ln 6$

## 04

[2018학년도 교육청]

$\int_0^{\frac{\pi}{6}} \cos 3x\,dx$의 값은? [3점]

① $\frac{1}{6}$ 　　② $\frac{1}{4}$ 　　③ $\frac{1}{3}$

④ $\frac{5}{12}$ 　　⑤ $\frac{1}{2}$

**기출유형 02** · **정적분의 치환적분법 — 유리함수, 무리함수**

$\int_0^1 \dfrac{2x+5}{x^2+5x+2}\,dx$의 값은? [3점]

[2017학년도 교육청]

**Act ❶**
$x^2+5x+2=t$로 놓고 치환적분을 이용한다.

① $2\ln 2$　　② $\ln 5$　　③ $\ln 6$　　④ $\ln 7$　　⑤ $3\ln 2$

**해결의 실마리**

(1) 피적분함수가 $\dfrac{f'(x)}{f(x)}$ 꼴인 경우 ⇨ $f(x)=t$로 치환한다.

(2) 피적분함수가 $\sqrt{f(x)}$ 꼴인 경우 ⇨ $f(x)=t$로 치환한다.

## 05
[2017학년도 수능 모의평가]

$\int_0^3 \dfrac{2}{2x+1}\,dx$의 값은? [3점]

① $\ln 5$　　② $\ln 6$　　③ $\ln 7$

④ $3\ln 2$　　⑤ $2\ln 3$

## 07
[2018학년도 교육청]

$\int_1^2 x\sqrt{x^2-1}\,dx$의 값은? [3점]

① $\sqrt{3}$　　② $2$　　③ $\sqrt{5}$

④ $\sqrt{6}$　　⑤ $\sqrt{7}$

## 06
[2019학년도 수능 모의평가]

$\int_1^{\sqrt{2}} x^3\sqrt{x^2-1}\,dx$의 값은? [3점]

① $\dfrac{7}{15}$　　② $\dfrac{8}{15}$　　③ $\dfrac{3}{5}$

④ $\dfrac{2}{3}$　　⑤ $\dfrac{11}{15}$

## 08

$\int_0^{\sqrt{3}} \dfrac{4x}{\sqrt{x^2+1}}\,dx$의 값을 구하시오. [3점]

$\displaystyle\int_0^2 \dfrac{3^x \ln 3}{3^x + 1} dx$의 값은? [3점]

**Act ❶**
$3^x + 1 = t$로 놓고 치환적분법을 이용한다.

① $\ln 2$      ② $\ln 5$      ③ $2\ln 2$      ④ $\ln 10$      ⑤ $2\ln 5$

**해결의 실마리**

(1) 피적분함수가 지수함수일 때

  ① $a^{f(x)}$과 $f'(x)$의 곱의 꼴로 되어 있으면 $f(x) = t$로 치환한다.

  ② $f(a^x)$과 $a^x$의 곱의 꼴로 되어 있으면 $a^x$에 대한 식을 $t$로 치환한다.

(2) 피적분함수가 로그함수일 때 ⇨ $f(\ln x)$와 $\dfrac{1}{x}$의 곱의 꼴로 되어 있으면 $\ln x = t$로 치환한다.

## 09
[2018학년도 수능 모의평가]

$\displaystyle\int_1^e \dfrac{3(\ln x)^2}{x} dx$의 값은? [3점]

① $1$      ② $\dfrac{1}{2}$      ③ $\dfrac{1}{3}$

④ $\dfrac{1}{4}$      ⑤ $\dfrac{1}{5}$

## 11
[2018학년도 수능 모의평가]

$\displaystyle\int_2^4 2e^{2x-4} dx = k$일 때, $\ln(k+1)$의 값을 구하시오. [3점]

## 10
[2017학년도 교육청]

$\displaystyle\int_1^{e^2} \dfrac{(\ln x)^3}{x} dx$의 값은? [3점]

① $2\ln 2$      ② $2$      ③ $4\ln 2$

④ $4$      ⑤ $6\ln 2$

## 12

$\displaystyle\int_2^3 (x-1)e^{x^2-2x} dx = k$일 때, $\ln(2k+1)$의 값을 구하시오. [3점]

## 기출유형 04   정적분의 치환적분법 — 삼각함수

$\int_0^{\frac{\pi}{2}} \sin^2 x \cos x\, dx$의 값은? [3점]

① $\dfrac{1}{6}$   ② $\dfrac{1}{3}$   ③ $\dfrac{1}{2}$   ④ $\dfrac{2}{3}$   ⑤ $\dfrac{5}{6}$

**Act❶**
피적분함수가 $f(\sin x)\cos x$ 꼴인 경우 $\sin x = t$로 치환한다.

**해결의 실마리**

(1) 피적분함수가 $f(\cos x)\sin x$ 꼴인 경우 ⇨ $\cos x = t$로 치환한다.

(2) 피적분함수가 $f(\sin x)\cos x$ 꼴인 경우 ⇨ $\sin x = t$로 치환한다.

## 13

$\int_0^{\frac{\pi}{2}} \sin x \cos^2 x\, dx$의 값은? [3점]

① $\dfrac{1}{6}$   ② $\dfrac{1}{3}$   ③ $\dfrac{1}{2}$

④ $\dfrac{2}{3}$   ⑤ $\dfrac{5}{6}$

## 15

[2016학년도 교육청]

함수 $f(x) = 8x^2 + 1$에 대하여 $\int_{\frac{\pi}{6}}^{\frac{\pi}{2}} f'(\sin x)\cos x\, dx$의 값을 구하시오. [3점]

## 14

함수 $f(x) = \sin x + 1$에 대하여 $\int_0^{\frac{\pi}{2}} f(x)\sin 2x\, dx$의 값은? [3점]

① $\dfrac{4}{3}$   ② $\dfrac{5}{3}$   ③ 2

④ $\dfrac{7}{3}$   ⑤ $\dfrac{8}{3}$

## 16

[2019학년도 수능 모의평가]

$\int_0^{\frac{\pi}{2}} (\cos x + 3\cos^3 x)\, dx$ 의 값을 구하시오. [3점]

[2017학년도 교육청]

$\displaystyle\int_0^{\frac{\pi}{2}} (x+1)\cos x\,dx$의 값은? [4점]

**Act ①**
$u(x)=x+1$, $v'(x)=\cos x$로 놓고 부분적분법을 이용한다.

① $\dfrac{\pi}{4}$　　　② $\dfrac{\pi}{2}$　　　③ $\dfrac{3}{4}\pi$　　　④ $\pi$　　　⑤ $\dfrac{5}{4}\pi$

**해결의 실마리**
곱의 꼴이면서 치환적분법을 이용할 수 없는 경우 또는 쉽게 적분이 되지 않는 함수가 주어진 경우에는 부분적분법을 이용한다.

## 17
[2019학년도 수능]

$\displaystyle\int_0^{\pi} x\cos(\pi-x)\,dx$의 값을 구하시오. [3점]

## 19
[2017학년도 수능 모의평가]

$\displaystyle\int_1^{e} x(1-\ln x)\,dx$의 값은? [4점]

① $\dfrac{1}{4}(e^2-7)$　　② $\dfrac{1}{4}(e^2-6)$　　③ $\dfrac{1}{4}(e^2-5)$

④ $\dfrac{1}{4}(e^2-4)$　　⑤ $\dfrac{1}{4}(e^2-3)$

## 18
[2017학년도 수능]

$\displaystyle\int_1^{e} \ln\dfrac{x}{e}\,dx$의 값은? [3점]

① $\dfrac{1}{e}-1$　　② $2-e$　　③ $\dfrac{1}{e}-2$

④ $1-e$　　⑤ $\dfrac{1}{2}-e$

## 20
[2018학년도 수능 모의평가]

$\displaystyle\int_2^{6} \ln(x-1)\,dx$의 값은? [4점]

① $4\ln 5-4$　　② $4\ln 5-3$　　③ $5\ln 5-4$

④ $5\ln 5-3$　　⑤ $6\ln 5-4$

## 기출유형 06    정적분으로 정의된 함수

$x \neq 0$에서 연속인 함수 $f(x)$가 $f(x) = \dfrac{1}{x} + \displaystyle\int_1^e f(t)dt$를 만족시킬 때, $\displaystyle\int_1^e f(x)dx$의 값은? [3점]

① $1-e$      ② $2-e$      ③ $\dfrac{1}{2-e}$      ④ $\dfrac{2}{e}$      ⑤ $\dfrac{1}{2+e}$

**Act ❶**
적분 구간이 상수인 정적분은 적분 결과가 상수이므로
$$\int_1^e f(t)dt = k \ (k\text{는 상수})\text{로}$$
놓고 $k$의 값을 구한다.

**해결의 실마리**

(1) 정적분으로 정의된 함수의 미분

① $\dfrac{d}{dx}\displaystyle\int_a^x f(t)dt = f(x)$ (단, $a$는 상수)      ② $\dfrac{d}{dx}\displaystyle\int_x^{x+a} f(t)dt = f(x+a) - f(x)$ (단, $a$는 상수)

(2) 정적분으로 정의된 함수의 극한

① $\displaystyle\lim_{x \to 0} \dfrac{1}{x}\int_a^{x+a} f(t)dt = f(a)$      ② $\displaystyle\lim_{x \to a} \dfrac{1}{x-a}\int_a^x f(t)dt = f(a)$

---

### 21

연속함수 $f(x)$가 $f(x) = e^{x^2} + \displaystyle\int_0^1 tf(t)dt$를 만족시킬 때, $\displaystyle\int_0^1 xf(x)dx$의 값은? [3점]

① $e-2$      ② $\dfrac{e-1}{2}$      ③ $\dfrac{e}{2}$

④ $e-1$      ⑤ $\dfrac{e+1}{2}$

### 23

다항함수 $f(x)$가 모든 실수 $x$에 대하여
$$\int_1^x f(t)dt = x^3 - 2ax^2 + ax$$
를 만족시킬 때, $f(3)$의 값을 구하시오. (단, $a$는 상수이다.) [3점]

### 22

양의 실수 전체의 집합에서 연속인 함수 $f(x)$가
$$\int_1^x f(t)dt = x^2 - a\sqrt{x} \ (x>0)$$
을 만족시킬 때, $f(1)$의 값은? (단, $a$는 상수이다.) [3점]

① $1$      ② $\dfrac{3}{2}$      ③ $2$

④ $\dfrac{5}{2}$      ⑤ $3$

### 24

함수 $f(x) = a\cos(\pi x^2)$에 대하여
$$\lim_{x \to 0}\left\{\dfrac{x^2+1}{x}\int_1^{x+1} f(t)dt\right\} = 3$$
일 때, $f(a)$의 값은? (단, $a$는 상수이다.) [4점]

① $1$      ② $\dfrac{3}{2}$      ③ $2$

④ $\dfrac{5}{2}$      ⑤ $3$

## 01

정적분 $\int_0^1 (\sqrt{x}+1)^2 dx$의 값은? [2점]

① $\dfrac{3}{2}$  ② $\dfrac{11}{6}$  ③ $\dfrac{13}{6}$

④ $\dfrac{5}{2}$  ⑤ $\dfrac{17}{6}$

## 02

$\int_1^4 \dfrac{x-2}{\sqrt{x}} dx$의 값은? [3점]

① $\dfrac{1}{6}$  ② $\dfrac{2}{3}$  ③ $\dfrac{1}{2}$

④ $\dfrac{2}{3}$  ⑤ $\dfrac{5}{6}$

## 03

$\int_0^{\frac{3\pi}{2}} |\sin x| dx$의 값은? [3점]

① 1  ② $\dfrac{3}{2}$  ③ 2

④ $\dfrac{5}{2}$  ⑤ 3

## 04

양의 실수 전체의 집합에서 연속인 함수 $f(x)$가

$$\int_1^x f(t)dt = 3x^2 - a\sqrt{x} \ (x>0)$$

을 만족시킬 때, $f(1)$의 값은? (단, $a$는 상수이다.) [3점]

① $\dfrac{5}{2}$  ② 3  ③ $\dfrac{7}{2}$

④ 4  ⑤ $\dfrac{9}{2}$

## 05

$\int_0^2 \dfrac{x+4}{x^2+5x+6} dx$의 값은? [3점]

① $\ln\dfrac{9}{2}$  ② $\ln\dfrac{10}{3}$  ③ $\ln\dfrac{11}{4}$

④ $\ln\dfrac{12}{5}$  ⑤ $\ln\dfrac{13}{6}$

## 06

$\int_e^{e^2} \dfrac{\ln x}{x} dx$의 값은? [3점]

① 10  ② 12  ③ 14

④ 16  ⑤ 18

## 07

$a>1$인 실수 $a$에 대하여 $f(a)=\int_1^a \dfrac{\ln x}{x}dx$라 할 때, $f(a^4)=kf(a)$이다. 이때 $k$의 값을 구하시오. [3점]

## 08

$\int_0^e x^2\ln x\,dx$의 값은? [4점]

① $\dfrac{2}{5}e^3$      ② $\dfrac{2}{5}e^4$      ③ $\dfrac{2}{7}e^3$

④ $\dfrac{2}{7}e^4$      ⑤ $\dfrac{2}{9}e^3$

## 09

$\int_0^{\frac{\pi}{4}}(x+2)\sin 2x\,dx$의 값은? [4점]

① $0$      ② $\dfrac{1}{2}$      ③ $1$

④ $\dfrac{3}{2}$      ⑤ $2$

## 10

양의 실수 전체의 집합에서 연속인 함수 $f(x)$가

$f(x)=\ln x+\int_1^e f(t)dt$를 만족시킬 때, $f(1)$의 값은? [3점]

① $-\dfrac{1}{e-1}$      ② $-\dfrac{1}{e-2}$      ③ $\dfrac{1}{3-e}$

④ $\dfrac{1}{4-e}$      ⑤ $\dfrac{1}{e}$

## 11

구간 $[0,\ \pi]$에서 연속인 함수 $f(x)$에 대하여

$f(x)=1+2\sin 2x+\int_0^\pi f(t)dt$일 때, $f\left(\dfrac{\pi}{2}\right)$의 값은? [3점]

① $\dfrac{\pi}{1-\pi}$      ② $\dfrac{2-\pi}{1+\pi}$      ③ $\dfrac{2+\pi}{1+\pi}$

④ $\dfrac{1}{1-\pi}$      ⑤ $\dfrac{2\pi}{1-\pi}$

## 12

미분가능한 함수 $f(x)$가 모든 실수 $x$에 대하여

$\int_1^x f(t)dt=xf(x)+e^x\ln x-\dfrac{e^x}{x}$을 만족시킬 때, $\dfrac{f(1)}{f'(1)}$의 값은? [3점]

① $-e^2$      ② $-e$      ③ $-1$

④ $e$      ⑤ $e^2$

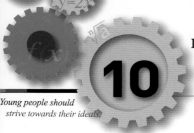

Ⅳ. 적분법

# 10 정적분의 활용

출제경향 정적분과 급수의 합, 곡선과 좌표축 사이의 넓이, 두 곡선 사이의 넓이, 입체도형의 부피, 평면 위의 점이 움직인 거리, 곡선의 길이가 출제된다. 입체도형의 부피, 평면 위의 점이 움직인 거리는 4점으로 출제되지만 계산 문제이므로 실수하지 않도록 충분히 연습한다.

---

## 핵심개념 1　　정적분과 급수의 합 사이의 관계

함수 $f(x)$가 닫힌구간 $[a, b]$에서 연속일 때

$$\int_a^b f(x)dx = \lim_{n \to \infty} \sum_{k=1}^n f(x_k)\Delta x \left(\text{단}, \Delta x = \frac{b-a}{n}, x_k = a + k\Delta x\right)$$

참고 정적분과 급수의 관계를 이용하면 다음과 같이 급수를 정적분으로 나타낼 수 있다.

① $\displaystyle\lim_{n \to \infty} \sum_{k=1}^n f\left(a + \frac{b-a}{n}k\right) \times \frac{b-a}{n} = \int_a^b f(x)dx$

② $\displaystyle\lim_{n \to \infty} \sum_{k=1}^n f\left(a + \frac{p}{n}k\right) \times \frac{p}{n} = \int_a^{a+p} f(x)dx = \int_0^p f(a+x)dx$

③ $\displaystyle\lim_{n \to \infty} \sum_{k=1}^n f\left(a + \frac{p}{n}k\right) \times \frac{q}{n} = q\int_0^1 f(a+px)dx$

④ $\displaystyle\lim_{n \to \infty} \sum_{k=1}^n f\left(\frac{k}{n}\right) \times \frac{1}{n} = \int_0^1 f(x)dx$

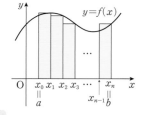

$$\lim_{n \to \infty} \sum_{k=1}^n f\left(a + \frac{b-a}{n}k\right)\frac{b-a}{n} = \int_a^b f(x)dx$$

[2017학년도 교육청]

**01** 함수 $f(x) = 6x^2 + x$에 대하여 $\displaystyle\lim_{n \to \infty} \sum_{k=1}^n f\left(\frac{2k}{n}\right)\frac{1}{n}$의 값은? [3점]

① 9　　　② $\dfrac{19}{2}$　　　③ 10　　　④ $\dfrac{21}{2}$　　　⑤ 11

---

## 핵심개념 2　　곡선과 좌표축 사이의 넓이

(1) 함수 $f(x)$가 닫힌구간 $[a, b]$에서 연속일 때, 곡선 $y=f(x)$와 $x$축 및 두 직선 $x=a$, $x=b$로 둘러싸인 도형의 넓이 $S$는

$$S = \int_a^b |f(x)|dx \leftarrow \int_a^c \{-f(x)\}dx + \int_c^b f(x)dx$$

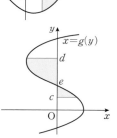

(2) 함수 $g(y)$가 닫힌구간 $[c, d]$에서 연속일 때, 곡선 $x=g(y)$와 $y$축 및 두 직선 $y=c$, $y=d$로 둘러싸인 도형의 넓이 $S$는

$$S = \int_c^d |g(y)|dy \leftarrow \int_c^e g(y)dy + \int_e^d \{-g(y)\}dy$$

---

**02** 곡선 $y=e^x$과 $x$축, $y$축 및 직선 $x=1$로 둘러싸인 도형의 넓이는? [3점]

① $e-1$　　　② $e$　　　③ $e+1$　　　④ $2e-1$　　　⑤ $2e+1$

**03** 곡선 $y=e^x$과 $y$축 및 직선 $y=2$로 둘러싸인 도형의 넓이는? [3점]

① $\ln 2 - 1$　　　② $\ln 2$　　　③ $\ln 2 + 1$　　　④ $2\ln 2 - 1$　　　⑤ $2\ln 2 + 1$

## 핵심개념 3    두 곡선 사이의 넓이

(1) 두 함수 $f(x)$, $g(x)$가 닫힌구간 $[a, b]$에서 연속일 때, 두 곡선 $y=f(x)$, $y=g(x)$ 및 두 직선 $x=a$, $x=b$로 둘러싸인 도형의 넓이 $S$는

$$S=\int_a^b |f(x)-g(x)|\,dx$$

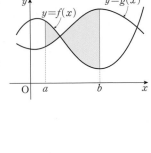

(2) 두 함수 $f(y)$, $g(y)$가 닫힌구간 $[c, d]$에서 연속일 때, 두 곡선 $x=f(y)$, $x=g(y)$ 및 두 직선 $y=c$, $y=d$로 둘러싸인 도형의 넓이 $S$는

$$S=\int_c^d |f(y)-g(y)|\,dy$$

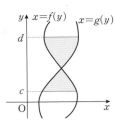

[2015학년도 수능 모의평가]

**04** 함수 $y=e^x$의 그래프와 $x$ 축, $y$ 축 및 직선 $x=1$로 둘러싸인 영역의 넓이가 직선 $y=ax(0<a<e)$에 의하여 이등분될 때, 상수 $a$의 값은? [3점]

① $e-\dfrac{1}{3}$　　② $e-\dfrac{1}{2}$　　③ $e-1$　　④ $e-\dfrac{4}{3}$　　⑤ $e-\dfrac{3}{2}$

## 핵심개념 4    입체도형의 부피

닫힌구간 $[a, b]$에서 $x$좌표가 $x$인 점을 지나고 $x$축에 수직인 평면으로 잘랐을 때의 단면의 넓이가 $S(x)$인 입체도형의 부피 $V$는

$$V=\int_a^b S(x)\,dx$$

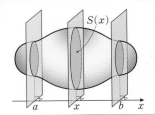

**05** 높이가 5인 입체도형이 있다. 이 입체도형을 높이가 $x$인 지점에서 밑면에 평행하게 자를 때 생기는 단면의 넓이 $S(x)$는 $S(x)=3x^2+1$이라 한다. 이 입체도형의 부피를 구하시오. [3점]

## 핵심개념 5    평면 위의 점이 움직인 거리, 곡선의 길이

(1) 평면 위의 점이 움직인 거리

좌표평면 위를 움직이는 점 P의 시각 $t$에서의 위치 $(x, y)$가 $x=f(t)$, $y=g(t)$일 때, 시각 $t=a$에서 $t=b$까지 점 P가 움직인 거리 $s$는

$$s=\int_a^b \sqrt{\left(\dfrac{dx}{dt}\right)^2+\left(\dfrac{dy}{dt}\right)^2}\,dt=\int_a^b \sqrt{\{f'(t)\}^2+\{g'(t)\}^2}\,dt$$

(2) 곡선의 길이

① 곡선 $x=f(t)$, $y=g(t)\,(a\le t\le b)$의 길이 $l$은 $l=\displaystyle\int_a^b \sqrt{\left(\dfrac{dx}{dt}\right)^2+\left(\dfrac{dy}{dt}\right)^2}\,dt=\int_a^b \sqrt{\{f'(t)\}^2+\{g'(t)\}^2}\,dt$

② 곡선 $y=f(x)\,(a\le x\le b)$의 길이 $l$은 $l=\displaystyle\int_a^b \sqrt{1+\{f'(x)\}^2}\,dx$

**06** 곡선 $x=3\cos t$, $y=3\sin t$의 $t=0$에서 $t=2\pi$까지의 길이는 $a\pi$이다. 유리수 $a$의 값을 구하시오. [3점]

## 기출유형 01    정적분과 급수의 합 사이의 관계

[2015학년도 수능]

함수 $f(x)=\dfrac{1}{x}$에 대하여 $\displaystyle\lim_{n\to\infty}\sum_{k=1}^{n}f\left(1+\dfrac{2k}{n}\right)\dfrac{2}{n}$의 값은? [3점]

① $\ln 2$      ② $\ln 3$      ③ $2\ln 2$      ④ $\ln 5$      ⑤ $\ln 6$

**Act ①**

$\displaystyle\lim_{n\to\infty}\sum_{k=1}^{n}f\left(a+\dfrac{p}{n}k\right)\times\dfrac{p}{n}$
$=\displaystyle\int_{a}^{a+p}f(x)dx$임을 이용하여 주어진 식을 정적분으로 나타낸다.

**해결의 실마리**

급수 $\displaystyle\lim_{n\to\infty}\sum_{k=1}^{n}f\left(a+\dfrac{p}{n}k\right)\times\dfrac{p}{n}$를 정적분으로 나타낼 때는

① $a+\dfrac{p}{n}k=x_k$, $\dfrac{p}{n}=\varDelta x$로 놓는다.      ② $x_k\to x$, $\varDelta x\to dx$, $\displaystyle\lim_{n\to\infty}\sum_{k=1}^{n}\to\int_{x_0}^{x_n}$으로 변형시킨다.

### 01
[2017학년도 교육청]

함수 $f(x)=3x^2+2$에 대하여 $\displaystyle\lim_{n\to\infty}\sum_{k=1}^{n}f\left(1+\dfrac{2k}{n}\right)\dfrac{1}{n}$의 값은? [3점]

① 12      ② 15      ③ 18
④ 21      ⑤ 24

### 03

$\displaystyle\lim_{n\to\infty}\dfrac{\sqrt{1}+\sqrt{2}+\cdots+\sqrt{n}}{n\sqrt{n}}$의 값은? [3점]

① $\dfrac{1}{6}$      ② $\dfrac{1}{3}$      ③ $\dfrac{1}{2}$
④ $\dfrac{2}{3}$      ⑤ $\dfrac{5}{6}$

### 02
[2018학년도 교육청]

함수 $f(x)=3x^2-4x+6$에 대하여 $\displaystyle\lim_{n\to\infty}\dfrac{1}{n}\sum_{k=1}^{n}f\left(1+\dfrac{2k}{n}\right)$의 값은? [3점]

① 9      ② 10      ③ 11
④ 12      ⑤ 13

### 04

$\displaystyle\lim_{n\to\infty}\dfrac{1}{n}\ln\left(\dfrac{n+1}{n}\times\dfrac{n+2}{n}\times\dfrac{n+3}{n}\times\cdots\times\dfrac{2n}{n}\right)$의 값은?

[3점]

① $\ln 2-1$      ② $\ln 3-1$      ③ $2\ln 2-1$
④ $\ln 5-1$      ⑤ $\ln 6-1$

## 기출유형 **02** 곡선과 좌표축 사이의 넓이

좌표평면 위의 곡선 $y=\sqrt{x}-3$과 $x$축 및 $y$축으로 둘러싸인 부분의 넓이는? [3점]

[2017학년도 교육청]

① 7 　　② $\dfrac{15}{2}$ 　　③ 8 　　④ $\dfrac{17}{2}$ 　　⑤ 9

**Act ❶**

넓이는 양수이므로 닫힌구간 $[a,\ b]$에서 $f(x)\geq 0$이면

$$S=\int_a^b f(x)dx,\ f(x)\leq 0$$이면

$$S=-\int_a^b f(x)dx$$임을 이용한다.

**해결의 실마리**

(1) 곡선 $y=f(x)$와 $x$축 및 두 직선 $x=a$, $x=b$로 둘러싸인 도형의 넓이 $S$는 ⇨ $S=\int_a^b |f(x)|dx$

(2) 곡선 $x=g(y)$와 $y$축 및 두 직선 $y=c$, $y=d$로 둘러싸인 도형의 넓이 $S$는 ⇨ $S=\int_c^d |g(y)|dy$

## 05

곡선 $y=\ln(x-2)$와 $x$축, $y$축 및 직선 $y=1$로 둘러싸인 부분의 넓이는? [3점]

① $e-1$ 　　② $e$ 　　③ $e+1$
④ $2e-1$ 　　⑤ $2e+1$

## 07

[2019학년도 수능 모의평가]

곡선 $y=|\sin 2x|+1$과 $x$축 및 두 직선 $x=\dfrac{\pi}{4}$, $x=\dfrac{5\pi}{4}$로 둘러싸인 부분의 넓이는? [3점]

① $\pi+1$ 　　② $\pi+\dfrac{3}{2}$ 　　③ $\pi+2$
④ $\pi+\dfrac{5}{2}$ 　　⑤ $\pi+3$

## 06

[2017학년도 교육청]

곡선 $y=\sin^2 x \cos x \left(0 \leq x \leq \dfrac{\pi}{2}\right)$와 $x$축으로 둘러싸인 도형의 넓이는? [3점]

① $\dfrac{1}{4}$ 　　② $\dfrac{1}{3}$ 　　③ $\dfrac{1}{2}$
④ 1 　　⑤ 2

## 08

[2018학년도 교육청]

그림과 같이 곡선 $y=xe^x$ 위의 점 $(1,\ e)$를 지나고 $x$축에 평행한 직선을 $l$이라 하자. 곡선 $y=xe^x$과 $y$축 및 직선 $l$로 둘러싸인 도형의 넓이는? [3점]

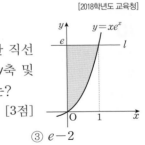

① $2e-3$ 　　② $2e-\dfrac{5}{2}$ 　　③ $e-2$
④ $e-\dfrac{3}{2}$ 　　⑤ $e-1$

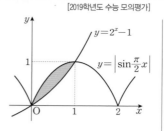

그림과 같이 두 곡선 $y=2^x-1$, $y=\left|\sin\dfrac{\pi}{2}x\right|$가 원점 O와 점 $(1,\ 1)$에서 만난다. 두 곡선 $y=2^x-1$, $y=\left|\sin\dfrac{\pi}{2}x\right|$로 둘러싸인 부분의 넓이는? [3점]

**Act ❶**
{(위쪽 그래프의 식)−(아래쪽 그래프의 식)}의 정적분의 값을 구한다.

① $-\dfrac{1}{\pi}+\dfrac{1}{\ln 2}-1$

② $\dfrac{2}{\pi}-\dfrac{1}{\ln 2}+1$

③ $\dfrac{2}{\pi}+\dfrac{1}{2\ln 2}-1$

④ $\dfrac{1}{\pi}-\dfrac{1}{\ln 2}+1$

⑤ $\dfrac{1}{\pi}+\dfrac{1}{\ln 2}-1$

---

**해결의 실마리**

두 함수 $f(x)$, $g(x)$가 구간 $[a,\ b]$에서 연속일 때, 두 곡선 $y=f(x)$, $y=g(x)$ 및 두 직선 $x=a$, $x=b$로 둘러싸인 도형의 넓이 $S$는

$\Rightarrow S=\displaystyle\int_a^b |f(x)-g(x)|\,dx=\int_a^c \{f(x)-g(x)\}\,dx+\int_c^b \{g(x)-f(x)\}\,dx$

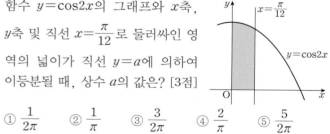

---

## 09

두 곡선 $y=e^x-2$, $y=3e^{-x}$ 및 $y$축으로 둘러싸인 도형의 넓이는? [3점]

① $2\ln 2$　　② $3\ln 2$　　③ $2\ln 3$
④ $4\ln 2$　　⑤ $3\ln 3$

## 11

함수 $y=\cos 2x$의 그래프와 $x$축, $y$축 및 직선 $x=\dfrac{\pi}{12}$로 둘러싸인 영역의 넓이가 직선 $y=a$에 의하여 이등분될 때, 상수 $a$의 값은? [3점]

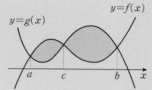

① $\dfrac{1}{2\pi}$　② $\dfrac{1}{\pi}$　③ $\dfrac{3}{2\pi}$　④ $\dfrac{2}{\pi}$　⑤ $\dfrac{5}{2\pi}$

## 10

두 곡선 $y=2^x$, $y=2^{-x}$과 직선 $x=2$로 둘러싸인 도형의 넓이는? [3점]

① $\dfrac{6}{\ln 2}$　　② $\dfrac{7}{2\ln 2}$　　③ $\dfrac{8}{3\ln 2}$

④ $\dfrac{9}{4\ln 2}$　　⑤ $2\ln 2$

## 12

곡선 $y=e^{2x}$과 $y$축 및 직선 $y=-2x+a$로 둘러싸인 영역을 $A$, 곡선 $y=e^{2x}$과 두 직선 $y=-2x+a$, $x=1$로 둘러싸인 영역을 $B$라 하자. $A$의 넓이와 $B$의 넓이가 같을 때, 상수 $a$의 값은? (단, $1<a<e^2$) [3점]

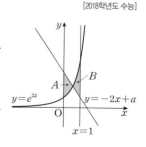

① $\dfrac{e^2+1}{2}$　② $\dfrac{2e^2+1}{4}$　③ $\dfrac{e^2}{2}$　④ $\dfrac{2e^2-1}{4}$　⑤ $\dfrac{e^2-1}{2}$

**기출유형 04    입체도형의 부피**

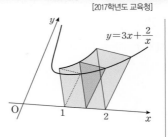

[2017학년도 교육청]

그림과 같이 곡선 $y=3x+\dfrac{2}{x}(x>0)$와 $x$축 및 직선 $x=1$, 직선 $x=2$ 로 둘러싸인 도형을 밑면으로 하는 입체도형이 있다. 이 입체도형을 $x$축에 수직인 평면으로 자른 단면이 모두 정삼각형일 때, 이 입체도형의 부피는? [4점]

**Act ①**
닫힌구간 $[a, b]$에서 $x$좌표가 $x$ 인 점을 지나고 $x$축에 수직인 평면으로 잘랐을 때의 단면의 넓이가 $S(x)$인 입체도형의 부피는 $\displaystyle\int_a^b S(x)dx$임을 이용한다.

① $\dfrac{35\sqrt{3}}{4}$    ② $\dfrac{37\sqrt{3}}{4}$    ③ $\dfrac{39\sqrt{3}}{4}$

④ $\dfrac{41\sqrt{3}}{4}$    ⑤ $\dfrac{43\sqrt{3}}{4}$

**해결의 실마리**

닫힌구간 $[a, b]$에서 $x$좌표가 $x$인 점을 지나고 $x$축에 수직인 평면으로 잘랐을 때의 단면의 넓이가 $S(x)$인 입체도형의 부피$V$는

$\Rightarrow V=\displaystyle\int_a^b S(x)dx$

## 13

[2017학년도 수능]

그림과 같이 곡선 $y=\sqrt{x}+1$과 $x$축, $y$축 및 직선 $x=1$로 둘러싸인 도형을 밑면으로 하는 입체도형이 있다. 이 입체도형을 $x$축에 수직인 평면으로 자른 단면이 모두 정사각형일 때, 이 입체도형의 부피는? [3점]

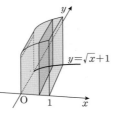

① $\dfrac{7}{3}$    ② $\dfrac{5}{2}$    ③ $\dfrac{8}{3}$

④ $\dfrac{17}{6}$    ⑤ $3$

## 14

[2017학년도 교육청]

그림과 같이 곡선 $y=\sqrt{x+\dfrac{\pi}{4}\sin\left(\dfrac{\pi}{2}x\right)}$와 $x$축 및 두 직선 $x=1$, $x=4$로 둘러싸인 도형을 밑면으로 하는 입체도형이 있다. 이 입체도형을 $x$축에 수직인 평면으로 자른 단면이 모두 정사각형일 때, 이 입체도형의 부피를 구하시오. [4점]

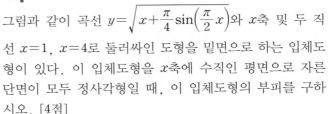

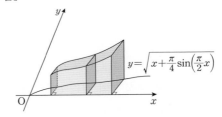

좌표평면 위를 움직이는 점 P의 시각 $t$에서의 위치 $(x, y)$가 $x=\sin t+\sqrt{3}\cos t$, $y=\cos t-\sqrt{3}\sin t$일 때, 시각 $t=0$에서 $t=\pi$까지 점 P가 움직인 거리는? [4점]

① $\dfrac{\pi}{2}$  　②　$\pi$  　③ $\dfrac{3}{2}\pi$  　④ $2\pi$  　⑤ $\dfrac{5}{2}\pi$

**Act ①**

좌표평면 위를 움직이는 점 $P$의 시각 $t$에서의 위치 $(x, y)$가 $x=f(t)$, $y=g(t)$일 때, 시각 $t=a$에서 $t=b$까지 점 P가 움직인 거리는

$\displaystyle\int_a^b \sqrt{\{f'(t)\}^2+\{g'(t)\}^2}dt$임

을 이용한다.

---

**해결의** **실마리**

좌표평면 위를 움직이는 점 P의 시각 $t$에서의 위치 $(x, y)$가 $x=f(t)$, $y=g(t)$일 때, 시각 $t=a$에서 $t=b$까지 점 P가 움직인 거리 $s$는

⇨ $s=\displaystyle\int_a^b \sqrt{\{f'(t)\}^2+\{g'(t)\}^2}dt$

**참고** 점 P의 속도 $v$는 $v=(f'(t), g'(t))$, 속력 $|v|$는 $|v|=\sqrt{\{f'(t)\}^2+\{g'(t)\}^2}$

---

## 15

좌표평면 위를 움직이는 점 P의 시각 $t$에서의 위치 $(x, y)$가 $x=\dfrac{1}{2}t^2-t$, $y=\dfrac{4}{3}t\sqrt{t}$일 때, $t=0$에서 $t=4$까지 점 P가 움직인 거리를 구하시오. [4점]

## 16

좌표평면 위를 움직이는 점 P의 시각 $t$에서의 위치 $(x, y)$가 $x=e^{-t}\sin t$, $y=e^{-t}\cos t$일 때, 시각 $t=0$에서 $t=2$까지 점 P가 움직인 거리는? [4점]

① $1+\dfrac{1}{e^2}$  　② $1-\dfrac{1}{e^2}$  　③ $\sqrt{2}\left(1+\dfrac{1}{e^2}\right)$

④ $\sqrt{2}\left(1-\dfrac{1}{e^2}\right)$  　⑤ $\sqrt{2}$

## 17

[2017학년도 교육청]

좌표평면 위를 움직이는 점 P의 시각 $t(0\le t\le 2\pi)$에서의 위치 $(x, y)$가 $x=t+2\cos t$, $y=\sqrt{3}\sin t$일 때, [보기]에서 옳은 것만을 있는 대로 고른 것은? [4점]

**│보기│**

ㄱ. $t=\dfrac{\pi}{2}$일 때, 점 P의 속도는 $(-1, 0)$이다.

ㄴ. 점 P의 속도의 크기의 최솟값은 1이다.

ㄷ. 점 P가 $t=\pi$에서 $t=2\pi$까지 움직인 거리는 $2\pi+2$이다.

① ㄱ  　② ㄷ  　③ ㄱ, ㄴ

④ ㄴ, ㄷ  　⑤ ㄱ, ㄴ, ㄷ

## 기출유형 06 · 곡선의 길이

$-\sqrt{2}\leq t\leq\sqrt{2}$에서 곡선 $x=3t^2$, $y=3t-t^3$의 길이는? [3점]

① 3      ② $2\sqrt{2}$      ③ 6      ④ $6\sqrt{2}$      ⑤ $10\sqrt{2}$

**Act ①**
곡선 $x=f(t)$, $y=g(t)$
$(a\leq t\leq b)$의 길이는
$\int_a^b \sqrt{\{f'(t)\}^2+\{g'(t)\}^2}\,dt$임
을 이용한다.

---

**해결의 실마리**

(1) 매개변수로 나타낸 곡선 $x=f(t)$, $y=g(t)$ $(a\leq t\leq b)$의 길이 $l$은 $\Rightarrow l=\int_a^b \sqrt{\{f'(t)\}^2+\{g'(t)\}^2}\,dt$

(2) 곡선 $y=f(x)$ $(a\leq x\leq b)$의 길이 $l$은 $\Rightarrow l=\int_a^b \sqrt{1+\{f'(x)\}^2}\,dx$

**참고** 곡선 $y=f(x)$ $(a\leq x\leq b)$는 $x=t$, $y=f(t)$ $(a\leq t\leq b)$인 곡선으로 볼 수 있다.

$$l=\int_a^b \sqrt{\left(\frac{dx}{dt}\right)^2+\left(\frac{dy}{dt}\right)^2}\,dt=\int_a^b \sqrt{1+\{f'(t)\}^2}\,dt=\int_a^b \sqrt{1+\{f'(x)\}^2}\,dx$$

---

## 18

$1\leq t\leq 2$에서 곡선 $x=\ln t$, $y=\dfrac{1}{2}\left(t+\dfrac{1}{t}\right)$의 길이는? [3점]

① $\dfrac{3}{4}$      ② $\dfrac{7}{8}$      ③ 1

④ $\dfrac{9}{8}$      ⑤ $\dfrac{5}{4}$

## 20

[2019학년도 수능 모의평가]

$x=0$에서 $x=\ln2$까지의 곡선 $y=\dfrac{1}{8}e^{2x}+\dfrac{1}{2}e^{-2x}$의 길이는? [3점]

① $\dfrac{1}{2}$      ② $\dfrac{9}{16}$      ③ $\dfrac{5}{8}$

④ $\dfrac{11}{16}$      ⑤ $\dfrac{3}{4}$

## 19

$1\leq x\leq e$에서 곡선 $y=\dfrac{1}{8}x^2-\ln x$의 길이가 $ae^2+b$일 때, $\dfrac{b}{a}$의 값은? (단, $a$, $b$는 유리수) [3점]

① $\dfrac{1}{7}$      ② $\dfrac{7}{8}$      ③ 1

④ 4      ⑤ 7

## 21

[2016학년도 교육청]

좌표평면 위의 곡선 $y=\dfrac{1}{3}x\sqrt{x}$ $(0\leq x\leq12)$에 대하여 $x=0$에서 $x=12$까지의 곡선의 길이를 $l$이라 할 때, $3l$의 값을 구하시오. [3점]

# Very Important Test

## 01

함수 $f(x)=x^2+ax+1$에 대하여

$\lim\limits_{n\to\infty}\sum\limits_{k=1}^{n}\dfrac{1}{n}f\left(\dfrac{3k}{n}\right)=10$일 때, 상수 $a$의 값은? [3점]

① $\dfrac{5}{2}$  ② $3$  ③ $\dfrac{7}{2}$

④ $4$  ⑤ $\dfrac{9}{2}$

## 02

곡선 $\dfrac{1}{3}x=4-y^2$과 $y$축으로 둘러싸인 부분의 넓이를 구하시오. [3점]

## 03

두 곡선 $y=e^x$, $y=e^{-x}$과 직선 $x=1$로 둘러싸인 도형의 넓이는? [3점]

① $e+\dfrac{1}{e}$  ② $e-\dfrac{1}{e}$  ③ $e+\dfrac{1}{e}-1$

④ $e-\dfrac{1}{e}+1$  ⑤ $e+\dfrac{1}{e}-2$

## 04

원 $x^2+y^2=1$로 둘러싸인 도형을 밑면으로 하는 입체도형이 있다. $x$축과 수직인 단면이 정삼각형일 때, 이 입체도형의 부피는? [4점]

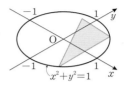

① $\dfrac{4\sqrt{3}}{3}$  ② $\dfrac{2}{3}$  ③ $\dfrac{4}{3}$

④ $\dfrac{5\sqrt{3}}{3}$  ⑤ $\dfrac{7\sqrt{3}}{3}$

## 05

좌표평면 위를 움직이는 점 P의 시각 $t$에서의 위치 $(x, y)$가

$$x=e^t\cos t,\quad y=e^t\sin t$$

일 때, $t=0$에서 $t=3\pi$까지 점 P가 움직인 거리는? [4점]

① $e^\pi-1$  ② $e^{2\pi}-1$  ③ $\sqrt{2}(e^{2\pi}-1)$

④ $e^{3\pi}-1$  ⑤ $\sqrt{2}(e^{3\pi}-1)$

## 06

곡선 $y=\dfrac{1}{8}x^2-\ln x$의 $x=1$에서 $x=e$까지의 길이가 $ae^2+b$일 때, $\dfrac{b}{a}$의 값을 구하시오. (단, $a$, $b$는 실수이다.) [3점]

# 참 쉬운 3점

## 정답과 해설

미적분

# 참 쉬운 3점

## 정답과 해설

# 미적분

# I 수열의 극한

## 01 수열의 극한

pp. 6~7

| 01. ④ | 02. 4 | 03. ③ | 04. ④ | 05. ④ |
|---|---|---|---|---|
| 06. ③ | | | | |

**01** ① $\{2n\}$ : $2$, $4$, $6$, $\cdots$이므로 양의 무한대로 발산한다.

② $\left\{\dfrac{(-1)^n}{3}\right\}$ : $-\dfrac{1}{3}$, $\dfrac{1}{3}$, $-\dfrac{1}{3}$, $\dfrac{1}{3}$, $\cdots$이므로 진동(발산)한다.

③ $\left\{\dfrac{n}{\sqrt{2}}\right\}$ : $\dfrac{1}{\sqrt{2}}$, $\dfrac{2}{\sqrt{2}}$, $\dfrac{3}{\sqrt{2}}$, $\cdots$이므로 양의 무한대로 발산한다.

④ $\left\{\dfrac{1}{n^3}\right\}$ : $\dfrac{1}{1}$, $\dfrac{1}{8}$, $\dfrac{1}{27}$, $\cdots$이므로 $0$으로 수렴한다.

⑤ $\left\{\dfrac{n^2+1}{n}\right\}$ : $\dfrac{n^2+1}{n}=n+\dfrac{1}{n}$이다. 즉 첫째항부터 나열하면 $1+\dfrac{1}{1}$, $2+\dfrac{1}{2}$, $3+\dfrac{1}{3}$, $\cdots$이므로 양의 무한대로 발산한다.

따라서 주어진 수열 중 수렴하는 것은 ④이다. **답 ④**

**02** 두 수열 $\{a_n\}$, $\{b_n\}$이 모두 수렴하므로

$\displaystyle\lim_{n\to\infty}(a_n+2b_n)=\lim_{n\to\infty}a_n+2\lim_{n\to\infty}b_n=2+2\times1=4$ **답 4**

**03** $\displaystyle\lim_{n\to\infty}\dfrac{6n^2-3}{2n^2+5n}=\lim_{n\to\infty}\dfrac{6-\dfrac{3}{n^2}}{2+\dfrac{5}{n}}=\dfrac{6-0}{2+0}=3$ **답 ③**

**04** $\displaystyle\lim_{n\to\infty}\dfrac{4}{\sqrt{n^2+2n+3}-n}$

$=\displaystyle\lim_{n\to\infty}\dfrac{4}{\sqrt{n^2+2n+3}-n}\times\dfrac{\sqrt{n^2+2n+3}+n}{\sqrt{n^2+2n+3}+n}$

$=\displaystyle\lim_{n\to\infty}\dfrac{4\sqrt{n^2+2n+3}+4n}{2n+3}$

$=\displaystyle\lim_{n\to\infty}\dfrac{4\sqrt{1+\dfrac{2}{n}+\dfrac{3}{n^2}}+4}{2+\dfrac{3}{n}}=4$ **답 ④**

**05** 모든 자연수 $n$에 대하여 $2n-1$은 양수이므로

$\dfrac{2n+1}{2n-1}<\dfrac{a_n}{2n-1}<\dfrac{2n+3}{2n-1}$

$\displaystyle\lim_{n\to\infty}\dfrac{2n+1}{2n-1}=1$, $\displaystyle\lim_{n\to\infty}\dfrac{2n+3}{2n-1}=1$

$\therefore \displaystyle\lim_{n\to\infty}\dfrac{a_n}{2n-1}=1$ **답 ④**

**06** $\displaystyle\lim_{n\to\infty}\dfrac{3\times4^n+2^n}{4^n+3}$에서 분자, 분모를 $4^n$으로 나누면

$\displaystyle\lim_{n\to\infty}\dfrac{3+\dfrac{1}{2^n}}{1+\dfrac{3}{4^n}}=\dfrac{3+0}{1+0}=3$ **답 ③**

### 유형따라잡기
pp. 8~15

| 기출유형 01 ① | 01. ⑤ | 02. ① | 03. ③ | 04. 12 |
|---|---|---|---|---|
| 기출유형 02 ③ | 05. ③ | 06. ④ | 07. ② | 08. ② |
| 기출유형 03 ④ | 09. ⑤ | 10. ③ | 11. 4 | 12. 2 |
| 기출유형 04 6 | 13. 12 | 14. 2 | 15. 4 | 16. 110 |
| 기출유형 05 ② | 17. ① | 18. ③ | 19. 12 | 20. ⑤ |
| 기출유형 06 ② | 21. 5 | 22. 15 | 23. ④ | 24. ③ |
| 기출유형 07 ① | 25. ⑤ | 26. 3 | 27. ② | 28. ④ |
| 기출유형 08 ⑤ | 29. 10 | 30. 2 | 31. ⑤ | 32. 5 |

**기출유형 01**

**Act ①** 두 수열 $\{a_n\}$, $\{b_n\}$이 모두 수렴하므로 극한에 대한 기본 성질을 이용하여 $\displaystyle\lim_{n\to\infty}\dfrac{a_nb_n}{a_n+b_n}$의 값을 구한다.

두 수열 $\{a_n\}$, $\{b_n\}$이 모두 수렴하므로

$\displaystyle\lim_{n\to\infty}\dfrac{a_nb_n}{a_n+b_n}=\dfrac{\displaystyle\lim_{n\to\infty}a_n\times\lim_{n\to\infty}b_n}{\displaystyle\lim_{n\to\infty}a_n+\lim_{n\to\infty}b_n}=\dfrac{3\times(-2)}{3+(-2)}=-6$ **답 ①**

**01** **Act ①** 수열 $\{b_n-4\}$가 수렴하므로 극한에 대한 기본 성질을 이용하여 $\displaystyle\lim_{n\to\infty}b_n$의 값을 우선 구한 후 $\displaystyle\lim_{n\to\infty}a_nb_n$의 값을 구한다.

$\displaystyle\lim_{n\to\infty}(b_n-4)=\lim_{n\to\infty}b_n-\lim_{n\to\infty}4=\lim_{n\to\infty}b_n-4=0$이므로

$\displaystyle\lim_{n\to\infty}b_n=4$

$\therefore \displaystyle\lim_{n\to\infty}a_nb_n=\lim_{n\to\infty}a_n\times\lim_{n\to\infty}b_n=5\times4=20$ **답 ⑤**

**02** **Act ①** 수열 $\{a_n\}$, $\{3a_n-b_n\}$이 수렴하므로 극한에 대한 기본 성질을 이용하여 $\displaystyle\lim_{n\to\infty}b_n$의 값을 구한다.

$\displaystyle\lim_{n\to\infty}b_n=\lim_{n\to\infty}\{(3a_n)-(3a_n-b_n)\}$

$=3\displaystyle\lim_{n\to\infty}a_n-\lim_{n\to\infty}(3a_n-b_n)=6-4=2$ **답 ①**

**03** **Act ①** 수열 $\{a_n\}$이 수렴하므로 $\displaystyle\lim_{n\to\infty}a_n=\alpha$로 놓고 극한에 대한

기본 성질을 이용한다.

수열 $\{a_n\}$이 수렴하므로 $\lim\limits_{n\to\infty} a_n=\alpha$라 하면

$\lim\limits_{n\to\infty} \dfrac{4a_n+3}{2-a_n}=2$에서 $\dfrac{4\alpha+3}{2-\alpha}=2$

$4\alpha+3=4-2\alpha$, $\alpha=\dfrac{1}{6}$

$\therefore \lim\limits_{n\to\infty} a_n=\alpha=\dfrac{1}{6}$　　　　　　　　　　답 ③

**04** **Act①** 두 수열 $\{a_n\}$, $\{b_n\}$이 모두 수렴하므로 $\lim\limits_{n\to\infty} a_n=\alpha$, $\lim\limits_{n\to\infty} b_n=\beta$로 놓는다.

$\lim\limits_{n\to\infty} a_n=\alpha$, $\lim\limits_{n\to\infty} b_n=\beta$로 놓으면

$\lim\limits_{n\to\infty}(a_n+b_n)=2$에서 $\alpha+\beta=2$,

$\lim\limits_{n\to\infty} a_n b_n=-4$에서 $\alpha\beta=-4$

$\therefore \lim\limits_{n\to\infty}(a_n{}^2+b_n{}^2)=\lim\limits_{n\to\infty} a_n\times\lim\limits_{n\to\infty} a_n+\lim\limits_{n\to\infty} b_n\times\lim\limits_{n\to\infty} b_n$

$=\alpha^2+\beta^2=(\alpha+\beta)^2-2\alpha\beta$

$=2^2-2\times(-4)=12$　　　　　답 12

**기출유형 02**

**Act①** $\dfrac{\infty}{\infty}$ 꼴의 극한은 분모의 최고차항으로 분자를 나누어 그 극한값을 구한다.

$\lim\limits_{n\to\infty}\dfrac{3n^2+n+1}{2n^2+1}=\lim\limits_{n\to\infty}\dfrac{3+\dfrac{1}{n}+\dfrac{1}{n^2}}{2+\dfrac{1}{n^2}}$

$=\dfrac{3+0+0}{2+0}=\dfrac{3}{2}$　　　답 ③

**05** **Act①** $\dfrac{\infty}{\infty}$ 꼴의 극한은 분모의 최고차항으로 분자를 나누어 그 극한값을 구한다.

$\lim\limits_{x\to\infty}\dfrac{7n^2-n}{2n^2+3}=\lim\limits_{n\to\infty}\dfrac{7-\dfrac{1}{n}}{2+\dfrac{3}{n^2}}$

$=\dfrac{7-0}{2+0}=\dfrac{7}{2}$　　　답 ③

**06** **Act①** $\dfrac{\infty}{\infty}$ 꼴의 극한은 분모의 최고차항으로 분자를 나누어 그 극한값을 구한다.

$\lim\limits_{n\to\infty}\dfrac{4n^2+6}{n^2+3n}=\lim\limits_{n\to\infty}\dfrac{4+\dfrac{6}{n^2}}{1+\dfrac{3}{n}}$

$=\dfrac{4+0}{1+0}=4$　　　답 ④

**07** **Act①** $\dfrac{\infty}{\infty}$ 꼴의 극한은 분모의 최고차항으로 분자를 나누어 그

극한값을 구한다.

$\lim\limits_{n\to\infty}\dfrac{\sqrt{4n^2+4n+3}}{n}=\lim\limits_{n\to\infty}\dfrac{\sqrt{\dfrac{4n^2+4n+3}{n^2}}}{1}$

$=\lim\limits_{n\to\infty}\sqrt{4+\dfrac{4}{n}+\dfrac{3}{n^2}}$

$=\sqrt{4+0+0}=2$　　　답 ②

**08** **Act①** $\dfrac{\infty}{\infty}$ 꼴의 극한은 분모의 최고차항으로 분자를 나누어 그 극한값을 구한다.

$\lim\limits_{n\to\infty}\dfrac{8n-1}{\sqrt{n^2+1}}=\lim\limits_{n\to\infty}\dfrac{8-\dfrac{1}{n}}{\sqrt{1+\dfrac{1}{n^2}}}$

$=\dfrac{8-0}{\sqrt{1+0}}=8$　　　답 ②

**기출유형 03**

**Act①** $\dfrac{\infty}{\infty}$ 꼴의 극한은 무리식이면 분모 또는 분자를 유리화한다.

$\lim\limits_{n\to\infty}(\sqrt{n^2+4n+1}-n)$

$=\lim\limits_{n\to\infty}\dfrac{(\sqrt{n^2+4n+1}-n)(\sqrt{n^2+4n+1}+n)}{\sqrt{n^2+4n+1}+n}$

$=\lim\limits_{n\to\infty}\dfrac{4n+1}{\sqrt{n^2+4n+1}+n}$

$=\lim\limits_{n\to\infty}\dfrac{4+\dfrac{1}{n}}{\sqrt{1+\dfrac{4}{n}+\dfrac{1}{n^2}}+1}$

$=\dfrac{4+0}{\sqrt{1+0+0}+1}=\dfrac{4}{1+1}=2$　　　답 ④

**09** **Act①** $\dfrac{\infty}{\infty}$ 꼴의 극한은 무리식이면 분모 또는 분자를 유리화한다.

$\lim\limits_{n\to\infty}(\sqrt{n^2+6n+4}-n)$

$=\lim\limits_{n\to\infty}\dfrac{(\sqrt{n^2+6n+4}-n)(\sqrt{n^2+6n+4}+n)}{\sqrt{n^2+6n+4}+n}$

$=\lim\limits_{n\to\infty}\dfrac{(n^2+6n+4)-n^2}{\sqrt{n^2+6n+4}+n}$

$=\lim\limits_{n\to\infty}\dfrac{6n+4}{\sqrt{n^2+6n+4}+n}$

$=\lim\limits_{n\to\infty}\dfrac{6+\dfrac{4}{n}}{\sqrt{1+\dfrac{6}{n}+\dfrac{4}{n^2}}+1}$

$=\dfrac{6+0}{\sqrt{1+0+0}+1}=\dfrac{6}{1+1}=3$　　　답 ⑤

**10** **Act①** $\infty-\infty$ 꼴의 극한은 무리식이면 분모 또는 분자를 유리화

한다.

$$\lim_{n \to \infty} (2n - \sqrt{4n^2 - 3n})$$

$$= \lim_{n \to \infty} \frac{(2n - \sqrt{4n^2 - 3n})(2n + \sqrt{4n^2 - 3n})}{2n + \sqrt{4n^2 - 3n}}$$

$$= \lim_{n \to \infty} \frac{3n}{2n + \sqrt{4n^2 - 3n}}$$

$$= \lim_{n \to \infty} \frac{3}{2 + \sqrt{4 - \dfrac{3}{n}}}$$

$$= \frac{3}{4}$$

답 ③

**11** **Act❶** $\infty - \infty$ 꼴의 극한은 무리식이면 분모 또는 분자를 유리화한다.

$$\lim_{n \to \infty} (\sqrt{n^2 + 8n + 10} - n)$$

$$= \lim_{n \to \infty} \frac{(\sqrt{n^2 + 8n + 10} - n)(\sqrt{n^2 + 8n + 10} + n)}{\sqrt{n^2 + 8n + 10} + n}$$

$$= \lim_{n \to \infty} \frac{8n + 10}{\sqrt{n^2 + 8n + 10} + n}$$

$$= \lim_{n \to \infty} \frac{8 + \dfrac{10}{n}}{\sqrt{1 + \dfrac{8}{n} + \dfrac{10}{n^2}} + 1} = 4$$

답 4

**12** **Act❶** 이차방정식 $ax^2 + bx + c = 0$의 근의 공식

$x = \dfrac{-b \pm \sqrt{b^2 - 4ac}}{2a}$ 에서 $a_n$을 구한다.

이차방정식의 근의 공식에서 주어진 이차방정식의 양의 실근 $a_n$는
$a_n = -n + \sqrt{n^2 + 4n}$이므로

$$\lim_{n \to \infty} a_n = \lim_{n \to \infty} (-n + \sqrt{n^2 + 4n})$$

$$= \lim_{n \to \infty} \frac{(\sqrt{n^2 + 4n} - n)(\sqrt{n^2 + 4n} + n)}{\sqrt{n^2 + 4n} + n}$$

$$= \lim_{n \to \infty} \frac{4n}{\sqrt{n^2 + 4n} + n}$$

$$= \lim_{n \to \infty} \frac{4}{\sqrt{1 + \dfrac{4}{n}} + 1}$$

$$= 2$$

답 2

**기출유형 04**

**Act❶** $\dfrac{\infty}{\infty}$ 꼴의 극한값이 0이 아닌 실수이면 분자, 분모의 차수가 같음을 이용한다.

$\lim\limits_{n \to \infty} \dfrac{an^2 + bn + 1}{3n + 2}$의 극한값이 0이 아니므로 $a = 0$이어야 한다.

이때의 극한값은

$$\lim_{n \to \infty} \frac{bn + 1}{3n + 2} = \lim_{n \to \infty} \frac{b + \dfrac{1}{n}}{3 + \dfrac{2}{n}} = \frac{b}{3} = 2$$이므로 $b = 6$

$$\therefore a + b = 6$$

답 6

**13** **Act❶** $\dfrac{\infty}{\infty}$ 꼴의 극한값이 0이 아닌 실수이면 분자, 분모의 차수가 같음을 이용한다.

$\lim\limits_{n \to \infty} \dfrac{an^2 + bn + 7}{3n + 1}$의 극한값이 0이 아니므로 $a = 0$이어야 한다.

이때의 극한값은

$$\lim_{n \to \infty} \frac{bn + 7}{3n + 1} = \lim_{n \to \infty} \frac{b + \dfrac{7}{n}}{3 + \dfrac{1}{n}} = \frac{b}{3} = 4$$

이므로 $b = 12$

$$\therefore a + b = 12$$

답 12

**14** **Act❶** $\dfrac{\infty}{\infty}$ 꼴의 극한값이 0이 아닌 실수이면 분자, 분모의 차수가 같음을 이용한다.

$\lim\limits_{n \to \infty} \dfrac{an^3 + bn^2 + 3}{(n-1)^2} = \lim\limits_{n \to \infty} \dfrac{an^3 + bn^2 + 3}{n^2 - 2n + 1}$의 극한값이 0이 아니므로 $a = 0$이어야 한다.

이때의 극한값은

$$\lim_{n \to \infty} \frac{bn^2 + 3}{n^2 - 2n + 1} = \lim_{n \to \infty} \frac{b + \dfrac{3}{n^2}}{1 - \dfrac{2}{n} + \dfrac{1}{n^2}} = \frac{b}{1} = 2$$

이므로 $b = 2$

$$\therefore a + b = 2$$

답 2

**15** **Act❶** $\infty - \infty$ 꼴의 무리식의 극한은 무리식을 유리화한다.

$$\lim_{n \to \infty} (\sqrt{n^2 + an} - n + 2a)$$

$$= \lim_{n \to \infty} \frac{n^2 + an - (n - 2a)^2}{\sqrt{n^2 + an} + n - 2a}$$

$$= \lim_{n \to \infty} \frac{5an - 4a^2}{\sqrt{n^2 + an} + n - 2a}$$

$$= \lim_{n \to \infty} \frac{5a - \dfrac{4a^2}{n}}{\sqrt{1 + \dfrac{a}{n}} + 1 - \dfrac{2a}{n}}$$

$$= \frac{5a}{2} = 10$$

$$\therefore a = 4$$

답 4

[다른 풀이]

$$\lim_{n \to \infty} (\sqrt{n^2 + an} - n + 2a)$$

$$= \lim_{n \to \infty} (\sqrt{n^2 + an} - n) + \lim_{n \to \infty} 2a$$

$$= \lim_{n \to \infty} \frac{an}{\sqrt{n^2 + an} + n} + 2a$$

$$= \lim_{n \to \infty} \frac{a}{\sqrt{1 + \dfrac{a}{n}} + 1} + 2a$$

$$= \frac{a}{2} + 2a = 10$$

$$\therefore a = 4$$

**16** **Act①** $\infty - \infty$ 꼴의 무리식의 극한은 무리식을 유리화한다.

$$\lim_{n \to \infty} (\sqrt{an^2 + 4n} - bn)$$

$$= \lim_{n \to \infty} \frac{(\sqrt{an^2 + 4n} - bn)(\sqrt{an^2 + 4n} + bn)}{\sqrt{an^2 + 4n} + bn}$$

$$= \lim_{n \to \infty} \frac{(a - b^2)n^2 + 4n}{\sqrt{an^2 + 4n} + bn}$$

$$= \lim_{n \to \infty} \frac{(a - b^2)n + 4}{\sqrt{a + \frac{4}{n}} + b} = \frac{1}{5}$$

위 식의 극한값이 존재하므로

$$a - b^2 = 0, \quad \frac{4}{\sqrt{a} + b} = \frac{1}{5}, \quad \frac{4}{|b| + b} = \frac{1}{5}$$

이때 $b \leq 0$이면 만족할 수 없으므로 $b > 0$이다.

$$\therefore \frac{4}{2b} = \frac{1}{5}$$

따라서 $a = 100$, $b = 10$이므로

$$a + b = 110 \qquad\qquad\qquad\text{답 } 110$$

**기출유형 05**

**Act①** 수렴하는 수열의 극한의 기본 성질을 이용할 수 있도록 식을 변형한다.

$\frac{a_n}{n+1} = b_n$이라 하면 $a_n = (n+1)b_n$이고 $\lim\limits_{n \to \infty} b_n = 3$이므로

$$\lim_{n \to \infty} \frac{(2n+1)a_n}{3n^2} = \lim_{n \to \infty} \frac{(2n+1)(n+1)b_n}{3n^2}$$

$$= \lim_{n \to \infty} \frac{(2n+1)(n+1)}{3n^2} \times \lim_{n \to \infty} b_n$$

$$= \frac{2}{3} \times 3 = 2 \qquad\qquad\text{답 ②}$$

**17** **Act①** 수렴하는 수열의 극한의 기본 성질을 이용할 수 있도록 식을 변형한다.

$\frac{1}{a_n} = b_n$이라 하면 $a_n = \frac{1}{b_n}$이고 $\lim\limits_{n \to \infty} b_n = 0$이므로

$$\lim_{n \to \infty} \frac{-2a_n + 1}{a_n + 3} = \frac{\frac{-2 + b_n}{b_n}}{\frac{1 + 3b_n}{b_n}} = \lim_{n \to \infty} \frac{-2 + b_n}{1 + 3b_n}$$

$$= \frac{-2 + 0}{1 + 3 \times 0} = -2 \qquad\qquad\text{답 ①}$$

[다른 풀이]

$$\lim_{n \to \infty} \frac{-2a_n + 1}{a_n + 3} = \lim_{n \to \infty} \frac{-2 + \frac{1}{a_n}}{1 + \frac{3}{a_n}}$$

$$= \frac{-2 + 0}{1 + 3 \times 0} = -2$$

**18** **Act①** 수렴하는 수열의 극한의 기본 성질을 이용할 수 있도록 식을 변형한다.

$(3n-1)a_n = b_n$이라 하면

$a_n = \frac{b_n}{3n-1}$이고 $\lim\limits_{n \to \infty} b_n = 2$이므로

$$\lim_{n \to \infty} (n+1)a_n = \lim_{n \to \infty} \left\{ (n+1) \times \frac{b_n}{3n-1} \right\}$$

$$= \lim_{n \to \infty} \left( \frac{n+1}{3n-1} \times b_n \right)$$

$$= \lim_{n \to \infty} \frac{1 + \frac{1}{n}}{3 - \frac{1}{n}} \times \lim_{n \to \infty} b_n$$

$$= \frac{1}{3} \times 2 = \frac{2}{3} \qquad\qquad\text{답 ③}$$

**19** **Act①** 수렴하는 수열의 극한의 기본 성질을 이용할 수 있도록 식을 변형한다.

$a_n - 1 = c_n$이라 하면

$a_n = c_n + 1$이고 $\lim\limits_{n \to \infty} c_n = 2$이므로

$$\lim_{n \to \infty} a_n = \lim_{n \to \infty} (c_n + 1) = 2 + 1 = 3$$

$a_n + 2b_n = d_n$이라 하면

$b_n = \frac{1}{2}(d_n - a_n)$이고 $\lim\limits_{n \to \infty} d_n = 9$이므로

$$\lim_{n \to \infty} b_n = \lim_{n \to \infty} \frac{1}{2}(d_n - a_n) = \frac{1}{2}(9 - 3) = 3$$

$$\therefore \lim_{n \to \infty} a_n(1 + b_n) = 3 \times (1 + 3) = 12 \qquad\text{답 } 12$$

**20** **Act①** 수렴하는 수열의 극한의 기본 성질을 이용할 수 있도록 식을 변형한다.

$$\lim_{n \to \infty} \frac{a_n}{3n} \times \lim_{n \to \infty} \frac{2n+3}{b_n} = \lim_{n \to \infty} \left( \frac{a_n}{3n} \times \frac{2n+3}{b_n} \right) = 12$$

$\frac{a_n}{3n} \times \frac{2n+3}{b_n} = c_n$이라 하면

$\frac{a_n}{b_n} = c_n \times \frac{3n}{2n+3}$이고 $\lim\limits_{n \to \infty} c_n = 12$이므로

$$\lim_{n \to \infty} \frac{a_n}{b_n} = \lim_{n \to \infty} \left( c_n \times \frac{3n}{2n+3} \right)$$

$$= \lim_{n \to \infty} c_n \times \lim_{n \to \infty} \frac{3n}{2n+3}$$

$$= 12 \times \frac{3}{2} = 18 \qquad\qquad\text{답 ⑤}$$

**기출유형 06**

**Act①** $a_n \leq c_n \leq b_n$이고 $\lim\limits_{n \to \infty} a_n = \lim\limits_{n \to \infty} b_n = \alpha$ ($\alpha$는 실수)이면

$\lim\limits_{n \to \infty} c_n = \alpha$ 임을 이용한다.

부등식의 각 변을 $4n^2 - 1$로 나누면

$$\frac{4n^2 + 2}{4n^2 - 1} < \frac{(2n-1)}{4n^2 - 1}a_n < \frac{4n^2 + 3}{4n^2 - 1}$$

$$\frac{4n^2 + 2}{4n^2 - 1} < \frac{a_n}{2n+1} < \frac{4n^2 + 3}{4n^2 - 1}$$

$$\lim_{n \to \infty} \frac{4n^2 + 2}{4n^2 - 1} = \lim_{n \to \infty} \frac{4n^2 + 3}{4n^2 - 1} = 1$$이므로

$$\lim_{n \to \infty} \frac{a_n}{2n+1} = 1 \qquad\qquad\text{답 ②}$$

**21** **Act❶** $a_n \le c_n \le b_n$이고 $\displaystyle\lim_{n\to\infty} a_n = \lim_{n\to\infty} b_n = \alpha$ ($\alpha$는 실수)이면

$\displaystyle\lim_{n\to\infty} c_n = \alpha$ 임을 이용한다.

부등식 $\dfrac{10}{2n^2+3n} < a_n < \dfrac{10}{2n^2+n}$ 의 양변에 $n^2$을 곱하면

$\dfrac{10n^2}{2n^2+3n} < n^2 a_n < \dfrac{10n^2}{2n^2+n}$

$\displaystyle\lim_{n\to\infty} \dfrac{10n^2}{2n^2+3n} = \lim_{n\to\infty} \dfrac{10n^2}{2n^2+n} = 5$

이므로 수열의 극한의 대소 관계에 의하여

$\displaystyle\lim_{n\to\infty} n^2 a_n = 5$      답 5

**22** **Act❶** $a_n \le c_n \le b_n$이고 $\displaystyle\lim_{n\to\infty} a_n = \lim_{n\to\infty} b_n = \alpha$ ($\alpha$는 실수)이면

$\displaystyle\lim_{n\to\infty} c_n = \alpha$ 임을 이용한다.

$3n^2 + 2n < a_n < 3n^2 + 3n$

$15n^2 + 10n < 5a_n < 15n^2 + 15n$

$\dfrac{15n^2+10n}{n^2+2n} < \dfrac{5a_n}{n^2+2n} < \dfrac{15n^2+15n}{n^2+2n}$

$\displaystyle\lim_{n\to\infty} \dfrac{15n^2+10n}{n^2+2n} = \lim_{n\to\infty} \dfrac{15n^2+15n}{n^2+2n} = 15$

$\therefore \displaystyle\lim_{n\to\infty} \dfrac{5a_n}{n^2+2n} = 15$      답 15

**23** **Act❶** $a_n \le c_n \le b_n$이고 $\displaystyle\lim_{n\to\infty} a_n = \lim_{n\to\infty} b_n = \alpha$ ($\alpha$는 실수)이면

$\displaystyle\lim_{n\to\infty} c_n = \alpha$ 임을 이용한다.

조건 (나)에서 $\displaystyle\lim_{n\to\infty} a_n b_n = 3$

$\displaystyle\lim_{n\to\infty} \dfrac{b_n}{n} = \lim_{n\to\infty} \dfrac{a_n b_n}{n a_n} = \dfrac{3}{\frac{1}{2}} = 6$      답 ④

**24** **Act❶** $a_n \le c_n \le b_n$이고 $\displaystyle\lim_{n\to\infty} a_n = \lim_{n\to\infty} b_n = \alpha$ ($\alpha$는 실수)이면

$\displaystyle\lim_{n\to\infty} c_n = \alpha$ 임을 이용한다.

$\log_3 3n^2 < \log_3 a_n < \log_3 3(n+1)^2$

$3n^2 < a_n < 3(n+1)^2$

$\dfrac{3n^2}{n^2} < \dfrac{a_n}{n^2} < \dfrac{3(n+1)^2}{n^2}$

$\displaystyle\lim_{n\to\infty} \dfrac{3n^2}{n^2} \le \lim_{n\to\infty} \dfrac{a_n}{n^2} \le \lim_{n\to\infty} \dfrac{3(n+1)^2}{n^2}$

$\displaystyle\lim_{n\to\infty} \dfrac{3n^2}{n^2} = \lim_{n\to\infty} \dfrac{3(n+1)^2}{n^2} = 3$

$\therefore \displaystyle\lim_{n\to\infty} \dfrac{a_n}{n^2} = 3$      답 ③

**기출유형 07**

**Act❶** $\displaystyle\lim_{n\to\infty} \dfrac{c^n + d^n}{a^n + b^n}$ 꼴의 극한은 분모에서 밑의 절댓값이 가장

---

큰 항으로 분모, 분자를 각각 나눈다.

$\displaystyle\lim_{n\to\infty} \dfrac{5^n - 3}{5^{n+1}} = \lim_{n\to\infty} \left( \dfrac{1}{5} - \dfrac{3}{5^{n+1}} \right)$

$\qquad = \dfrac{1}{5} - \lim_{n\to\infty} \dfrac{3}{5^{n+1}}$

$\qquad = \dfrac{1}{5}$      답 ①

**25** **Act❶** $\displaystyle\lim_{n\to\infty} \dfrac{c^n + d^n}{a^n + b^n}$ 꼴의 극한은 분모에서 밑의 절댓값이 가장

큰 항으로 분모, 분자를 각각 나눈다.

$\displaystyle\lim_{n\to\infty} \dfrac{4 \times 3^{n+1} + 1}{3^n} = \lim_{n\to\infty} \dfrac{12 + \dfrac{1}{3^n}}{1} = 12$      답 ⑤

**26** **Act❶** $\displaystyle\lim_{n\to\infty} \dfrac{c^n + d^n}{a^n + b^n}$ 꼴의 극한은 분모에서 밑의 절댓값이 가장

큰 항으로 분모, 분자를 각각 나눈다.

$\displaystyle\lim_{n\to\infty} \dfrac{3 \times 9^n - 13}{9^n} = \lim_{n\to\infty} \left\{ 3 - 13 \left( \dfrac{1}{9} \right)^n \right\} = 3$      답 3

**27** **Act❶** $\displaystyle\lim_{n\to\infty} \dfrac{c^n + d^n}{a^n + b^n}$ 꼴의 극한은 분모에서 밑의 절댓값이 가장

큰 항으로 분모, 분자를 각각 나눈다.

$\displaystyle\lim_{n\to\infty} \dfrac{8^{n+1} - 4^n}{8^n + 3} = \lim_{n\to\infty} \dfrac{8 - \left( \dfrac{1}{2} \right)^n}{1 + \dfrac{3}{8^n}} = 8$      답 ②

**28** **Act❶** $\displaystyle\lim_{n\to\infty} \dfrac{c^n + d^n}{a^n + b^n}$ 꼴의 극한은 분모에서 밑의 절댓값이 가장

큰 항으로 분모, 분자를 각각 나눈다.

$\displaystyle\lim_{n\to\infty} \dfrac{5^{n+1} + 2}{5^n + 3^n} = \lim_{n\to\infty} \dfrac{5 + \dfrac{2}{5^n}}{1 + \left( \dfrac{3}{5} \right)^n} = \dfrac{5+0}{1+0} = 5$      답 ④

**기출유형 08**

**Act❶** 등비수열 $\{r^n\}$의 수렴 조건은 $-1 < r \le 1$임을 이용한다.

등비수열 $\left( \dfrac{2x-1}{5} \right)^n$이 수렴하려면 $-1 < \dfrac{2x-1}{5} \le 1$이어야

한다.

$-5 < 2x - 1 \le 5$, $-2 < x \le 3$

따라서 정수 $x$는 $-1$, 0, 1, 2, 3이므로 구하는 합은 5이

다.      답 ⑤

**29** **Act❶** 등비수열 $\{r^n\}$의 수렴 조건은 $-1 < r \le 1$임을 이용한다.

등비수열 $\left( \dfrac{2x-3}{5} \right)^n$이 수렴하려면 $-1 < \dfrac{2x-3}{5} \le 1$이어야

한다.

$-1 < \dfrac{2x-3}{5} \le 1$, $-5 < 2x - 3 \le 5$, $-2 < 2x \le 8$

$\therefore -1 < x \le 4$

따라서 정수 $x$는 0, 1, 2, 3, 4이므로 구하는 합은 10이다.

답 10

**30** Act❶ 등비수열 $\{r^n\}$의 수렴 조건은 $-1<r\le1$임을 이용한다.

공비가 $\dfrac{x^2-x}{2}$이므로 주어진 등비수열이 수렴하려면

$-1<\dfrac{x^2-x}{2}\le1$, $-2<x^2-x\le2$이어야 한다.

(ⅰ) $-2<x^2-x$, 즉 $x^2-x+2>0$에서

$x^2-x+2=\left(x-\dfrac{1}{2}\right)^2+\dfrac{7}{4}>0$이므로 항상 성립한다.

(ⅱ) $x^2-x\le2$, 즉 $x^2-x-2\le0$에서

$(x+1)(x-2)\le0$, $-1\le x\le2$

(ⅰ), (ⅱ)에서 $-1\le x\le2$

따라서 정수 $x$는 $-1$, $0$, $1$, $2$이므로 구하는 합은 2이다.

답 2

**31** Act❶ 등비수열 $\{ar^{n-1}\}$의 수렴 조건은 $a=0$ 또는 $-1<r\le1$임을 이용한다.

주어진 수열 $\{(x+1)(2-x)^{n-1}\}$은 첫째항이 $x+1$, 공비가 $2-x$인 등비수열이므로 $x+1=0$ 또는 $-1<2-x\le1$이어야 한다.

(ⅰ) $x+1=0$에서 $x=-1$

(ⅱ) $-1<2-x\le1$에서

$-3<-x\le-1$, $1\le x<3$

(ⅰ), (ⅱ)에서 $x=-1$ 또는 $1\le x<3$

따라서 정수 $x$는 $-1$, $1$, $2$이므로 구하는 합은 2이다. 답 ⑤

**32** Act❶ 등비수열 $\{ar^{n-1}\}$의 수렴 조건은 $a=0$ 또는 $-1<r\le1$임을 이용한다.

$\dfrac{x(x-2)^n}{2^{n-1}}=2x\left(\dfrac{x-2}{2}\right)^n$이므로 첫째항이 $x(x-2)$이고 공비가 $\dfrac{x-2}{2}$인 등비수열이다.

주어진 등비수열이 수렴하려면 $x(x-2)=0$ 또는 $-1<\dfrac{x-2}{2}\le1$이어야 한다.

(ⅰ) $x(x-2)=0$에서 $x=0$ 또는 $x=2$

(ⅱ) $-1<\dfrac{x-2}{2}\le1$에서 $-2<x-2\le2$, $0<x\le4$

(ⅰ), (ⅱ)에서 $0\le x\le4$

따라서 정수 $x$의 개수는 $0$, $1$, $2$, $3$, $4$의 5이다. 답 5

| 01. ③ | 02. ③ | 03. 2 | 04. ② | 05. 12 |
|---|---|---|---|---|
| 06. ② | 07. ② | 08. ② | 09. 2 | 10. ⑤ |
| 11. ③ | 12. ① | | | |

**01**

ㄱ. $\lim\limits_{n\to\infty}(3n-1)=\infty$ (발산)

ㄴ. $\lim\limits_{n\to\infty}\dfrac{1}{n+3}=0$ (수렴)

ㄷ. 수열 $\{(-2)^n\}$은 진동한다. (발산)

ㄹ. $\lim\limits_{n\to\infty}\left(1+\dfrac{1}{3^n}\right)=1$ (수렴)

따라서 옳은 것은 ㄱ, ㄷ이다. 답 ③

**02**

$\lim\limits_{n\to\infty}\dfrac{1+2+\cdots+(n-1)+n}{1+3+5+\cdots+(2n-1)}$

$=\lim\limits_{n\to\infty}\dfrac{\dfrac{n(n+1)}{2}}{\dfrac{n\{1+(2n-1)\}}{2}}$

$=\lim\limits_{n\to\infty}\dfrac{n+1}{2n}=\dfrac{1}{2}$ 답 ③

**03**

$\lim\limits_{n\to\infty}(\sqrt{n^2+4n-3}-n)$

$=\lim\limits_{n\to\infty}\dfrac{(\sqrt{n^2+4n-3}-n)(\sqrt{n^2+4n-3}+n)}{\sqrt{n^2+4n-3}+n}$

$=\lim\limits_{n\to\infty}\dfrac{4n-3}{\sqrt{n^2+4n-3}+n}$

$=\lim\limits_{n\to\infty}\dfrac{4-\dfrac{3}{n}}{\sqrt{1+\dfrac{4}{n}-\dfrac{3}{n^2}}+1}$

$=2$ 답 2

**04**

$\lim\limits_{n\to\infty}\{\log_2\sqrt{n^2+3}-\log_4(4n^2-3n)\}$

$=\lim\limits_{n\to\infty}(\log_2\sqrt{n^2+3}-\log_2\sqrt{4n^2-3n})$

$=\lim\limits_{n\to\infty}\log_2\dfrac{\sqrt{n^2+3}}{\sqrt{4n^2-3n}}$

$=\lim\limits_{n\to\infty}\log_2\dfrac{\sqrt{1+\dfrac{3}{n^2}}}{\sqrt{4-\dfrac{3}{n}}}$

$=\log_2\dfrac{1}{2}$

$=-1$ 답 ②

## 05

$\lim\limits_{n\to\infty}\dfrac{bn+1}{an^2+4n+3}$의 극한값이 0이 아니므로 $a=0$이어야 한다.

이때의 극한값은

$$\lim_{n\to\infty}\frac{bn+1}{4n+3}=\lim_{n\to\infty}\frac{b+\dfrac{1}{n}}{4+\dfrac{3}{n}}=\frac{b}{4}=3$$

이므로 $b=12$

$\therefore a+b=12$ 답 12

## 06

$$\lim_{n\to\infty}\frac{3n^2-2n+1}{n^3a_n+2n^2}=\lim_{n\to\infty}\frac{3-\dfrac{2}{n}+\dfrac{1}{n^2}}{na_n+2}$$

$$=\lim_{n\to\infty}\frac{3-\dfrac{2}{n}+\dfrac{1}{n^2}}{3+2}\ \left(\because\ \lim_{n\to\infty}na_n=3\right)$$

$$=\frac{3}{5}$$ 답 ②

## 07

$\lim\limits_{n\to\infty}b_n=k$라 하면

두 수열 $\{a_n\}$, $\{b_n\}$이 모두 수렴하므로

$$\lim_{n\to\infty}\frac{3a_n}{b_n+4}=\frac{3\lim\limits_{n\to\infty}a_n}{\lim\limits_{n\to\infty}b_n+\lim\limits_{n\to\infty}4}=\frac{3\times2}{k+4}=\frac{6}{k+4}=3$$

따라서 $3k+12=6$이므로 $k=-2$ 답 ②

## 08

$\dfrac{3a_n-1}{a_n-2}=b_n$으로 놓으면

$a_n=\dfrac{2b_n-1}{b_n-3}$이고 $\lim\limits_{n\to\infty}b_n=-2$이므로

$$\lim_{n\to\infty}a_n=\lim_{n\to\infty}\frac{2b_n-1}{b_n-3}=\frac{2\times(-2)-1}{(-2)-3}$$

$$=\frac{-5}{-5}=1$$

$\therefore\lim\limits_{n\to\infty}\dfrac{2-3a_n}{2+a_n}=\dfrac{2-3\times1}{2+1}=\dfrac{-1}{3}=-\dfrac{1}{3}$ 답 ②

## 09

$a>b>0$이므로 $0<\dfrac{b}{a}<1$에서 $\lim\limits_{n\to\infty}\left(\dfrac{b}{a}\right)^n=0$이다.

$\therefore\lim\limits_{n\to\infty}\dfrac{2a^n}{a^n+b^n}=\lim\limits_{n\to\infty}\dfrac{2}{1+\left(\dfrac{b}{a}\right)^n}=2$ 답 2

## 10

$x^2-2x-2=0$에서 $x=1\pm\sqrt{3}$이고 $\alpha>\beta$이므로

$\alpha=1+\sqrt{3}$, $\beta=1-\sqrt{3}$

이때 $\dfrac{\beta}{\alpha}=\dfrac{1-\sqrt{3}}{1+\sqrt{3}}=-2+\sqrt{3}$이므로

$-1<\dfrac{\beta}{\alpha}<1$

따라서 $\lim\limits_{n\to\infty}\left(\dfrac{\beta}{\alpha}\right)^n=0$이므로

$$\lim_{n\to\infty}\frac{\alpha^{n+1}+\beta^{n+1}}{\alpha^n+\beta^n}=\lim_{n\to\infty}\frac{\alpha+\beta\left(\dfrac{\beta}{\alpha}\right)^n}{1+\left(\dfrac{\beta}{\alpha}\right)^n}=\alpha=1+\sqrt{3}$$ 답 ⑤

## 11

등비수열 $\{(2-r)^n\}$이 수렴하려면 공비는 $2-r$이므로

$-1<2-r\le1$, $-3<-r\le-1$

$\therefore 1\le r<3$

따라서 정수 $r$는 1, 2로 2개이다. 답 ③

## 12

점 $P_n$의 $x$좌표는 $\sqrt{n}$이므로 $a_n=\sqrt{n}$이고 점 $P_n(a_n,\ b_n)$이 원 $x^2+y^2=n^2$ 위에 있으므로

$a_n{}^2+b_n{}^2=n^2$에서

$b_n=\sqrt{n^2-a_n{}^2}=\sqrt{n^2-n}$

$$\therefore\lim_{n\to\infty}(a_n{}^2-b_n)=\lim_{n\to\infty}(n-\sqrt{n^2-n})$$

$$=\lim_{n\to\infty}\frac{(n-\sqrt{n^2-n})(n+\sqrt{n^2-n})}{n+\sqrt{n^2-n}}$$

$$=\lim_{n\to\infty}\frac{n}{n+\sqrt{n^2-n}}$$

$$=\lim_{n\to\infty}\frac{1}{1+\sqrt{1-\dfrac{1}{n}}}$$

$$=\frac{1}{2}$$ 답 ①

# 02 급수

pp. 18~19

**01.** 1    **02.** ①    **03.** 54    **04.** 21    **05.** 15
**06.** 4

**01** 주어진 급수의 제$n$항까지의 부분합을 $S_n$이라 하면

$$S_n=\sum_{k=1}^{n}\left(\frac{1}{k}-\frac{1}{k+1}\right)$$

$$=\left(\frac{1}{1}-\frac{1}{2}\right)+\left(\frac{1}{2}-\frac{1}{3}\right)+\cdots+\left(\frac{1}{n}-\frac{1}{n+1}\right)$$

$$=1-\frac{1}{n+1}$$

$$\therefore\sum_{n=1}^{\infty}\frac{1}{n(n+1)}=\lim_{n\to\infty}S_n=\lim_{n\to\infty}\left(1-\frac{1}{n+1}\right)=1$$ 답 1

**02** $\sum\limits_{n=1}^{\infty}\left(3a_n-\dfrac{1}{4}\right)$이 수렴하므로 $\lim\limits_{n\to\infty}\left(3a_n-\dfrac{1}{4}\right)=0$

$3a_n-\dfrac{1}{4}=b_n$이라 하면

$\lim\limits_{n\to\infty}b_n=0$이고 $a_n=\dfrac{1}{3}b_n+\dfrac{1}{12}$이므로

$$\lim_{n \to \infty} a_n = \lim_{n \to \infty} \left( \frac{1}{3}b_n + \frac{1}{12} \right) = 0 + \frac{1}{12} = \frac{1}{12}$$

답 ①

**03** $\sum_{n=1}^{\infty}(a_n+5b_n)=\sum_{n=1}^{\infty}a_n+5\sum_{n=1}^{\infty}b_n=4+5\times10=54$

답 54

**04** 수열 $\{S_n\}$이 수렴하므로

$$\lim_{n \to \infty} a_n = 0$$

$$\therefore \lim_{n \to \infty}(2a_n+3S_n)=2\lim_{n \to \infty}a_n+3\lim_{n \to \infty}S_n$$
$$=2\times0+3\times7=21$$

답 21

**05** 공비가 $\frac{2x-5}{7}$이므로 주어진 등비급수가 수렴하기 위해서는 $-1<\frac{2x-5}{7}<1$이다.

$-7<2x-5<7$이므로 $-1<x<6$

따라서 정수 $x$는 0, 1, 2, 3, 4, 5이므로 그 합은 15이다.

답 15

**06** 주어진 급수는 첫째항이 1, 공비 $r=\frac{3}{4}$인 등비급수이다.

$r<1$이므로 이 등비급수는 수렴한다.

그 합 $S$는 $S=\dfrac{1}{1-\dfrac{3}{4}}=4$

답 4

| 유형따라잡기 | | | pp. 20~25 |
|---|---|---|---|
| 기출유형 01 ⑤ | **01.** 1 | **02.** 14 | **03.** ① | **04.** ⑤ |
| 기출유형 02 ⑤ | **05.** 25 | **06.** ③ | **07.** ⑤ | **08.** 9 |
| 기출유형 03 2 | **09.** 26 | **10.** 240 | **11.** ④ | |
| 기출유형 04 ② | **12.** ① | **13.** ④ | **14.** 32 | **15.** 16 |
| 기출유형 05 ③ | **16.** ⑤ | **17.** ③ | **18.** ③ | |
| 기출유형 06 ⑤ | **19.** 4 | **20.** ⑤ | | |

**기출유형 01**

**Act ①** $\dfrac{1}{AB}=\dfrac{1}{B-A}\left(\dfrac{1}{A}-\dfrac{1}{B}\right)$임을 이용하여 부분합 $S_n$을 구한 후 $\lim_{n \to \infty}S_n$의 값을 구한다.

주어진 급수의 제$n$항을 $a_n$이라 하면

$$a_n=\frac{1}{(2n-1)(2n+1)}$$
$$=\frac{1}{2}\left(\frac{1}{2n-1}-\frac{1}{2n+1}\right)$$

제$n$항까지의 부분합을 $S_n$이라 하면

$$S_n=\sum_{k=1}^{n}\frac{1}{2}\left(\frac{1}{2k-1}-\frac{1}{2k+1}\right)$$
$$=\frac{1}{2}\left\{\left(\frac{1}{1}-\frac{1}{3}\right)+\left(\frac{1}{3}-\frac{1}{5}\right)+\cdots+\left(\frac{1}{2n-1}-\frac{1}{2n+1}\right)\right\}$$
$$=\frac{1}{2}\left(1-\frac{1}{2n+1}\right)$$

$$\therefore \lim_{n \to \infty}S_n=\lim_{n \to \infty}\frac{1}{2}\left(1-\frac{1}{2n+1}\right)=\frac{1}{2}$$

답 ⑤

**01** **Act ①** $\dfrac{1}{AB}=\dfrac{1}{B-A}\left(\dfrac{1}{A}-\dfrac{1}{B}\right)$임을 이용하여 부분합 $S_n$을 구한 후 $\lim_{n \to \infty}S_n$의 값을 구한다.

$$\sum_{n=1}^{\infty}\frac{2}{(n+1)(n+2)}=\sum_{n=1}^{\infty}2\left(\frac{1}{n+1}-\frac{1}{n+2}\right)$$
$$=\lim_{n \to \infty}\sum_{k=1}^{n}2\left(\frac{1}{k+1}-\frac{1}{k+2}\right)$$
$$=\lim_{n \to \infty}2\left(\frac{1}{2}-\frac{1}{n+2}\right)=1$$

답 1

**02** **Act ①** $\dfrac{1}{AB}=\dfrac{1}{B-A}\left(\dfrac{1}{A}-\dfrac{1}{B}\right)$임을 이용하여 부분합 $S_n$을 구한 후 $\lim_{n \to \infty}S_n$의 값을 구한다.

$$\sum_{n=1}^{\infty}\frac{84}{(2n+1)(2n+3)}$$
$$=\lim_{n \to \infty}\sum_{k=1}^{n}84\times\frac{1}{2}\left(\frac{1}{2k+1}-\frac{1}{2k+3}\right)$$
$$=\lim_{n \to \infty}42\left(\frac{1}{3}-\frac{1}{2n+3}\right)=14$$

답 14

**03** **Act ①** 로그의 진수 부분을 인수분해한 후 $\log a+\log b=\log ab$임을 이용한다.

$$\sum_{n=2}^{\infty}\log\frac{n^2}{n^2-1}$$
$$=\lim_{n \to \infty}\sum_{k=2}^{n}\log\frac{k\times k}{(k-1)(k+1)}$$
$$=\lim_{n \to \infty}\left\{\log\frac{2\times2}{1\times3}+\log\frac{3\times3}{2\times4}+\log\frac{4\times4}{3\times5}+\right.$$
$$\left.\cdots+\log\frac{n\times n}{(n-1)(n+1)}\right\}$$
$$=\lim_{n \to \infty}\log\left\{\frac{2\times2}{1\times3}\times\frac{3\times3}{2\times4}\times\frac{4\times4}{3\times5}\times\cdots\times\frac{n\times n}{(n-1)(n+1)}\right\}$$
$$=\lim_{n \to \infty}\log\frac{2n}{n+1}=\log2$$

답 ①

**04** **Act ①** 항의 부호가 교대로 바뀌는 급수는 홀수 번째의 부분합 $S_{2n-1}$과 짝수 번째의 부분합 $S_{2n}$을 구해서 비교한다.

주어진 급수의 제$n$항까지의 부분합을 $S_n$이라 하면

$$S_{2n-1}=1-\frac{1}{3}+\frac{1}{3}-\frac{1}{5}+\cdots-\frac{1}{2n-1}+\frac{1}{2n-1}=1$$
$$S_{2n}=1-\frac{1}{3}+\frac{1}{3}-\frac{1}{5}+\cdots+\frac{1}{2n-1}-\frac{1}{2n+1}$$
$$=1-\frac{1}{2n+1}$$

$$\therefore \lim_{n \to \infty}S_{2n-1}=1, \lim_{n \to \infty}S_{2n}=\lim_{n \to \infty}\left(1-\frac{1}{2n+1}\right)=1$$

따라서 주어진 급수는 1에 수렴한다.

답 ⑤

**Act❶** 급수 $\sum\limits_{n=1}^{\infty}a_n$이 수렴하면 $\lim\limits_{n\to\infty}a_n=0$임을 이용한다.

$\sum\limits_{n=1}^{\infty}(2a_n-5)$가 수렴하므로 $\lim\limits_{n\to\infty}(2a_n-5)=0$

$2a_n-5=b_n$이라 하면

$\lim\limits_{n\to\infty}b_n=0$이고 $a_n=\dfrac{1}{2}b_n+\dfrac{5}{2}$이므로

$\lim\limits_{n\to\infty}a_n=\lim\limits_{n\to\infty}\left(\dfrac{1}{2}b_n+\dfrac{5}{2}\right)=0+\dfrac{5}{2}=\dfrac{5}{2}$　　　답 ⑤

**05** **Act❶** 급수 $\sum\limits_{n=1}^{\infty}a_n$이 수렴하면 $\lim\limits_{n\to\infty}a_n=0$임을 이용한다.

$\sum\limits_{n=1}^{\infty}\dfrac{a_n}{5^n}$이 수렴하므로 $\lim\limits_{n\to\infty}\dfrac{a_n}{5^n}=0$

$\therefore \lim\limits_{n\to\infty}\dfrac{5-\dfrac{1}{2}\left(\dfrac{2}{5}\right)^n+\dfrac{a_n}{5^n}}{\dfrac{1}{5}+2\left(\dfrac{2}{5}\right)^n}=25$　　　답 25

**06** **Act❶** 급수 $\sum\limits_{n=1}^{\infty}a_n$이 수렴하면 $\lim\limits_{n\to\infty}a_n=0$임을 이용한다.

$\sum\limits_{n=1}^{\infty}\left(a_n-\dfrac{3n+1}{n}\right)$이 수렴하므로 $\lim\limits_{n\to\infty}\left(a_n-\dfrac{3n+1}{n}\right)=0$

$a_n-\dfrac{3n+1}{n}=b_n$이라 하면

$\lim\limits_{n\to\infty}b_n=0$이고 $a_n=b_n+\dfrac{3n+1}{n}$이므로

$\lim\limits_{n\to\infty}a_n=\lim\limits_{n\to\infty}\left(b_n+\dfrac{3n+1}{n}\right)$

$=\lim\limits_{n\to\infty}b_n+\lim\limits_{n\to\infty}\dfrac{3n+1}{n}=0+3=3$　　　답 ③

**07** **Act❶** 급수 $\sum\limits_{n=1}^{\infty}a_n$이 수렴하면 $\lim\limits_{n\to\infty}a_n=0$임을 이용한다.

$\sum\limits_{n=1}^{\infty}\left(\dfrac{a_n}{n+1}-\dfrac{1}{2}\right)$이 수렴하므로 $\lim\limits_{n\to\infty}\left(\dfrac{a_n}{n+1}-\dfrac{1}{2}\right)=0$

$\dfrac{a_n}{n+1}-\dfrac{1}{2}=b_n$이라 하면

$\lim\limits_{n\to\infty}b_n=0$이고 $a_n=(n+1)\left(b_n+\dfrac{1}{2}\right)$이므로

$\lim\limits_{n\to\infty}\dfrac{a_n}{4n+1}=\dfrac{(n+1)\left(b_n+\dfrac{1}{2}\right)}{4n+1}$

$=\lim\limits_{n\to\infty}\dfrac{\left(1+\dfrac{1}{n}\right)\left(b_n+\dfrac{1}{2}\right)}{4+\dfrac{1}{n}}$

$=\dfrac{(1+0)\left(0+\dfrac{1}{2}\right)}{4+0}=\dfrac{1}{8}$　　　답 ⑤

**08** **Act❶** 급수 $\sum\limits_{n=1}^{\infty}a_n$이 수렴하면 $\lim\limits_{n\to\infty}a_n=0$임을 이용한다.

급수 $\sum\limits_{n=1}^{\infty}\dfrac{a_n}{n}$이 수렴하므로 $\lim\limits_{n\to\infty}\dfrac{a_n}{n}=0$

$\lim\limits_{n\to\infty}\dfrac{a_n+9n}{n}=\lim\limits_{n\to\infty}\left(\dfrac{a_n}{n}+9\right)$

$=\lim\limits_{n\to\infty}\dfrac{a_n}{n}+9$

$=0+9=9$　　　답 9

**Act❶** 두 급수 $\sum\limits_{n=1}^{\infty}a_n$, $\sum\limits_{n=1}^{\infty}b_n$이 모두 수렴하므로

$\sum\limits_{n=1}^{\infty}a_n=\alpha$, $\sum\limits_{n=1}^{\infty}=\beta$로 놓고 급수의 성질을 이용한다.

$\sum\limits_{n=1}^{\infty}a_n=\alpha$, $\sum\limits_{n=1}^{\infty}=\beta$ ($\alpha$, $\beta$는 실수)로 놓으면

$\sum\limits_{n=1}^{\infty}(a_n+b_n)=\sum\limits_{n=1}^{\infty}a_n+\sum\limits_{n=1}^{\infty}b_n=6$에서

$\alpha+\beta=6$ 　　$\cdots\cdots$ ㉠

또, $\sum\limits_{n=1}^{\infty}(2a_n-3b_n)=2\sum\limits_{n=1}^{\infty}a_n-3\sum\limits_{n=1}^{\infty}b_n=2$에서

$2\alpha-3\beta=2$ 　　$\cdots\cdots$ ㉡

㉠, ㉡을 연립하여 풀면 $\alpha=4$, $\beta=2$

$\therefore \sum\limits_{n=1}^{\infty}a_n-\sum\limits_{n=1}^{\infty}b_n=\alpha-\beta=4-2=2$　　　답 2

**09** **Act❶** 두 급수 $\sum\limits_{n=1}^{\infty}a_n$, $\sum\limits_{n=1}^{\infty}b_n$이 모두 수렴하므로 급수의 성질을 이용한다.

$\sum\limits_{n=1}^{\infty}a_n=4$, $\sum\limits_{n=1}^{\infty}b_n=-3$이므로

$\sum\limits_{n=1}^{\infty}(5a_n-2b_n)=5\sum\limits_{n=1}^{\infty}a_n-2\sum\limits_{n=1}^{\infty}b_n$

$=20+6=26$　　　답 26

**10** **Act❶** 두 급수 $\sum\limits_{n=1}^{\infty}(2a_n-3)$, $\sum\limits_{n=1}^{\infty}(2b_n+3)$이 모두 수렴하므로 급수의 성질을 이용한다.

$\sum\limits_{n=1}^{\infty}(2a_n-3)=300$ 　　$\cdots\cdots$ ㉠

$\sum\limits_{n=1}^{\infty}(2b_n+3)=180$ 　　$\cdots\cdots$ ㉡

두 급수가 수렴하므로 ㉠, ㉡을 더하면

$\sum\limits_{n=1}^{\infty}(2a_n-3)+\sum\limits_{n=1}^{\infty}(2b_n+3)=\sum\limits_{n=1}^{\infty}\{(2a_n-3)+(2b_n+3)\}$

$=\sum\limits_{n=1}^{\infty}(2a_n+2b_n)$

$=2\sum\limits_{n=1}^{\infty}(a_n+b_n)=480$

$\therefore \sum\limits_{n=1}^{\infty}(a_n+b_n)=240$　　　답 240

**11** **Act❶** 두 급수 $\sum\limits_{n=1}^{\infty}a_n$, $\sum\limits_{n=1}^{\infty}b_n$이 모두 수렴하므로

$\sum\limits_{n=1}^{\infty}a_n=\alpha$, $\sum\limits_{n=1}^{\infty}=\beta$로 놓고 급수의 성질을 이용한다.

$\sum\limits_{n=1}^{\infty}a_n=\alpha$, $\sum\limits_{n=1}^{\infty}b_n=\beta$ ($\alpha$, $\beta$는 실수)로 놓으면

$\sum\limits_{n=1}^{\infty}(a_n+b_n)=\sum\limits_{n=1}^{\infty}a_n+\sum\limits_{n=1}^{\infty}b=\dfrac{9}{4}$에서

$\alpha+\beta=\dfrac{9}{4}$ 　　$\cdots\cdots$ ㉠

$\sum\limits_{n=1}^{\infty}(a_n-b_n)=\sum\limits_{n=1}^{\infty}a_n-\sum\limits_{n=1}^{\infty}b_n=\dfrac{3}{4}$ 에서

$\alpha-\beta=\dfrac{3}{4}$ ······ⓛ

㉠, ⓛ을 연립하여 풀면 $\alpha=\dfrac{3}{2}$, $\beta=\dfrac{3}{4}$

$\therefore 2\sum\limits_{n=1}^{\infty}a_n+4\sum\limits_{n=1}^{\infty}b_n=2\alpha+4\beta=2\times\dfrac{3}{2}+4\times\dfrac{3}{4}=6$ 　　답 ④

**기출유형 04**

**Act❶** 등비급수 $\sum\limits_{n=1}^{\infty}ar^{n-1}$ $(a\neq0,\ |r|<1)$의 합은 $\dfrac{a}{1-r}$임을 이용한다.

$\sum\limits_{n=1}^{\infty}\dfrac{1+(-1)^n}{3^n}$

$=\sum\limits_{n=1}^{\infty}\left\{\left(\dfrac{1}{3}\right)^n+\left(-\dfrac{1}{3}\right)^n\right\}=\sum\limits_{n=1}^{\infty}\left(\dfrac{1}{3}\right)^n+\sum\limits_{n=1}^{\infty}\left(-\dfrac{1}{3}\right)^n$

$=\dfrac{\frac{1}{3}}{1-\frac{1}{3}}+\dfrac{-\frac{1}{3}}{1-\left(-\frac{1}{3}\right)}=\dfrac{1}{2}-\dfrac{1}{4}=\dfrac{1}{4}$ 　　답 ②

**12** **Act❶** 주어진 등비수열의 일반항을 구한 후 등비급수 $\sum\limits_{n=1}^{\infty}ar^{n-1}$ $(a\neq0,\ |r|<1)$의 합은 $\dfrac{a}{1-r}$임을 이용한다.

등비수열 $\{a_n\}$의 공비를 $r$라 하면

$r=\dfrac{a_2}{a_1}=\dfrac{1}{3}$이므로 $a_n=3\times\left(\dfrac{1}{3}\right)^{n-1}$

$\therefore \sum\limits_{n=1}^{\infty}(a_n)^2=\sum\limits_{n=1}^{\infty}\left\{9\times\left(\dfrac{1}{9}\right)^{n-1}\right\}=\dfrac{9}{1-\frac{1}{9}}=\dfrac{81}{8}$ 　　답 ①

**13** **Act❶** 주어진 등비수열의 일반항을 구한 후 등비급수 $\sum\limits_{n=1}^{\infty}ar^{n-1}$ $(a\neq0,\ |r|<1)$의 합은 $\dfrac{a}{1-r}$임을 이용한다.

$a_1=1$, $a_{n+1}=\dfrac{7}{2}a_n(n\geq1)$에서 수열 $\{a_n\}$은 첫째항이 1이고 공비가 $\dfrac{7}{2}$인 등비수열이므로

$a_n=\left(\dfrac{7}{2}\right)^{n-1}$ $(n\geq1)$

$\sum\limits_{n=1}^{\infty}\dfrac{10}{a_n}=\sum\limits_{n=1}^{\infty}10\times\left(\dfrac{2}{7}\right)^{n-1}=\dfrac{10}{1-\frac{2}{7}}=14$ 　　답 ④

**14** **Act❶** 주어진 등비수열의 일반항 $a_n$에서 $a_{2n-1}$을 구한 후 등비급수 $\sum\limits_{n=1}^{\infty}ar^{n-1}$ $(a\neq0,\ |r|<1)$의 합은 $\dfrac{a}{1-r}$임을 이용한다.

수열 $\{a_n\}$이 $a_1=3$이고, 모든 자연수 $n$에 대하여 $a_{n+1}=\dfrac{2}{3}a_n$이므로

수열 $\{a_n\}$은 첫째항이 3이고 공비가 $\dfrac{2}{3}$인 등비수열이다.

따라서 $a_n=3\times\left(\dfrac{2}{3}\right)^{n-1}$이고

$a_{2n-1}=3\times\left(\dfrac{2}{3}\right)^{2n-1-1}=3\times\left(\dfrac{2}{3}\right)^{2(n-1)}=3\times\left(\dfrac{4}{9}\right)^{n-1}$

$\sum\limits_{n=1}^{\infty}a_{2n-1}=\dfrac{3}{1-\frac{4}{9}}=\dfrac{27}{5}$

$\therefore p+q=5+27=32$ 　　답 32

**15** **Act❶** $a_1+a_2=20$, $\sum\limits_{n=3}^{\infty}a_n=\dfrac{4}{3}$를 연립하여 $a_1$의 값을 구한다.

등비수열 $\{a_n\}$의 공비를 $r$라 하면

$a_1+a_2=a_1+a_1r=20$ ······㉠

$\sum\limits_{n=3}^{\infty}a_n=\dfrac{4}{3}$로 수렴하므로 $-1<r<1$이고

$\sum\limits_{n=3}^{\infty}a_n=\dfrac{a_3}{1-r}=\dfrac{a_1r^2}{1-r}=\dfrac{4}{3}$ ······ⓛ

㉠, ⓛ을 연립하면

$16r^2=1$ $\therefore r=\dfrac{1}{4}$ $(\because r>0)$

이 값을 ㉠에 대입하면

$\dfrac{5}{4}a_1=20$ $\therefore a_1=16$ 　　답 16

**기출유형 05**

**Act❶** 등비급수 $\sum\limits_{n=1}^{\infty}r^n$이 수렴하기 위한 조건은 $-1<r<1$임을 이용한다.

주어진 등비수열의 공비는 $\dfrac{3x-1}{6}$이므로 등비급수가 수렴하는 $x$의 범위는

$-1<\dfrac{3x-1}{6}<1$, $-6<3x-1<6$, $-5<3x<7$

$\therefore -\dfrac{5}{3}<x<\dfrac{7}{3}$

따라서 모든 정수 $x$의 개수는 4이다. 　　답 ③

**16** **Act❶** 등비급수 $\sum\limits_{n=1}^{\infty}r^n$이 수렴하기 위한 조건은 $-1<r<1$임을 이용한다.

주어진 등비수열의 공비는 $\dfrac{x}{5}$이므로 등비급수가 수렴하는 $x$의 범위는

$-1<\dfrac{x}{5}<1$ $\therefore -5<x<5$

따라서 모든 정수 $x$의 개수는 9이다. 　　답 ⑤

**17** **Act❶** 등비급수 $\sum\limits_{n=1}^{\infty}r^n$이 수렴하기 위한 조건은 $-1<r<1$임을 이용한다.

$x$가 정수일 때, 급수 $\sum\limits_{n=1}^{\infty}\left(\dfrac{2x-3}{7}\right)^n$은 첫째항과 공비가 모두 $\dfrac{2x-3}{7}$인 등비급수이다.

그러므로 등비급수 $\sum\limits_{n=1}^{\infty}\left(\dfrac{2x-3}{7}\right)^n$이 수렴하기 위한 조건은

$-1<\dfrac{2x-3}{7}<1$이다.

$-7<2x-3<7$, $-4<2x<10$, $-2<x<5$

따라서 정수 $x$의 개수는 6이다. 　　답 ③

**18** **Act❶** 등비급수 $\sum\limits_{n=1}^{\infty} r^n$이 수렴하기 위한 조건은 $-1<r<1$임을 이용한다.

등비수열 $\{a_n\}$의 일반항을 $a_n=a_1 r^{n-1}$ (단, $a_1\neq0$)이라 하자.

ㄱ. 등비급수 $\sum\limits_{n=1}^{\infty} a_n$이 수렴하면 $-1<r<1$이다.

$a_{2n}=a_1 r^{2n-1}=a_1 r\cdot(r^2)^{n-1}$에서 공비는 $r^2$이고 $0\leq r^2<1$이므로 $\sum\limits_{n=1}^{\infty} a_{2n}$도 수렴한다. (참)

ㄴ. 등비급수 $\sum\limits_{n=1}^{\infty} a_n$이 발산하면 $r\leq-1$또는 $r\geq1$이다.

ㄱ에서 $a_{2n}$의 공비는 $r^2$이고, $r^2\geq1$이므로 $\sum\limits_{n=1}^{\infty} a_{2n}$은 발산한다. (참)

ㄷ. 등비급수 $\sum\limits_{n=1}^{\infty} a_n$이 수렴하므로 $\lim\limits_{n\to\infty} a_n=0$이다.

$\lim\limits_{n\to\infty}\left(a_n+\dfrac{1}{2}\right)=\lim\limits_{n\to\infty} a_n+\lim\limits_{n\to\infty}\dfrac{1}{2}=0+\dfrac{1}{2}=\dfrac{1}{2}\neq0$이므로

$\sum\limits_{n=1}^{\infty}\left(a_n+\dfrac{1}{2}\right)$은 발산한다. (거짓)

따라서 옳은 것은 ㄱ, ㄴ이다.　　　　　　　　　　　답 ③

**기출유형 06**

**Act❶** 반복되는 규칙을 발견하여 첫째항 $a$와 공비 $r$를 구한다.

$A_1$의 넓이는 $a_1=\dfrac{1}{2}\cdot2^2=2$

$A_2$의 넓이는 $a_2=\dfrac{1}{2}\cdot1^2=\dfrac{1}{2}$

$A_3$의 넓이는 $a_3=\dfrac{1}{2}\cdot\left(\dfrac{1}{2}\right)^2=\dfrac{1}{8}$

$\vdots$

따라서 직각이등변삼각형 $A_n$의 넓이는 첫째항이 2, 공비가 $\dfrac{1}{4}$인 등비수열이므로

모든 직각이등변삼각형의 넓이의 합은

$\sum\limits_{n=1}^{\infty} a_n=\dfrac{2}{1-\dfrac{1}{4}}=\dfrac{8}{3}$　　　　　　　답 ⑤

**19** **Act❶** 반복되는 규칙을 발견하여 첫째항 $a$와 공비 $r$를 구한다.

$a_1=\dfrac{1}{2}\times\overline{A_1B_1}\times\overline{B_1B_2}=\dfrac{1}{2}\times3\times2=3$

모든 자연수 $n$에 대하여 두 삼각형 $A_nB_nA_{n+1}$, $A_{n+1}B_{n+1}A_{n+2}$는 닮음이고 닮음비는 $2:1$이므로 넓이의 비는 $4:1$이다.

즉 $a_{n+1}=\dfrac{1}{4}a_n$이므로 등비수열 $\{a_n\}$의 공비는 $\dfrac{1}{4}$이다.

$\therefore \sum\limits_{n=1}^{\infty} a_n=\dfrac{3}{1-\dfrac{1}{4}}=4$　　　　　　　　답 4

**20** **Act❶** 반복되는 규칙을 발견하여 첫째항 $a$와 공비 $r$를 구한다.

$S_1=\dfrac{1}{2}\times4\times3=6$

정사각형 $AB_nC_nD_n$의 한 변의 길이를 $a_n$이라 하면

---

$a_{n+1}:a_n-a_{n+1}=4:3$에서 $a_{n+1}=\dfrac{4}{7}a_n$이므로

$S_{n+1}=\dfrac{16}{49}S_n$

$\therefore \sum\limits_{n=1}^{\infty} S_n=\dfrac{6}{1-\dfrac{16}{49}}=\dfrac{98}{11}$　　　　　　답 ⑤

**VIT** **V**ery **I**mportant **T**est　　　pp. 26~27

| 01. ① | 02. ① | 03. 5 | 04. 5 | 05. ③ |
|---|---|---|---|---|
| 06. ② | 07. ④ | 08. ③ | 09. ① | 10. 3 |
| 11. ② | 12. 1 | | | |

**01**

$\sum\limits_{n=3}^{\infty}\log_2\dfrac{n^2-4}{n^2-1}$

$=\sum\limits_{n=3}^{\infty}\log_2\dfrac{(n-2)(n+2)}{(n+1)(n-1)}$

$=\lim\limits_{n\to\infty}\log_2\left\{\dfrac{1\times5}{4\times2}\times\dfrac{2\times6}{5\times3}\times\dfrac{3\times7}{6\times4}\times\cdots\times\dfrac{(n-2)(n+2)}{(n+1)(n-1)}\right\}$

$=\lim\limits_{n\to\infty}\log_2\dfrac{n+2}{4(n-1)}$

$=\log_2\dfrac{1}{4}=-2$　　　　　　　　　　　답 ①

**02**

$3^n\cdot5^{n+1}$의 모든 양의 약수의 개수 $a_n$은

$a_n=(n+1)(n+2)$

이므로

$\sum\limits_{n=1}^{\infty}\dfrac{1}{a_n}$

$=\sum\limits_{n=1}^{\infty}\dfrac{1}{(n+1)(n+2)}$

$=\sum\limits_{n=1}^{\infty}\left(\dfrac{1}{n+1}-\dfrac{1}{n+2}\right)$

$=\lim\limits_{n\to\infty}\sum\limits_{k=1}^{n}\left(\dfrac{1}{k+1}-\dfrac{1}{k+2}\right)$

$=\lim\limits_{n\to\infty}\left\{\left(\dfrac{1}{2}-\dfrac{1}{3}\right)+\left(\dfrac{1}{3}-\dfrac{1}{4}\right)+\cdots+\left(\dfrac{1}{n+1}-\dfrac{1}{n+2}\right)\right\}$

$=\lim\limits_{n\to\infty}\left(\dfrac{1}{2}-\dfrac{1}{n+2}\right)=\dfrac{1}{2}$　　　　　답 ①

**03**

$\sum\limits_{n=1}^{\infty}\left(a_n-\dfrac{5n}{n+1}\right)$이 수렴하므로 $\lim\limits_{n\to\infty}\left(a_n-\dfrac{5n}{n+1}\right)=0$

$\lim\limits_{n\to\infty} a_n-\lim\limits_{n\to\infty}\dfrac{5n}{n+1}=0$, $\lim\limits_{n\to\infty} a_n-5=0$

$\therefore \lim\limits_{n\to\infty} a_n=5$　　　　　　　　　　답 5

## 04

$\displaystyle\sum_{n=1}^{\infty} b_n = \sum_{n=1}^{\infty}\{2a_n-(2a_n-b_n)\}$

$\quad = 2\displaystyle\sum_{n=1}^{\infty} a_n - \sum_{n=1}^{\infty}(2a_n-b_n)$

$\quad = 2\times 3 - 1 = 5$ 　　　　　　　　　답 5

## 05

$a_1 = S_1 = 1-1+1 = 1$

$a_n = S_n - S_{n-1} \ (n\geq 2)$

$\quad = (n^3-n+1)-\{(n-1)^3-(n-1)+1\} = 3n(n-1)$

$\therefore \displaystyle\sum_{n=1}^{\infty}\frac{3}{a_n} = \frac{3}{a_1} + \sum_{n=2}^{\infty}\frac{3}{a_n}$

$\quad = 3 + \displaystyle\sum_{n=2}^{\infty}\left(\frac{1}{n-1}-\frac{1}{n}\right) = 4$ 　　　답 ③

## 06

$\displaystyle\sum_{n=1}^{\infty}\left(a_n-\frac{3n}{n+1}\right)$이 수렴하므로 $\displaystyle\lim_{n\to\infty}\left(a_n-\frac{3n}{n+1}\right)=0$

$\displaystyle\lim_{n\to\infty} a_n - \lim_{n\to\infty}\frac{3n}{n+1}=0, \ \lim_{n\to\infty} a_n - 3 = 0$

$\therefore \displaystyle\lim_{n\to\infty} a_n = 3$

$\displaystyle\sum_{n=1}^{\infty}(a_n+b_n)$이 수렴하므로 $\displaystyle\lim_{n\to\infty}(a_n+b_n)=0$

$\therefore \displaystyle\lim_{n\to\infty} b_n = -3$

$\therefore \displaystyle\lim_{n\to\infty}\frac{3-b_n}{a_n} = \frac{3-(-3)}{3} = 2$ 　　　답 ②

## 07

$\displaystyle\sum_{n=1}^{\infty}\frac{1+2^n}{6^n}$

$= \displaystyle\sum_{n=1}^{\infty}\frac{1}{6^n} + \sum_{n=1}^{\infty}\frac{2^n}{6^n} = \sum_{n=1}^{\infty}\frac{1}{6^n} + \sum_{n=1}^{\infty}\frac{1}{3^n}$

$= \dfrac{\frac{1}{6}}{1-\frac{1}{6}} + \dfrac{\frac{1}{3}}{1-\frac{1}{3}} = \dfrac{1}{5}+\dfrac{1}{2} = \dfrac{7}{10}$ 　　　답 ④

## 08

등비수열의 공비를 $r$라 하면

$a_4 = a_1 r^3 = 4r^3 = \dfrac{1}{2}$에서 $r^3 = \dfrac{1}{8}$이므로 $r = \dfrac{1}{2}$

따라서 등비수열의 일반항 $a_n$은 $a_n = 4\left(\dfrac{1}{2}\right)^{n-1}$이므로

$\displaystyle\sum_{n=1}^{\infty} a_n = 4\sum_{n=1}^{\infty}\left(\frac{1}{2}\right)^{n-1} = \dfrac{4}{1-\frac{1}{2}} = 8$ 　　　답 ③

## 09

등비수열 $\{a_n\}$의 공비를 $r$라고 하면 $a_1 = 3$, $\displaystyle\sum_{n=1}^{\infty} a_n = 4$이므로

$\dfrac{3}{1-r} = 4$에서 $r = \dfrac{1}{4}$

따라서 수열 $\{a_{2n}\}$은 공비가 $\dfrac{1}{16}$인 등비수열이고

$a_4 = 3\times\left(\dfrac{1}{4}\right)^3 = \dfrac{3}{64}$이므로

$\displaystyle\sum_{n=2}^{\infty} a_{2n} = \dfrac{\frac{3}{64}}{1-\frac{1}{16}} = \dfrac{1}{20}$ 　　　답 ①

## 10

공비가 $\dfrac{x-1}{3}$이므로

$-1 < \dfrac{x-1}{3} < 1$, 즉 $-2 < x < 4$

$x = -2$일 때도 수렴하므로 수렴하는 모든 정수 $x$는 $-2$, $-1$, 0, 1, 2, 3으로 그 합은 3이다. 　　　답 3

## 11

$\displaystyle\lim_{n\to\infty} a_n = 1 - \left(\frac{2}{3}\right)^2 + \left(\frac{2}{3}\right)^4 - \left(\frac{2}{3}\right)^6 + \cdots$

$\quad = \dfrac{1}{1-\left(-\frac{4}{9}\right)} = \dfrac{9}{13}$

$\displaystyle\lim_{n\to\infty} b_n = \frac{2}{3} - \left(\frac{2}{3}\right)^3 + \left(\frac{2}{3}\right)^5 - \left(\frac{2}{3}\right)^7 + \cdots$

$\quad = \dfrac{\frac{2}{3}}{1-\left(-\frac{4}{9}\right)} = \dfrac{6}{13}$

$\therefore \displaystyle\lim_{n\to\infty}(a_n+b_n) = \frac{9}{13}+\frac{6}{13} = \frac{15}{13}$ 　　　답 ②

## 12

음이 아닌 정수 $n$에 대하여

$a_{6n+1}=2$, $a_{6n+2}=1$, $a_{6n+3}=-1$,

$a_{6n+4}=-2$, $a_{6n+5}=-1$, $a_{6n+6}=1$

이므로

$\displaystyle\sum_{n=1}^{\infty}\frac{a_n}{2^n} = \left(\frac{2}{2}-\frac{2}{2^4}+\frac{2}{2^7}-\cdots\right) + \left(\frac{1}{2^2}-\frac{1}{2^5}+\frac{1}{2^8}-\cdots\right)$

$\qquad -\left(\frac{1}{2^3}-\frac{1}{2^6}+\frac{1}{2^9}-\cdots\right)$

$= \dfrac{1}{1+\frac{1}{2^3}} + \dfrac{\frac{1}{2^2}}{1+\frac{1}{2^3}} - \dfrac{\frac{1}{2^3}}{1+\frac{1}{2^3}} = 1$ 　　　답 1

# II 여러 가지 함수의 미분

## 03 지수함수와 로그함수의 미분

pp. 28~29

| | | | | |
|---|---|---|---|---|
| **01.** ① | **02.** 1 | **03.** ⑤ | **04.** ⑤ | **05.** ③ |
| **06.** ② | **07.** ② | **08.** ② | | |

**01** 분자와 분모를 각각 $5^x$으로 나누면

$$\lim_{x \to \infty} \frac{1+5^x}{3^x+5^x} = \lim_{x \to \infty} \frac{\left(\frac{1}{5}\right)^x+1}{\left(\frac{3}{5}\right)^x+1} = \frac{0+1}{0+1} = 1 \qquad \text{답 ①}$$

**02** $\lim_{x \to \infty} \{\log_3(3x+1) - \log_3 x\}$

$= \lim_{x \to \infty} \log_3 \frac{3x+1}{x}$

$= \lim_{x \to \infty} \log_3 \left(3+\frac{1}{x}\right)$

$= \log_3 3 = 1$ 　　　　　　　　　답 1

**03** $\lim_{x \to 0} \left\{(1+x)^{\frac{1}{x}}\right\}^5 = e^5$ 　　　　　답 ⑤

**04** $e^{\ln\sqrt{8}} = (\sqrt{8})^{\ln e} = \sqrt{8} = 2\sqrt{2}$ 　　　답 ⑤

**05** $\lim_{x \to 0} \frac{\ln(1+3x)}{x} = \lim_{x \to 0} \frac{\ln(1+3x)}{3x} \times 3 = 3$ 　답 ③

**06** $\lim_{x \to 0} \frac{e^{3x}-1}{2x} = \frac{3}{2} \times \lim_{x \to 0} \frac{e^{3x}-1}{3x} = \frac{3}{2}$ 　답 ②

**07** $f'(x) = e^x + 1$이므로 $f'(0) = e^0 + 1 = 1 + 1 = 2$ 　답 ②

**08** $f'(x) = \frac{1}{x}$이므로 $f'(3) = \frac{1}{3}$ 　　　답 ②

### 유형따라잡기

pp. 30~35

| | | | | |
|---|---|---|---|---|
| **기출유형 01** ① | **01.** 5 | **02.** 32 | **03.** ④ | **04.** 2 |
| **기출유형 02** ⑤ | **05.** ③ | **06.** ③ | **07.** ④ | **08.** ③ |
| **기출유형 03** ④ | **09.** ③ | **10.** ② | **11.** ④ | **12.** ② |
| **기출유형 04** ① | **13.** ② | **14.** ① | **15.** ⑤ | **16.** ⑤ |
| **기출유형 05** ② | **17.** ④ | **18.** ④ | **19.** ① | **20.** ② |
| **기출유형 06** ② | **21.** ① | **22.** ② | **23.** 10 | **24.** ④ |

### 기출유형 01

**Act①** 분모에서 밑이 가장 큰 항으로 분모, 분자를 나누어 $0 < a < 1$일 때, $\lim_{x \to \infty} a^x = 0$임을 이용한다.

$$\lim_{x \to \infty} \frac{3^x - 2^x}{3^x + 2^x} = \lim_{x \to \infty} \frac{1 - \left(\frac{2}{3}\right)^x}{1 + \left(\frac{2}{3}\right)^x} = \frac{1-0}{1+0} = 1 \qquad \text{답 ①}$$

**01** **Act①** 분모에서 밑이 가장 큰 항으로 분모, 분자를 나누어 $0 < a < 1$일 때, $\lim_{x \to \infty} a^x = 0$임을 이용한다.

$$\lim_{x \to \infty} \frac{5^{x+1} - 2^x}{5^x + 3^x} = \lim_{x \to \infty} \frac{5 - \left(\frac{2}{5}\right)^x}{1 + \left(\frac{3}{5}\right)^x} = \frac{5-0}{1+0} = 5 \qquad \text{답 5}$$

**02** **Act①** 분모에서 밑이 가장 큰 항으로 분모, 분자를 나누어 $0 < a < 1$일 때, $\lim_{x \to \infty} a^x = 0$임을 이용한다.

$$\lim_{x \to \infty} \frac{a \cdot 4^x + 3^x}{4^{x+1} - 2^x} = \lim_{x \to \infty} \frac{a \cdot 1 + \left(\frac{3}{4}\right)^x}{4 \cdot 1 - \left(\frac{1}{2}\right)^x} = \frac{a}{4} = 8$$

$\therefore a = 32$ 　　　　　　　　　　답 32

**03** **Act①** $\lim_{x \to \infty} \{\log_a f(x) - \log_a g(x)\} = \lim_{x \to \infty} \log_a \frac{f(x)}{g(x)}$임을 이용한다.

$\lim_{x \to \infty} \{\log_5 x - \log_5(25x+1)\}$

$= \lim_{x \to \infty} \log_5 \frac{x}{25x+1}$

$= \lim_{x \to \infty} \log_5 \frac{1}{25 + \frac{1}{x}}$

$= \log_5 \frac{1}{25} = \log_5 5^{-2}$

$= -2$ 　　　　　　　　　　　답 ④

**04** **Act①** $\lim_{x \to \infty} \{\log_a f(x) - \log_a g(x)\} = \lim_{x \to \infty} \log_a \frac{f(x)}{g(x)}$임을 이용한다.

$\lim_{x \to \infty} \{\log_2(4x+3) - \log_2 x\}$

$= \lim_{x \to \infty} \log_2 \frac{4x+3}{x} = \lim_{x \to \infty} \log_2 \left(4+\frac{3}{x}\right) = 2$ 　답 2

### 기출유형 02

**Act①** $\lim_{\star \to 0} (1+\star)^{\frac{1}{\star}}$을 포함한 꼴로 변형한다.

$$\lim_{x \to 0} (1+2x)^{\frac{1}{x}} = \lim_{x \to 0} \left\{(1+2x)^{\frac{1}{2x}}\right\}^2 = e^2 \qquad \text{답 ⑤}$$

**05** **Act①** $\lim_{\star \to 0} (1+\star)^{\frac{1}{\star}}$을 포함한 꼴로 변형한다.

$$\lim_{x \to 0} (1+3x)^{\frac{1}{6x}}$$
$$= \lim_{x \to 0} \left\{ (1+3x)^{\frac{1}{3x}} \right\}^{\frac{1}{2}}$$
$$= e^{\frac{1}{2}}$$
$$= \sqrt{e}$$
답 ③

**06** Act❶ $\lim_{\bigstar \to 0} (1+\bigstar)^{\frac{1}{\bigstar}}$을 포함한 꼴로 변형한다.

$$\lim_{x \to 0} (1+2x)^{\frac{3}{2x}} = \lim_{x \to 0} \left\{ (1+2x)^{\frac{1}{2x}} \right\}^3 = e^3$$
답 ③

**07** Act❶ $\lim_{\blacktriangle \to \infty} \left( 1+\frac{1}{\blacktriangle} \right)^{\blacktriangle}$을 포함한 꼴로 변형한다.

$$\lim_{x \to \infty} \left( 1+\frac{1}{2x} \right)^x = \lim_{x \to \infty} \left( 1+\frac{1}{2x} \right)^{2x \times \frac{1}{2}}$$
$$= \lim_{x \to \infty} \left\{ \left( 1+\frac{1}{2x} \right)^{2x} \right\}^{\frac{1}{2}}$$
$$= e^{\frac{1}{2}} = \sqrt{e}$$
답 ④

**08** Act❶ $\lim_{\blacktriangle \to \infty} \left( 1+\frac{1}{\blacktriangle} \right)^{\blacktriangle}$을 포함한 꼴로 변형한다.

$$\lim_{x \to \infty} \left( 1+\frac{1}{5x} \right)^x = \lim_{x \to \infty} \left( 1+\frac{1}{5x} \right)^{5x \times \frac{1}{5}}$$
$$= \lim_{x \to \infty} \left\{ \left( 1+\frac{1}{5x} \right)^{5x} \right\}^{\frac{1}{5}}$$
$$= e^{\frac{1}{5}} = \sqrt[5]{e}$$
답 ③

### 기출유형 03

Act❶ $\lim_{x \to 0} \frac{\ln(1+ax)}{ax}=1$을 이용할 수 있도록 주어진 식을 변형한다.

$$\lim_{x \to 0} \frac{\ln(1+12x)}{3x} = 4 \times \lim_{x \to 0} \frac{\ln(1+12x)}{12x} = 4$$
답 ④

**09** Act❶ $\lim_{x \to 0} \frac{\ln(1+ax)}{ax}=1$을 이용할 수 있도록 주어진 식을 변형한다.

$$\lim_{x \to 0} \frac{x^2+5x}{\ln(1+3x)} = \lim_{x \to 0} \left\{ \frac{3x}{\ln(1+3x)} \times \frac{x(x+5)}{3x} \right\}$$
$$= \lim_{x \to 0} \left\{ \frac{3x}{\ln(1+3x)} \times \frac{x+5}{3} \right\}$$
$$= 1 \times \frac{5}{3} = \frac{5}{3}$$
답 ③

**10** Act❶ $\lim_{x \to 0} \frac{e^{ax}-1}{ax}=1$을 이용할 수 있도록 주어진 식을 변형한다.

$$\lim_{x \to 0} \frac{e^x-1}{x(x^2+2)}$$
$$= \lim_{x \to 0} \left\{ \frac{e^x-1}{x} \times \frac{1}{x^2+2} \right\} = \frac{1}{2}$$
답 ②

**11** Act❶ $\lim_{x \to 0} \frac{\ln(1+ax)}{ax}=1$, $\lim_{x \to 0} \frac{e^{ax}-1}{ax}=1$을 이용할 수 있

도록 주어진 식을 변형한다.

$$\lim_{x \to 0} \frac{\ln(1+5x)}{e^{2x}-1} = \frac{5}{2} \lim_{x \to 0} \frac{\ln(1+5x)}{5x} \times \lim_{x \to 0} \frac{2x}{e^{2x}-1}$$
$$= \frac{5}{2} \times 1 \times 1 = \frac{5}{2}$$
답 ④

**12** Act❶ $\lim_{x \to 0} \frac{\ln(1+ax)}{ax}=1$, $\lim_{x \to 0} \frac{e^{ax}-1}{ax}=1$을 이용할 수 있

도록 주어진 식을 변형한다.

$$\lim_{x \to 0} \frac{e^{6x}-1}{\ln(1+3x)} = 2 \lim_{x \to 0} \frac{e^{6x}-1}{6x} \times \lim_{x \to 0} \frac{3x}{\ln(1+3x)}$$
$$= 2 \times 1 \times 1 = 2$$
답 ②

### 기출유형 04

Act❶ $\lim_{x \to 0} \frac{\log_a(1+x)}{x}=\frac{1}{\ln a}$임을 이용한다.

$$\lim_{x \to 0} \frac{\log_3(1+2x)}{4x} = \lim_{x \to 0} \frac{\log_3(1+2x)}{2x} \times \frac{1}{2}$$
$$= \frac{1}{2} \times \frac{1}{\ln 3} = \frac{1}{2\ln 3}$$
답 ①

**13** Act❶ $\lim_{x \to 0} \frac{\log_a(1+x)}{x}=\frac{1}{\ln a}$임을 이용한다.

$$\lim_{x \to 0} \frac{\log_3(4+x)-\log_3 4}{x} = \lim_{x \to 0} \frac{\log_3\left(1+\frac{x}{4}\right)}{x}$$
$$= \lim_{x \to 0} \frac{\log_3\left(1+\frac{x}{4}\right)}{\frac{x}{4}} \times \frac{1}{4} = \frac{1}{\ln 3} \times \frac{1}{4} = \frac{1}{4\ln 3}$$
답 ②

**14** Act❶ $\lim_{x \to 0} \frac{\log_a(1+x)}{x}=\frac{1}{\ln a}$임을 이용한다.

$$\lim_{x \to 0} \frac{\log_5(5+x)-1}{x} = \lim_{x \to 0} \frac{\log_5\left(1+\frac{x}{5}\right)}{x}$$
$$= \lim_{x \to 0} \frac{\log_5\left(1+\frac{x}{5}\right)}{\frac{x}{5}} \times \frac{1}{5} = \frac{1}{\ln 5} \times \frac{1}{5} = \frac{1}{5\ln 5}$$
답 ①

**15** Act❶ $\lim_{x \to 0} \frac{a^x-1}{x}=\ln a$를 이용할 수 있도록 주어진 식을 변형한다.

$$\lim_{x \to 0} \frac{8^x-3^x}{x} = \lim_{x \to 0} \frac{8^x-1-(3^x-1)}{x}$$
$$= \lim_{x \to 0} \frac{8^x-1}{x} - \lim_{x \to 0} \frac{3^x-1}{x}$$
$$= \ln 8 - \ln 3$$
$$= 3\ln 2 - \ln 3$$
답 ⑤

**16** Act❶ $\lim_{x \to 0} \frac{a^x-1}{x}=\ln a$를 이용할 수 있도록 주어진 식을 변형한다.

$$\lim_{x \to 0} \frac{(a+12)^x-a^x}{x}$$

$$= \lim_{x \to 0} \frac{(a+12)^x - 1 - (a^x - 1)}{x}$$
$$= \ln(a+12) - \ln a$$
$$= \ln \frac{a+12}{a} = \ln 3$$
$$\therefore \frac{a+12}{a} = 3, \ a+12 = 3a \quad \therefore a = 6 \qquad \text{답 ⑤}$$

**기출유형 05**

**Act①** $y = a^x$이면 $y' = a^x \ln a$임을 이용한다.

곱의 미분법에 의하여
$$f'(x) = (x+a)'2^x + (x+a)(2^x)'$$
$$= 2^x + (x+a) \cdot 2^x \ln 2$$
$$= 2^x \{1 + (x+a)\ln 2\}$$
이때 $f'(0) = 1 \cdot (1 + a\ln 2) = 1 + \ln 4$이므로
$$a\ln 2 = \ln 2^a = \ln 4$$
$$\therefore a = 2 \qquad \text{답 ②}$$

**17** **Act①** $y = e^x$이면 $y' = e^x$임을 이용한다.

곱의 미분법에 의하여 $f'(x) = 2e^x + (2x+7)e^x$
$x$에 0을 대입하면 $f'(0) = 2 + 7 = 9$ 　　　답 ④

**18** **Act①** $y = e^x$이면 $y' = e^x$임을 이용한다.

곱의 미분법에 의하여
$$f'(x) = e^x(2x+1) + e^x \times 2$$
$$= e^x(2x+3)$$
$$\therefore f'(1) = 5e \qquad \text{답 ④}$$

**19** **Act①** $f'(a) = \lim_{x \to 0} \frac{f(a+h) - f(a)}{h}$임을 이용한다.

$$\lim_{x \to 0} \frac{f(1+h) - f(1)}{h} = f'(1)$$
한편, 곱의 미분법에 의하여 $f'(x) = \ln x + 1$이므로
$$f'(1) = 1 \qquad \text{답 ①}$$

**20** **Act①** $f'(a) = \lim_{x \to 0} \frac{f(a+h) - f(a)}{h}$임을 이용한다.

$$\lim_{x \to 0} \frac{f(3+h) - f(3-h)}{h}$$
$$= \lim_{x \to 0} \frac{f(3+h) - f(3) - f(3-h) + f(3)}{h}$$
$$= \lim_{x \to 0} \frac{f(3+h) - f(3)}{h} + \lim_{x \to 0} \frac{f(3-h) - f(3)}{-h}$$
$$= f'(3) + f'(3)$$
$$= 2f'(3)$$
한편, 곱의 미분법에 의하여 $f'(x) = \frac{1}{x} \times \frac{1}{\ln 3}$이므로
$$2f'(3) = 2 \times \frac{1}{3} \times \frac{1}{\ln 3} = \frac{2}{3\ln 3} \qquad \text{답 ②}$$

**기출유형 06**

**Act①** 함수 $f(x)$가 $x=0$에서 연속이면 $\lim_{x \to 0} f(x) = f(0)$임을

이용한다.
함수 $f(x)$가 $x=0$에서 연속이므로
$$a = \lim_{x \to 0} f(x) = \lim_{x \to 0} \frac{e^{3x} - 1}{x(e^x + 1)} = \lim_{x \to 0} \left( \frac{e^{3x} - 1}{3x} \times \frac{3}{e^x + 1} \right)$$
$$= 1 \times \frac{3}{2} = \frac{3}{2} \qquad \text{답 ②}$$

**21** **Act①** 함수 $f(x)$가 $x=0$에서 연속이면 $\lim_{x \to 0} f(x) = f(0)$임을

이용한다.
함수 $f(x)$가 $x=0$에서 연속이어야 하므로
$$\lim_{x \to 0} f(x) = f(0) = 2$$
$$\lim_{x \to 0-} \frac{e^{ax} - 1}{3x} = \lim_{x \to 0-} \frac{e^{ax} - 1}{ax} \times \frac{a}{3} = \frac{a}{3}$$
$$\lim_{x \to 0+} (x^2 + 3x + 2) = 2$$
$$\therefore a = 6 \qquad \text{답 ①}$$

**22** **Act①** $f(x) = x^2 + ax + b$로 놓고 함수 $h(x)$가 $x=0$에서 연속

이면 $\lim_{x \to 0} h(x) = h(0)$임을 이용한다.

$f(x) = x^2 + ax + b$로 놓으면
$$f(x)g(x) = \begin{cases} \dfrac{x^2 + ax + b}{\ln(x+1)} & (x \neq 0, \ x > -1) \\ 8b & (x = 0) \end{cases}$$
함수 $f(x)g(x)$가 $x=0$에서 연속이므로
$$\lim_{x \to 0} \frac{x^2 + ax + b}{\ln(x+1)} = 8b$$
( i ) $x \to 0$일 때, (분모)$\to 0$이므로 (분자)$\to 0$이어야 한다.
　　즉 $b = 0$
( ii ) $\lim_{x \to 0} \dfrac{x^2 + ax}{\ln(x+1)} = 0$에서
$$\lim_{x \to 0} \frac{x+a}{\dfrac{\ln(x+1)}{x}} = \frac{a}{1} = 0$$이므로 $a = 0$
( i ), ( ii )에서 $f(x) = x^2$
$$\therefore f(3) = 3^2 = 9 \qquad \text{답 ②}$$

**23** **Act①** 함수 $f(x)$가 $x=0$에서 미분가능하면 $f(x)$는 $x=0$에서

연속이고 $f'(0)$이 존재함을 이용한다.
함수 $f(x)$가 $x=0$에서 미분가능하므로 $x=0$에서 연속이다.
즉 $\lim_{x \to 0-} f(x) = \lim_{x \to 0+} f(x) = f(0)$이므로
$$f(0) = e^b = 1 \quad \therefore b = 0$$
$$\lim_{x \to 0+} \frac{f(x) - f(0)}{x - 0} = \lim_{x \to 0+} \frac{e^{ax} - 1}{x} = a$$
$$\lim_{x \to 0-} \frac{f(x) - f(0)}{x - 0} = 1$$
함수 $f(x)$는 $x=0$에서 미분가능하므로 $a = 1$
$$\therefore f(10) = e^{10}에서 \ k = 10 \qquad \text{답 10}$$

**24** **Act①** 함수 $f(x)$가 $x=2$에서 미분가능하면 $f(x)$는 $x=2$에서

연속이고 $f'(2)$가 존재함을 이용한다.
함수 $f(x)$가 $x=2$에서 미분가능하므로 $x=2$에서 연속이다.

즉 $\lim\limits_{x\to2-} f(x)=\lim\limits_{x\to2+} f(x)=f(2)$이므로

$a\cdot2^2+4=\ln b(2-1)$, $4a+4=\ln b$   $\cdots\cdots$㉠

$f'(x)=\begin{cases}2ax & (x<2) \\ \dfrac{1}{x-1} & (x>2)\end{cases}$

$\lim\limits_{x\to2-} f'(x)=\lim\limits_{x\to2-} 2ax=4a$

$\lim\limits_{x\to2+} f'(x)=\lim\limits_{x\to2+} \dfrac{1}{x-1}=1$

함수 $f(x)$는 $x=2$에서 미분가능하므로

$4a=1$ $\therefore a=\dfrac{1}{4}$

$a$의 값을 ㉠에 대입하면 $5=\ln b$ $\therefore b=e^5$

$\therefore ab=\dfrac{e^5}{4}$      답 ④

---

**VIT** **V**ery **I**mportant **T**est    pp. 36~37

**01.** ⑤   **02.** ①   **03.** ④   **04.** ①   **05.** ①

**06.** ③   **07.** ①   **08.** ③   **09.** ③   **10.** ③

**11.** 1   **12.** ②

## 01

$\lim\limits_{x\to\infty} (5^x-3^x)^{\frac{1}{x}}=\lim\limits_{x\to\infty} \left\{5^x\left(1-\dfrac{3^x}{5^x}\right)\right\}^{\frac{1}{x}}$

$\qquad = \lim\limits_{x\to\infty} (5^x)^{\frac{1}{x}}\times\left\{1-\left(\dfrac{3}{5}\right)^x\right\}^{\frac{1}{x}}$

$\qquad =5\times1=5$     답 ⑤

## 02

$\lim\limits_{x\to\infty} f(3x)=\lim\limits_{x\to\infty} \left(\dfrac{3x}{3x-1}\right)^{3x}$

$\qquad =\lim\limits_{x\to\infty} \left(1+\dfrac{1}{3x-1}\right)^{3x}$

$\qquad =\lim\limits_{x\to\infty} \left\{\left(1+\dfrac{1}{3x-1}\right)^{3x-1}\right\}^{\frac{3x}{3x-1}}$

$\qquad =e^1=e$     답 ①

## 03

$\lim\limits_{x\to0} \dfrac{e^{2x}-1}{x^2-x}=\lim\limits_{x\to0} \dfrac{e^{2x}-1}{x(x-1)}=\lim\limits_{x\to0} \dfrac{\frac{e^{2x}-1}{2x}}{\frac{x(x-1)}{2x}}$

$\qquad =\lim\limits_{x\to0} \dfrac{\frac{e^{2x}-1}{2x}}{\frac{x-1}{2}}=\dfrac{1}{-\frac{1}{2}}=-2$    답 ④

## 04

$\dfrac{x-1}{2}=t$로 치환하면 $x=2t+1$이고, $x\to1$일 때 $t\to0$이므로

$\lim\limits_{x\to1} \dfrac{e^{\frac{x-1}{2}}-x^2}{x-1}=a$

$\lim\limits_{t\to0} \dfrac{e^t-(2t+1)^2}{2t}=a$

$\lim\limits_{t\to0} \dfrac{e^t-1-4t-4t^2}{2t}=a$

$\dfrac{1}{2}\lim\limits_{t\to0} \dfrac{e^t-1}{t}-\lim\limits_{t\to0} (2+2t)=a$

$\dfrac{1}{2}\times1-2=a$ $\therefore a=-\dfrac{3}{2}$     답 ①

## 05

$\lim\limits_{x\to0} \dfrac{\ln(1+2x)+\ln(1-2x)}{x^2}$

$=\lim\limits_{x\to0} \dfrac{\ln(1-4x^2)}{x^2}$

$=\lim\limits_{x\to0} \dfrac{\ln(1-4x^2)}{-4x^2}\times(-4)$

$=-4$       답 ①

## 06

$\lim\limits_{x\to0} \dfrac{\ln(ax+1)}{x^3+2x}=2$에서

$\lim\limits_{x\to0} \dfrac{\ln(ax+1)}{ax}\times\dfrac{a}{x^2+2}=2$

$1\times\dfrac{a}{2}=2$ $\therefore a=4$

$\lim\limits_{x\to0} \dfrac{\ln(3x+1)}{ax}=\lim\limits_{x\to0} \dfrac{\ln(3x+1)}{4x}$

$\qquad\qquad =\lim\limits_{x\to0} \dfrac{\ln(3x+1)}{3x}\times\dfrac{3}{4}$

$\qquad\qquad =1\times\dfrac{3}{4}=\dfrac{3}{4}$     답 ③

## 07

$\lim\limits_{x\to0} \dfrac{(2a+3)^x-a^x}{x}=\lim\limits_{x\to0} \dfrac{\{(2a+3)^x-1\}-(a^x-1)}{x}$

$\qquad =\lim\limits_{x\to0} \dfrac{(2a+3)^x-1}{x}-\lim\limits_{x\to0} \dfrac{a^x-1}{x}$

$\qquad =\ln(2a+3)-\ln a=\ln\dfrac{2a+3}{a}$

$\ln\dfrac{2a+3}{a}=2\ln2=\ln4$에서

$\dfrac{2a+3}{a}=4$, $4a=2a+3$

$\therefore a=\dfrac{3}{2}$      답 ①

## 08

$f(0)=1$이고, $f'(x)=(e^x)'=e^x$이므로

$\lim\limits_{x\to0} \dfrac{f(x)-1}{x}=\lim\limits_{x\to0} \dfrac{f(x)-f(0)}{x-0}$

$\qquad\qquad =f'(0)=1$     답 ③

## 09

$f(x)=e^{-x}\ln x$에서

$$f'(x) = -e^{-x}\ln x + \frac{e^{-x}}{x}$$

$$\therefore f'(1) = \frac{1}{e}$$ 답 ③

## 10

$f(x) = x^3 \ln x^2 = 2x^3 \ln x$에서

$$f'(x) = 6x^2 \ln x + 2x^3 \times \frac{1}{x}$$
$$= 6x^2 \ln x + 2x^2$$

$$\therefore f'(e) = 6e^2 + 2e^2 = 8e^2$$ 답 ③

## 11

함수 $f(x)$가 $x=0$에서 연속이므로 $\lim_{x \to 0} f(x) = k$

$$\lim_{x \to 0} \frac{4x}{e^x + 3x - 1} = \lim_{x \to 0} \frac{4}{\frac{e^x - 1}{x} + 3} = \frac{4}{4} = 1$$이므로 $k=1$ 답 1

## 12

$g(x) = ax^2 + 1 \ (x \leq 1)$, $h(x) = \ln x + b \ (x \geq 1)$
라 하면 $x=1$에서 연속이므로
$g(1) = h(1)$에서 $a + 1 = b$ ……㉠
$g'(x) = 2ax$, $h'(x) = \frac{1}{x}$이고, $x=1$에서 미분가능하므로
$g'(1) = h'(1)$에서 $2a = 1$ ……㉡
㉠, ㉡에서 $a = \frac{1}{2}$, $b = \frac{3}{2}$

$$\therefore a + b = 2$$ 답 ②

# 04 삼각함수의 미분

pp. 38~39

| 01. ② | 02. ① | 03. ② | 04. ② | 05. 2 |
| 06. ⑤ | 07. ① | | | |

**01** $\tan 2\theta = \frac{2\tan\theta}{1 - \tan^2\theta} = \frac{1}{\frac{3}{4}} = \frac{4}{3}$ 답 ②

**02** 코사인함수의 덧셈정리에 의하여

$$\cos(\alpha + \beta) = \cos\alpha \cos\beta - \sin\alpha \sin\beta = \frac{5}{7}$$

$\cos\alpha \cos\beta = \frac{5}{7}$이므로

$$\frac{4}{7} - \sin\alpha \sin\beta = \frac{5}{7}$$

$$\therefore \sin\alpha \sin\beta = -\frac{1}{7}$$ 답 ①

**03** $\sin\alpha = \frac{3}{5}$이고 $0 < \alpha < \frac{\pi}{2}$일 때 $\cos\alpha > 0$이므로

$$\cos\alpha = \sqrt{1 - \sin^2\alpha} = \sqrt{1 - \left(\frac{3}{5}\right)^2} = \frac{4}{5},$$

$\cos\beta = \frac{\sqrt{5}}{5}$이고 $0 < \alpha < \frac{\pi}{2}$일 때 $\sin\beta > 0$이므로

$$\sin\beta = \sqrt{1 - \cos^2\beta} = \sqrt{1 - \left(\frac{\sqrt{5}}{5}\right)^2} = \frac{2\sqrt{5}}{5}$$

사인함수의 덧셈정리에 의하여

$$\sin(\beta - \alpha) = \sin\beta \cos\alpha - \cos\beta \sin\alpha$$
$$= \left(\frac{2\sqrt{5}}{5} \times \frac{4}{5}\right) - \left(\frac{\sqrt{5}}{5} \times \frac{3}{5}\right) = \frac{\sqrt{5}}{5}$$ 답 ②

**04** 두 직선 $y = 3x - 1$,
$y = \frac{1}{2} + 3$이 $x$축의 양의 방향과 이
루는 각의 크기를 각각 $\alpha$, $\beta$라 하면
$\tan\alpha = 3$, $\tan\beta = \frac{1}{2}$이다.

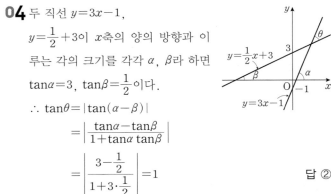

$$\therefore \tan\theta = |\tan(\alpha - \beta)|$$
$$= \left| \frac{\tan\alpha - \tan\beta}{1 + \tan\alpha \tan\beta} \right|$$
$$= \left| \frac{3 - \frac{1}{2}}{1 + 3 \cdot \frac{1}{2}} \right| = 1$$ 답 ②

**05** $\sin 2x = 2\sin x \cos x$이므로

$$\lim_{x \to \pi} \frac{\sin 2x}{\tan x} = \lim_{x \to \pi} \frac{2\sin x \cos x}{\frac{\sin x}{\cos x}} = \lim_{x \to \pi} 2\cos^2 x$$
$$= 2\cos^2 \pi = 2 \times (-1)^2 = 2$$ 답 2

**06** $\lim_{x \to 0} \frac{\sin 7x}{4x} = \lim_{x \to 0} \frac{\sin 7x}{7x} \times \frac{7x}{4x} = 1 \times \frac{7}{4} = \frac{7}{4}$ 답 ⑤

**07** $f'(x) = -\sin x$이므로 $f'\left(\frac{\pi}{2}\right) = -\sin\frac{\pi}{2} = -1$ 답 ①

| 유형따라잡기 | | | pp. 40~43 |

| 기출유형 01 ③ | 01. ③ | 02. 15 | 03. 11 | 04. ⑤ |
| 기출유형 02 2 | 05. ④ | 06. ⑤ | 07. 1 | 08. ④ |
| 기출유형 03 ① | 09. 2 | 10. 2 | 11. ① | 12. ③ |
| 기출유형 04 ③ | 13. ④ | 14. ③ | 15. 9 | 16. ② |

**기출유형 01**

**Act ①** 두 각의 합, 차에 대한 삼각함수의 값은 삼각함수의 덧셈
정리를 이용한다.

$\sin\alpha = \frac{1}{3}$이고, $0 < \alpha < \frac{\pi}{2}$일 때 $\cos\alpha > 0$이므로

$$\cos\alpha = \sqrt{1 - \sin^2} = \sqrt{1 - \left(\frac{1}{3}\right)^2} = \frac{2\sqrt{2}}{3}$$

$$\therefore \cos\left(\frac{\pi}{6} + \alpha\right) = \cos\frac{\pi}{6}\cos\alpha - \sin\frac{\pi}{6}\sin\alpha$$
$$= \frac{\sqrt{3}}{3} \times \frac{2\sqrt{2}}{3} - \frac{1}{2} \times \frac{1}{3} = \frac{2\sqrt{6} - 1}{6}$$ 답 ③

**01** Act① 두 각의 합, 차에 대한 삼각함수의 값은 삼각함수의 덧셈정리를 이용한다.

사인함수의 덧셈정리에 의하여

$2\sin\left(\theta-\dfrac{\pi}{6}\right)+\cos\theta$

$=2\left(\sin\theta\cos\dfrac{\pi}{6}-\cos\theta\sin\dfrac{\pi}{6}\right)+\cos\theta$

$=\sqrt{3}\sin\theta$

$=\sqrt{3}\times\dfrac{\sqrt{3}}{3}=1$　　　　　　　　　　답 ③

**02** Act① 두 각의 합, 차에 대한 삼각함수의 값은 삼각함수의 덧셈정리를 이용한다.

탄젠트함수의 덧셈정리에 의하여

$\tan(\alpha-\beta)=\dfrac{\tan\alpha-\tan\beta}{1+\tan\alpha\tan\beta}=\dfrac{7}{8}$

$\tan\beta=1$이므로

$\dfrac{\tan\alpha-1}{1+\tan\alpha}=\dfrac{7}{8}$

$8(\tan\alpha-1)=7(1+\tan\alpha)$

$\therefore \tan\alpha=15$　　　　　　　　　　답 15

**03** Act① 두 각의 합, 차에 대한 삼각함수의 값은 삼각함수의 덧셈정리를 이용한다.

탄젠트함수의 덧셈정리에 의하여

$\tan(\alpha+\beta)=\dfrac{\tan\alpha+\tan\beta}{1-\tan\alpha\tan\beta}$

$=\dfrac{4+(-2)}{1-4\times(-2)}=\dfrac{2}{9}$

$p=9$, $q=2$이므로 $p+q=11$　　　　　　답 11

**04** Act① 두 각의 합, 차에 대한 삼각함수의 값은 삼각함수의 덧셈정리를 이용한다.

$0<\alpha<\dfrac{\pi}{2}$이고 $\sin\alpha=\dfrac{1}{3}$이므로

$\cos\alpha=\sqrt{1-\sin^2\alpha}=\sqrt{1-\dfrac{1}{9}}=\dfrac{2\sqrt{2}}{3}$

또, $\dfrac{\pi}{2}<\beta<\pi$이고 $\cos\beta=-\dfrac{1}{2}$이므로

$\sin\beta=\sqrt{1-\cos^2\beta}=\sqrt{1-\dfrac{1}{4}}=\dfrac{\sqrt{3}}{2}$

$\therefore \cos(\alpha+\beta)=\cos\alpha\cos\beta-\sin\alpha\sin\beta$

$=\dfrac{2\sqrt{2}}{3}\times\left(-\dfrac{1}{2}\right)-\dfrac{1}{3}\times\dfrac{\sqrt{3}}{2}$

$=\dfrac{-2\sqrt{2}-\sqrt{3}}{6}$　　　　　　답 ⑤

기출유형 02

Act① 두 직선이 이루는 예각에 대한 탄젠트함수의 값은

$|\tan(\alpha-\beta)|=\left|\dfrac{\tan\alpha-\tan\beta}{1+\tan\alpha\tan\beta}\right|$를 이용하여 구한다.

두 직선 $y=-3x+1$, $y=x+3$이 $x$축의 양의 방향과 이루는 각의 크기를 각각 $\alpha$, $\beta$라 하면 $\tan\alpha=-3$, $\tan\beta=1$ 이다.

$\therefore \tan\theta=|\tan(\alpha-\beta)|$

$=\left|\dfrac{\tan\alpha-\tan\beta}{1+\tan\alpha\tan\beta}\right|$

$=\left|\dfrac{-3-1}{1+(-3)\cdot1}\right|=2$　　　　　　답 2

**05** Act① 두 직선이 이루는 예각에 대한 탄젠트함수의 값은

$|\tan(\alpha-\beta)|=\left|\dfrac{\tan\alpha-\tan\beta}{1+\tan\alpha\tan\beta}\right|$를 이용하여 구한다.

두 직선 $y=x$, $y=-2x$가 $x$축의 양의 방향과 이루는 각의 크기를 각각 $\alpha$, $\beta$라 하면 $\tan\alpha=1$, $\tan\beta=-2$이다.

$\therefore \tan\theta=|\tan(\alpha-\beta)|$

$=\left|\dfrac{\tan\alpha-\tan\beta}{1+\tan\alpha\tan\beta}\right|$

$=\left|\dfrac{1-(-2)}{1+1\times(-2)}\right|=3$　　　　　答 ④

**06** Act① 두 직선이 이루는 예각에 대한 탄젠트함수의 값은

$|\tan(\alpha-\beta)|=\left|\dfrac{\tan\alpha-\tan\beta}{1+\tan\alpha\tan\beta}\right|$를 이용하여 구한다.

두 직선 $x-4y+2=0$, $3x-y+5=0$이 $x$축의 양의 방향과 이루는 각의 크기를 각각 $\alpha$, $\beta$라 하면 $\tan\alpha=\dfrac{1}{4}$, $\tan\beta=3$이다.

$\tan\theta=|\tan(\alpha-\beta)|$

$=\left|\dfrac{\tan\alpha-\tan\beta}{1+\tan\alpha\tan\beta}\right|$

$=\left|\dfrac{\dfrac{1}{4}-3}{1+\dfrac{1}{4}\times3}\right|=\left|\dfrac{-11}{7}\right|=\dfrac{11}{7}$　　답 ⑤

**07** Act① 두 직선이 이루는 예각에 대한 탄젠트함수의 값은

$|\tan(\alpha-\beta)|=\left|\dfrac{\tan\alpha-\tan\beta}{1+\tan\alpha\tan\beta}\right|$를 이용하여 구한다.

두 직선 $2x-y+1=0$, $x-3y+3=0$이 $x$축의 양의 방향과 이루는 각의 크기를 각각 $\alpha$, $\beta$라 하면 $\tan\alpha=2$, $\tan\beta=\dfrac{1}{3}$이다.

$\tan\theta=|\tan(\alpha-\beta)|$

$=\left|\dfrac{\tan\alpha-\tan\beta}{1+\tan\alpha\tan\beta}\right|$

$=\left|\dfrac{2-\dfrac{1}{3}}{1+2\times\dfrac{1}{3}}\right|=\dfrac{5}{5}=1$　　　　답 1

**08** Act① 두 직선이 이루는 예각에 대한 탄젠트함수의 값은

$|\tan(\alpha-\beta)|=\left|\dfrac{\tan\alpha-\tan\beta}{1+\tan\alpha\tan\beta}\right|$를 이용하여 구한다.

두 직선 $x-y-1=0$, $ax-y+1=0$이 $x$축의 양의 방향과 이루는 각의 크기를 각각 $\alpha$, $\beta$라 하면 $\tan\alpha=1$, $\tan\beta=a$이다.

$\therefore \tan\theta=|\tan(\alpha-\beta)|$

$$= \left| \frac{\tan\alpha - \tan\beta}{1 + \tan\alpha\,\tan\beta} \right|$$
$$= \left| \frac{1-a}{1+a} \right|$$
$$= \frac{1}{6}$$

이때 $a>1$이므로

$$\frac{a-1}{1+a}=\frac{1}{6}$$
$$6a-6=1+a$$
$$\therefore a=\frac{7}{5}$$  답 ④

**기출유형 03**

**Act①** 주어진 식을 $\lim\limits_{\star \to 0} \dfrac{\sin\star}{\star}$ 꼴로 변형하여 계산한다.

$$\lim_{x \to 0}\frac{\cos^2 x - 1}{x^2} = \lim_{x \to 0}\frac{(1-\sin^2 x)-1}{x^2}$$
$$= \lim_{x \to 0}\frac{-\sin^2 x}{x^2} = -\lim_{x \to 0}\frac{\sin^2 x}{x^2} = -1 \quad \text{답 ①}$$

**09** **Act①** 삼각함수의 여러 가지 공식을 이용하여 주어진 식을 간단히 한다.

$$\lim_{x \to 0}\frac{\sin^2 x}{1-\cos x} = \lim_{x \to 0}\frac{(1-\cos x)(1+\cos x)}{1-\cos x}$$
$$= \lim_{x \to 0}(1+\cos x)=2 \quad \text{답 2}$$

**10** **Act①** 주어진 식을 $\lim\limits_{\star \to 0} \dfrac{\sin\star}{\star}$ 꼴로 변형하여 계산한다.

$$\lim_{x \to 0}\frac{\sin 2x}{x\cos x} = \lim_{x \to 0}\left(\frac{\sin 2x}{2x} \times \frac{2}{\cos x}\right)=2 \quad \text{답 2}$$

**11** **Act①** 주어진 식을 $\lim\limits_{\blacktriangle \to 0} \dfrac{\tan\blacktriangle}{\blacktriangle}$ 꼴로 변형하여 계산한다.

$$\lim_{x \to 0}\frac{\tan x}{xe^x} = \lim_{x \to 0}\left(\frac{\tan x}{x} \times \frac{1}{e^x}\right)=1 \times 1 = 1 \quad \text{답 ①}$$

**12** **Act①** 주어진 식을 $\lim\limits_{\bullet \to 0} \dfrac{\ln(1+\bullet)}{\bullet}$, $\lim\limits_{\star \to 0} \dfrac{\sin\star}{\star}$ 꼴로 변형하여 계산한다.

$$\lim_{x \to 0}\frac{\ln(1+5x)}{\sin 3x} = \lim_{x \to 0}\left\{\frac{\ln(1+5x)}{5x} \times \frac{3x}{\sin 3x} \times \frac{5}{3}\right\}$$
$$= \frac{5}{3} \times \lim_{x \to 0}\frac{\ln(1+5x)}{5x} \times \lim_{x \to 0}\frac{3x}{\sin 3x}$$
$$= \frac{5}{3} \times 1 \times 1$$
$$= \frac{5}{3} \quad \text{답 ③}$$

**기출유형 04**

**Act①** $y=\sin x$이면 $y'=\cos x$ 임을 이용한다.

$f'(x)=\cos x - 4$이므로
$f'(0)=1-4=-3$  답 ③

**13** **Act①** $y=\sin x$이면 $y'=\cos x$ 임을 이용한다.

$f'(x)=\cos x$이므로
$$f'\left(\frac{\pi}{3}\right)=\frac{1}{2} \quad \text{답 ④}$$

**14** **Act①** $y=\sin x$이면 $y'=\cos x$ 임을 이용한다.

$f(x)=x+2\sin x$에서
$f'(x)=1+2\cos x$이므로
$$f'\left(\frac{\pi}{3}\right)=1+2\cos\frac{\pi}{3}$$
$$=1+2\times\frac{1}{2}$$
$$=2 \quad \text{답 ③}$$

**15** **Act①** $y=\sin x$이면 $y'=\cos x$, $y=\cos x$이면 $y'=-\sin x$임을 이용한다.

$$\lim_{x \to 0}\frac{f(\pi+3h)-f(\pi)}{h}=3 \times \lim_{x \to 0}\frac{f(\pi+3h)-f(\pi)}{3h}$$
$$=3f'(\pi)$$
$f'(x)=-\sin x - 3\cos x$이므로 $f'(\pi)=3$
$$\therefore 3f'(\pi)=9 \quad \text{답 9}$$

**16** **Act①** $y=\sin x$이면 $y'=\cos x$, $y=\cos x$이면 $y'=-\sin x$임을 이용한다.

$f(x)=\sin x+a\cos x$에서
$$f\left(\frac{\pi}{2}\right)=\sin\frac{\pi}{2}+a\cos\frac{\pi}{2}=1$$이므로

$$\lim_{x \to \frac{\pi}{2}}\frac{f(x)-1}{x-\frac{\pi}{2}} = \lim_{x \to \frac{\pi}{2}}\frac{f(x)-f\left(\frac{\pi}{2}\right)}{x-\frac{\pi}{2}}=f'\left(\frac{\pi}{2}\right)$$

$f'(x)=\cos x - a\sin x$에서
$$f'\left(\frac{\pi}{2}\right)=\cos\frac{\pi}{2}-a\sin\frac{\pi}{2}=-a=3$$
따라서 $a=-3$이므로 $f(x)=\sin x - 3\cos x$
$$f\left(\frac{\pi}{4}\right)=\sin\frac{\pi}{4}-3\cos\frac{\pi}{4}$$
$$=\frac{\sqrt{2}}{2}-3 \times \frac{\sqrt{2}}{2}=-\sqrt{2} \quad \text{답 ②}$$

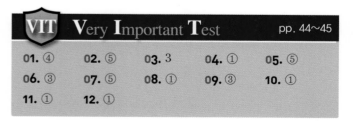

**VIT** **V**ery **I**mportant **T**est  pp. 44~45

| 01. ④ | 02. ⑤ | 03. 3 | 04. ① | 05. ⑤ |
| 06. ③ | 07. ⑤ | 08. ① | 09. ③ | 10. ① |
| 11. ① | 12. ① | | | |

**01**

$0<\alpha<\dfrac{\pi}{2}$ 이고 $\sin\alpha=\dfrac{1}{2}$ 이므로

$$\cos\alpha=\sqrt{1-\sin^2\alpha}=\sqrt{1-\left(\frac{1}{2}\right)^2}=\frac{\sqrt{3}}{2}$$

또, $\dfrac{\pi}{2}<\beta<\pi$이고 $\cos\beta=-\dfrac{1}{3}$이므로

$$\sin\beta=\sqrt{1-\cos^2\beta}=\sqrt{1-\left(-\frac{1}{3}\right)^2}=\frac{2\sqrt{2}}{3}$$

$$\therefore\ \sin(\alpha+\beta)=\sin\alpha\cos\beta+\cos\alpha\sin\beta$$

$$=\frac{1}{2}\times\left(-\frac{1}{3}\right)+\frac{\sqrt{3}}{2}\times\frac{2\sqrt{2}}{3}$$

$$=\frac{-1+2\sqrt{6}}{6}$$

답 ④

## 02

$0<\alpha<\dfrac{\pi}{2}$, $\dfrac{3}{2}\pi<\beta<2\pi$에서

$\cos\alpha>0$, $\sin\beta<0$이므로

$$\cos\alpha=\sqrt{1-\sin^2\alpha}=\sqrt{1-\left(\frac{3}{5}\right)^2}=\frac{4}{5}$$

$$\sin\beta=-\sqrt{1-\cos^2\beta}$$

$$=-\sqrt{1-\left(\frac{4}{5}\right)^2}=-\frac{3}{5}$$

$$\therefore\ \cos(\alpha+\beta)=\cos\alpha\cos\beta-\sin\alpha\sin\beta$$

$$=\frac{4}{5}\times\frac{4}{5}-\frac{3}{5}\times\left(-\frac{3}{5}\right)$$

$$=1$$

답 ⑤

## 03

이차방정식 $2x^2-3x+1=0$의 두 근이 $\tan\alpha$, $\tan\beta$이므로 근과 계수의 관계에 의하여

$$\tan\alpha+\tan\beta=\frac{3}{2},\ \tan\alpha\tan\beta=\frac{1}{2}$$

$$\therefore\ \tan(\alpha+\beta)=\frac{\tan\alpha+\tan\beta}{1-\tan\alpha\tan\beta}=\frac{\frac{3}{2}}{1-\frac{1}{2}}=3$$

답 3

## 04

직선 $y=3x$와 $x$축의 양의 방향이 이루는 각의 크기를 $\alpha$, 직선 $y=\dfrac{1}{3}x$와 $x$축의 양의 방향이 이루는 각의 크기를 $\beta$라 하면

$$\tan\alpha=3,\ \tan\beta=\frac{1}{3}$$

$\angle\mathrm{AOB}=\theta$라 하면 $\theta=\alpha-\beta$이므로

$$\tan\theta=\tan(\alpha-\beta)$$

$$=\frac{\tan\alpha-\tan\beta}{1+\tan\alpha\tan\beta}=\frac{3-\frac{1}{3}}{1+3\times\frac{1}{3}}=\frac{4}{3}$$

따라서 $\overline{\mathrm{OB}}=3k$, $\overline{\mathrm{AB}}=4k$ $(k>0)$라 하면

$\triangle\mathrm{AOB}$에서 $(3k)^2+(4k)^2=2^2$

$$k^2=\frac{4}{25},\ k=\frac{2}{5}\ (\because\ k>0)$$

$$\therefore\ \overline{\mathrm{AB}}=4k=4\times\frac{2}{5}=\frac{8}{5}$$

답 ①

## 05

① $-1\le\sin x\le1$에서 양수 $x$에 대하여

$$-\frac{1}{x}\le\frac{\sin x}{x}\le\frac{1}{x}$$

$$\lim_{x\to\infty}\left(-\frac{1}{x}\right)=\lim_{x\to\infty}\frac{1}{x}=0$$이므로

$$\lim_{x\to\infty}\frac{\sin x}{x}=0$$

② $\dfrac{1}{x}=t$로 놓으면 $x\to\infty$일 때 $t\to0$이므로

$$\lim_{x\to\infty}x\sin\frac{1}{x}=\lim_{t\to0}\frac{\sin t}{t}=1$$

③ $\lim_{x\to0}x\sin\dfrac{1}{x}=0$

④ $\lim_{x\to0}x\sin x=0$

⑤ $\lim_{x\to\infty}x\sin x$는 발산한다.

따라서 극한값이 존재하지 않는 것은 ⑤이다.

답 ⑤

## 06

$$\lim_{x\to0}\frac{2\cos^2x-\cos x-1}{x^2}$$

$$=\lim_{x\to0}\frac{(2\cos x+1)(\cos x-1)}{x^2}$$

$$=\lim_{x\to0}\frac{(2\cos x+1)(-\sin^2x)}{x^2(\cos x+1)}$$

$$=\lim_{x\to0}\frac{2\cos x+1}{\cos x+1}\times\left\{-\left(\frac{\sin x}{x}\right)^2\right\}$$

$$=\frac{2+1}{1+1}\times(-1^2)=-\frac{3}{2}$$

답 ③

## 07

$x-\pi=t$로 치환하면 $x=\pi+t$이고,

$x\to\pi$일 때 $t\to0$이므로

$$\lim_{x\to\pi}\frac{1+\cos x}{(x-\pi)\sin x}$$

$$=\lim_{t\to0}\frac{1+\cos(\pi+t)}{t\sin(\pi+t)}$$

$$=\lim_{t\to0}\frac{1-\cos t}{-t\sin t}$$

$$=\lim_{t\to0}\frac{\sin^2t}{-t\sin t(1+\cos t)}$$

$$=-\lim_{t\to0}\frac{\sin t}{t}\times\frac{1}{1+\cos t}$$

$$=-\left(1\times\frac{1}{2}\right)=-\frac{1}{2}$$

답 ⑤

## 08

$\lim_{x\to0}\dfrac{\sin2x}{\sqrt{ax+b}-1}=3$에서 $x\to0$일 때 (분자)$\to0$이고 극한값이 $0$이 아니므로 (분모)$\to0$이다.

즉 $\lim_{x\to0}(\sqrt{ax+b}-1)=\sqrt{b}-1=0$에서 $b=1$

$$\therefore\ \lim_{x\to0}\frac{\sin2x}{\sqrt{ax+b}-1}=\lim_{x\to0}\frac{\sin2x}{\sqrt{ax+1}-1}$$

$$=\lim_{x\to0}\frac{\sin2x\times(\sqrt{ax+1}+1)}{(\sqrt{ax+1}-1)(\sqrt{ax+1}+1)}$$

$$=\lim_{x\to0}\frac{\sin2x\times(\sqrt{ax+1}+1)}{ax}$$

$$= \lim_{x \to 0} \left\{ \frac{\sin 2x}{2x} \times \frac{2(\sqrt{ax+1}+1)}{a} \right\}$$

$$= 1 \times \frac{4}{a} = 3$$

따라서 $a = \frac{4}{3}$ 이므로

$$a + b = \frac{4}{3} + 1 = \frac{7}{3}$$  답 ①

## 09

$f(x) = \sin^2 x = \sin x \sin x$ 에서

$f'(x) = (\sin x)' \sin x + \sin x (\sin x)'$

$\qquad = 2 \sin x \cos x$

$\therefore f'\left(\frac{\pi}{6}\right) = 2 \times \frac{1}{2} \times \frac{\sqrt{3}}{2} = \frac{\sqrt{3}}{2}$  답 ③

## 10

$$\lim_{h \to 0} \frac{f(\pi+h) - f(\pi-h)}{h}$$

$$= \lim_{h \to 0} \frac{f(\pi+h) - f(\pi) - f(\pi-h) + f(\pi)}{h}$$

$$= \lim_{h \to 0} \frac{f(\pi+h) - f(\pi)}{h} + \lim_{h \to 0} \frac{f(\pi-h) - f(\pi)}{-h}$$

$$= f'(\pi) + f'(\pi) = 2f'(\pi)$$

$f'(x) = \cos x - x \sin x$ 이므로

$2f'(\pi) = 2(\cos \pi - \pi \sin \pi) = -2$  답 ①

## 11

$$f(x) = \lim_{h \to 0} \frac{x \sin(x+h) - x \sin x}{h}$$

$$= x \lim_{h \to 0} \frac{\sin(x+h) - \sin x}{h}$$

$$= x (\sin x)' = x \cos x$$

이므로 $f'(x) = \cos x - x \sin x$

$\therefore f'\left(\frac{\pi}{2}\right) = \cos \frac{\pi}{2} - \frac{\pi}{2} \times \sin \frac{\pi}{2} = -\frac{\pi}{2}$  답 ①

## 12

$x=1$ 에서 연속이므로

$$\lim_{x \to 1-} (ae^{x-1} + 2x) = a + 2$$

$$\lim_{x \to 1+} (b \ln x + \sin \pi x - 3) = -3$$ 에서

$a + 2 = -3$ 이므로 $a = -5$

한편,

$$f'(x) = \begin{cases} -5e^{x-1} + 2 & (x < 1) \\ \dfrac{b}{x} + \pi \cos \pi x & (x > 1) \end{cases}$$

이고 $x=1$ 에서 미분가능하므로

$$\lim_{x \to 1-} f'(x) = (-5) + 2 = -3$$

$$\lim_{x \to 1+} f'(x) = b - \pi$$

$b - \pi = -3$ 이어야 하므로 $b = \pi - 3$

$\therefore a + b = (-5) + (\pi - 3) = \pi - 8$  답 ①

# 05 여러 가지 미분법

pp. 46~48

| 01. 54 | 02. 49 | 03. ④ | 04. 3 | 05. 48 |
|--------|--------|-------|-------|--------|
| 06. 6 | 07. 4 | 08. 12 | 09. ① | |

## 01

$f'(x) = -\left\{ -\dfrac{(x^2)'}{(x^2)^2} \right\} = \dfrac{2x}{x^4} = \dfrac{2}{x^3}$ 이므로 $f'\left(\dfrac{1}{3}\right) = 54$  답 54

## 02

$\sec \theta = \dfrac{1}{\cos \theta}$ 이므로 $\sec^2 \theta = \dfrac{1}{\cos^2 \theta} = 49$  답 49

## 03

삼각함수 사이의 관계에서

$\sec^2 \theta = 1 + \tan^2 \theta = 1 + (-3)^2 = 10$  답 ④

## 04

$h'(x) = 3(x^3 - 2x)^2 \times (x^3 - 2x)' = 3(x^3 - 2x)^2 (3x^2 - 2)$

$\therefore h'(1) = 3 \times (-1)^2 \times 1 = 3$  답 3

## 05

$f'(x) = 6 \sec^2 2x \times (2x)' = 12 \sec^2 2x$

$\therefore f'\left(\dfrac{\pi}{6}\right) = 12 \sec^2 \dfrac{\pi}{3} = 12 \times 4 = 48$  답 48

## 06

$\dfrac{dx}{dt} = 2t$, $\dfrac{dy}{dt} = 2t^2 + 10$ 이므로

$$\frac{dy}{dx} = \frac{\dfrac{dy}{dt}}{\dfrac{dx}{dt}} = \frac{2t^2 + 10}{2t}$$

따라서 $t=1$ 일 때, $\dfrac{dy}{dx}$ 의 값은 $\dfrac{12}{2} = 6$  답 6

## 07

$5x + xy + y^2 = 5$ 의 양변을 $x$ 에 대하여 미분하면

$$5 + y + x \frac{dy}{dx} + 2y \frac{dy}{dx} = 0$$

$\therefore \dfrac{dy}{dx} = -\dfrac{y+5}{x+2y}$ (단, $x + 2y \neq 0$)

따라서 점 $(1, -1)$ 에서의 접선의 기울기는

$-\dfrac{(-1)+5}{1+2\times(-1)} = 4$  답 4

## 08

$f(0) = 1$ 이므로 $g(1) = 0$

$f'(x) = 3x^2 + 2$ 이므로 $f'(0) = 2$

$f'(0)g'(1) = 1$ 에서

$g'(1) = \dfrac{1}{f'(0)} = \dfrac{1}{2}$

$\therefore 24g'(1) = 12$  답 12

## 09

$f(x) = x \cos x$ 에서

$f'(x) = \cos x - x \sin x$

$f''(x) = -\sin x - \sin x - x \cos x$

$\qquad = -2 \sin x - x \cos x$

$\therefore f''\left(\dfrac{\pi}{2}\right) = -2$  답 ①

### 기출유형 01

**Act❶** 두 함수 $f(x)$, $g(x)$ $(g(x) \neq 0)$가 미분가능할 때,

$\left\{ \dfrac{f(x)}{g(x)} \right\}' = \dfrac{f'(x)g(x) - f(x)g'(x)}{\{g(x)\}^2}$임을 이용한다.

$f'(x) = \dfrac{1 \cdot (x^2 - 1) - x \cdot 2x}{(x^2 - 1)^2}$

$= -\dfrac{x^2 + 1}{(x^2 - 1)^2}$이므로 $f'(0) = -1$     답 ②

**01** **Act❶** 함수 $g(x)$ $(g(x) \neq 0)$가 미분가능할 때,

$\left\{ \dfrac{1}{g(x)} \right\}' = -\dfrac{g'(x)}{\{g(x)^2\}}$임을 이용한다.

$f'(x) = 8 - \left( -\dfrac{4}{x^2} \right) = 8 + \dfrac{4}{x^2}$이므로

$f'(1) = 8 + \dfrac{4}{1} = 12$     답 12

**02** **Act❶** 두 함수 $f(x)$, $g(x)$ $(g(x) \neq 0)$가 미분가능할 때,

$\left\{ \dfrac{f(x)}{g(x)} \right\}' = \dfrac{f'(x)g(x) - f(x)g'(x)}{\{g(x)\}^2}$임을 이용한다.

$f'(x) = \dfrac{e^x \cdot x - e^x \cdot 1}{x^2} = \dfrac{(x-1)e^x}{x^2}$

이므로

$f'(2) = \dfrac{(2-1)e^2}{2^2} = \dfrac{e^2}{4}$     답 ①

**03** **Act❶** 두 함수 $f(x)$, $g(x)$ $(g(x) \neq 0)$가 미분가능할 때,

$\left\{ \dfrac{f(x)}{g(x)} \right\}' = \dfrac{f'(x)g(x) - f(x)g'(x)}{\{g(x)\}^2}$임을 이용한다.

$f'(x) = \left( \dfrac{\ln x}{x} \right)' = \dfrac{\frac{1}{x} \times x - \ln x}{x^2} = \dfrac{1 - \ln x}{x^2}$

이므로

$f'(1) = \dfrac{1-0}{1} = 1$     답 ④

**04** **Act❶** 두 함수 $f(x)$, $g(x)$ $(g(x) \neq 0)$가 미분가능할 때,

$\left\{ \dfrac{f(x)}{g(x)} \right\}' = \dfrac{f'(x)g(x) - f(x)g'(x)}{\{g(x)\}^2}$임을 이용한다.

$f'(x) = \dfrac{(x^2 + x + 8) - x(2x + 1)}{(x^2 + x + 8)^2} = \dfrac{-x^2 + 8}{(x^2 + x + 8)^2} > 0$

$(x^2 + x + 8)^2 > 0$이므로

$-x^2 + 8 > 0$

$-2\sqrt{2} < x < 2\sqrt{2}$

$\therefore \alpha = -2\sqrt{2}, \ \beta = 2\sqrt{2}$

따라서 $\alpha^2 + \beta^2 = 16$     답 16

### 기출유형 02

**Act❶** $\tan\theta + \cot\theta = \dfrac{\sin\theta}{\cos\theta} + \dfrac{\cos\theta}{\sin\theta} = \dfrac{1}{\sin\theta\cos\theta}$이므로 주

어진 식의 양변을 제곱하여 $\sin\theta\cos\theta$의 값을 구한다.

$(\sin\theta - \cos\theta)^2 = \sin^2\theta - 2\sin\theta\cos\theta + \cos^2\theta$

$= 1 - 2\sin\theta\cos\theta = \dfrac{3}{4}$

이므로 $\sin\theta\cos\theta = \dfrac{1}{8}$

$\therefore \tan\theta + \cot\theta = \dfrac{\sin\theta}{\cos\theta} + \dfrac{\cos\theta}{\sin\theta}$

$= \dfrac{1}{\sin\theta\cos\theta} = 8$     답 ③

**05** **Act❶** 삼각함수의 관계 $1 + \tan^2\theta = \sec^2\theta$를 이용한다.

$\sec^2\theta = 1 + \tan^2\theta = 1 + 5^2 = 26$     답 26

**06** **Act❶** $\sec^2\theta + \csc^2\theta$를 간단히 한 후

$\tan\theta + \cot\theta = \dfrac{\sin\theta}{\cos\theta} + \dfrac{\cos\theta}{\sin\theta} = \dfrac{1}{\sin\theta\cos\theta} =$임을 이용한다.

$\sec^2\theta + \csc^2\theta = \dfrac{1}{\cos^2\theta} + \dfrac{1}{\sin^2\theta} = \dfrac{\sin^2\theta + \cos^2\theta}{\cos^2\theta\sin^2\theta}$

$= \dfrac{1}{(\cos\theta\sin\theta)^2}$

이때 $\tan\theta + \cot\theta = 6$에서

$\dfrac{\sin\theta}{\cos\theta} + \dfrac{\cos\theta}{\sin\theta} = 6$, $\dfrac{\sin^2\theta + \cos^2\theta}{\sin\theta\cos\theta} = 6$

$\therefore \dfrac{1}{\cos\theta\sin\theta} = 6$

$\therefore \dfrac{1}{(\cos\theta\sin\theta)^2} = 6^2 = 36$     답 36

**07** **Act❶** $(\tan x)' = \sec^2 x$, $(\cot x)' = -\csc^2 x$임을 이용한다.

$f'(x) = \sec^2 x - (-\csc^2 x)$

$= \sec^2 x + \csc^2 x$

$\therefore f'\left( \dfrac{\pi}{3} \right) = 2^2 + \left( \dfrac{2}{\sqrt{3}} \right)^2 = \dfrac{16}{3}$     답 ④

**08** **Act❶** 주어진 함수를 간단히 한 후 $(\tan x)' = \sec^2 x$, $(\sec x)' = \sec x \tan x$임을 이용한다.

$f(x) = \dfrac{1 - \csc x}{\cot x} = \dfrac{1}{\cot x} - \dfrac{\csc x}{\cot x} = \tan x - \sec x$이므로

$f'(x) = \sec^2 x - \sec x \tan x = \sec x(\sec x - \tan x)$

$$\therefore f'\left(\frac{\pi}{4}\right)=\sec\left(\frac{\pi}{4}\right)\left(\sec\frac{\pi}{4}-\tan\frac{\pi}{4}\right)$$
$$=\frac{1}{\cos\frac{\pi}{4}}\left(\frac{1}{\cos\frac{\pi}{4}}-\tan\frac{\pi}{4}\right)$$
$$=\sqrt{2}(\sqrt{2}-1)=2-\sqrt{2}$$
답 ②

### 기출유형 03

**Act①** 합성함수 $y=f(g(x))$의 도함수는 $y'=f'(g(x))g'(x)$임을 이용한다.

$f(x)=(2e^x+1)^3$이므로

$f'(x)=3(2e^x+1)^2\times(2e^x+1)'=3(2e^x+1)^2\times2e^x$

$\therefore f'(0)=3(2e^0+1)^2\times2e^0$
$=3\times3^2\times2=54$

답 ③

**09** **Act①** 합성함수 $y=f(g(x))$의 도함수는 $y'=f'(g(x))g'(x)$임을 이용한다.

$f(x)=4\sin7x$이므로

$f'(x)=4\cos7x\times7=28\cos7x$

$\therefore f'(2\pi)=28\cos(14\pi)=28$

답 28

**10** **Act①** 합성함수 $y=f(g(x))$의 도함수는 $y'=f'(g(x))g'(x)$임을 이용한다.

$f(x^3)=2x^3-x^2+32x$의 양변을 미분하면

$f'(x^3)\times3x^2=6x^2-2x+32$

$x=1$을 대입하면

$f'(1)\times3=36$

$\therefore f'(1)=12$

답 12

**11** **Act①** 합성함수 $y=f(g(x))$의 도함수는 $y'=f'(g(x))g'(x)$임을 이용한다.

$f(2x+1)=(x^2+1)^2$의 양변을 $x$에 대하여 미분하면

$f'(2x+1)\times2=2(x^2+1)\times2x$

$x=1$을 대입하면

$2f'(3)=2\times2\times2$

$\therefore f'(3)=4$

답 ④

**12** **Act①** 합성함수 $g(x)=f(f(x))$의 도함수는 $g'(x)=f'(f(x))f'(x)$임을 이용한다.

$g(x)=f(f(x))$이므로

$g'(x)=f'(f(x))f'(x)$

$x=\pi$를 대입하면

$g'(\pi)=f'(f(\pi))f'(\pi)$

이때 $f(x)=\dfrac{x}{2}+2\sin x$에서 $f'(x)=\dfrac{1}{2}+2\cos x$이므로

$f(\pi)=\dfrac{\pi}{2}$, $f'\left(\dfrac{\pi}{2}\right)=\dfrac{1}{2}$, $f'(\pi)=-\dfrac{3}{2}$

$\therefore g'(\pi)=f'(f(\pi))f'(\pi)=f'\left(\dfrac{\pi}{2}\right)\times f'(\pi)$
$=\dfrac{1}{2}\times\left(-\dfrac{3}{2}\right)=-\dfrac{3}{4}$

답 ③

### 기출유형 04

**Act①** $f(x)$가 미분가능할 때, $\{e^{f(x)}\}'=e^{f(x)}f'(x)$임을 이용한다.

$f'(x)=(e^{3x-2})'=e^{3x-2}\times(3x-2)'=3e^{3x-2}$

$\therefore f'(1)=3e$

답 ③

**13** **Act①** $f(x)$가 미분가능할 때, $\{e^{f(x)}\}'=e^{f(x)}f'(x)$임을 이용한다.

$f'(x)=4e^{3x-3}\times(3x-3)'=12e^{3x-3}$

$\therefore f'(1)=12e^0=12$

답 12

**14** **Act①** $f(x)$가 미분가능할 때, $\{e^{f(x)}\}'=e^{f(x)}f'(x)$임을 이용한다.

$f'(x)=5e^{3x-3}\times(3x-3)'=5e^{3x-3}\times3=15e^{3x-3}$

$\therefore f'(1)=15e^0=15$

답 15

**15** **Act①** $f(x)$가 미분가능할 때, $\{a^{f(x)}\}'=a^{f(x)}\ln a\times f'(x)$임을 이용한다.

$f(x)=2^{2x-3}+1$이라 하면

$f'(x)=(2^{2x-3})'+(1)'$
$=2^{2x-3}\ln2\times(2x-3)'$
$=2\ln2\times2^{2x-3}$

따라서 곡선 $y=2^{2x-3}+1$ 위의 점 $\left(1,\ \dfrac{3}{2}\right)$에서의 접선의 기울기는

$f'(1)=2\ln2\times2^{-1}=\ln2$

답 ②

**16** **Act①** $f(x)$가 미분가능할 때, $\{e^{f(x)}\}'=e^{f(x)}f'(x)$임을 이용한다.

$h(x)=(f\circ g)(x)$에서 $h'(x)=f'(g(x))g'(x)$이므로

$h'(0)=f'(g(0))g'(0)$

두 함수 $f(x)=kx^2-2x$, $g(x)=e^{3x}+1$에서

$f'(x)=2kx-2$, $g'(x)=3e^{3x}$

$g(0)=2$, $f'(2)=4k-2$, $g'(0)=3$

이때 $h'(0)=42$에서

$h'(0)=f'(g(0))g'(0)=f'(2)\times3=(4k-2)\times3=42$

$4k-2=14$   $\therefore k=4$

답 4

### 기출유형 05

**Act①** 함수 $f(x)$가 미분가능하고 $f(x)\neq0$일 때,

$(\log_a|f(x)|)'=\left(\dfrac{\ln|f(x)|}{\ln a}\right)'=\dfrac{f'(x)}{f(x)\ln a}$임을 이용한다.

$f(x)=\log_2(2x+1)^3$이므로

$f'(x)=\dfrac{6}{(2x+1)\ln2}$

$f'(a)=\dfrac{2}{\ln2}$에서

$\dfrac{6}{(2a+1)\ln2}=\dfrac{2}{\ln2}$

즉 $2a+1=3$에서 $a=1$

답 1

**17** `Act❶` 함수 $f(x)$가 미분가능하고 $f(x) \neq 0$일 때,

$\{\ln|f(x)|\}' = \dfrac{f'(x)}{f(x)}$ 임을 이용한다.

$f(x) = \ln(x^2+1)$이므로

$f'(x) = \dfrac{(x^2+1)'}{x^2+1} = \dfrac{2x}{x^2+1}$

$\therefore f'(1) = \dfrac{2}{1+1} = 1$      답 1

**18** `Act❶` 함수 $f(x)$가 미분가능하고 $f(x) \neq 0$일 때,

$\{\ln|f(x)|\}' = \dfrac{f'(x)}{f(x)}$ 임을 이용한다.

$f(x) = \ln(2x-1)$이므로

$f'(x) = \dfrac{2}{2x-1}$, $f'(10) = \dfrac{2}{19}$

$\therefore p+q = 19+2 = 21$      답 21

**19** `Act❶` 함수 $f(x)$가 미분가능하고 $f(x) \neq 0$일 때,

$(\log_a|f(x)|)' = \left(\dfrac{\ln|f(x)|}{\ln a}\right)' = \dfrac{f'(x)}{f(x)\ln a}$ 임을 이용한다.

$f(x) = \log_3|5x-2|$이므로

$f'(x) = \dfrac{5}{(5x-2)\ln 3}$

$\therefore f'(1) = \dfrac{5}{3\ln 3}$      답 ③

**20** `Act❶` $\displaystyle\lim_{x \to 1} \dfrac{f(x)-1}{\sqrt{x}-1}$ 에서 분모를 유리화한다.

$f(1) = \ln 1 + 1 = 1$이므로

$\displaystyle\lim_{x \to 1} \dfrac{f(x)-1}{\sqrt{x}-1} = \lim_{x \to 1} \dfrac{f(x)-f(1)}{\sqrt{x}-1}$

$\displaystyle = \lim_{x \to 1}\left\{ \dfrac{f(x)-f(1)}{x-1} \times (\sqrt{x}+1) \right\} = 2f'(1)$

$f(x) = x(\ln x + 1)$에서

$f'(x) = \ln x + 1 + x \times \dfrac{1}{x} \ln x + 2$이므로

$2f'(1) = 2 \times (\ln 1 + 2) = 4$      답 4

**기출유형 06**

`Act❶` $n$이 실수일 때, $[\{f(x)\}^n]' = n\{f(x)\}^{n-1}f'(x)$임을 이용한다.

$f(x) = \sqrt{2x^2+1} = (2x^2+1)^{\frac{1}{2}}$이므로

$f'(x) = \dfrac{1}{2}(2x^2+1)^{-\frac{1}{2}} = \dfrac{1}{2\sqrt{2x^2+1}}$

$\therefore f'(2) = \dfrac{1}{2\sqrt{2 \times 2^2+1}} = \dfrac{1}{6}$      답 ②

**21** `Act❶` $n$이 실수일 때, $(x^n)' = nx^{n-1}$ 임을 이용한다.

$f(x) = x\sqrt{x} = x^{\frac{3}{2}}$이므로

$f'(x) = \dfrac{3}{2}x^{\frac{1}{2}} = \dfrac{3}{2}\sqrt{x}$

$\therefore f'(16) = \dfrac{3}{2} \times 4 = 6$      답 6

**22** `Act❶` $n$이 실수일 때, $[\{f(x)\}^n]' = n\{f(x)\}^{n-1}f'(x)$임을 이용한다.

$f(x) = \sqrt{x^3+1} = (x^3+1)^{\frac{1}{2}}$이므로

$f'(x) = \dfrac{1}{2}(x^3+1)^{-\frac{1}{2}} \times (x^3+1)' = \dfrac{3x^2}{2\sqrt{x^3+1}}$

$\therefore f'(2) = \dfrac{3 \times 2^2}{2\sqrt{2^3+1}} = 2$      답 2

**23** `Act❶` $n$이 실수일 때, $(x^n)' = nx^{n-1}$임을 이용한다.

$f(x) = x\sqrt{x} = x^{\frac{3}{2}}$이므로

$f'(x) = \dfrac{3}{2}x^{\frac{1}{2}}$

$\therefore f'(4) = \dfrac{3}{2} \times 4^{\frac{1}{2}} = 3$      답 ⑤

**24** `Act❶` $n$이 실수일 때, $[\{f(x)\}^n]' = n\{f(x)\}^{n-1}f'(x)$임을 이용한다.

$g(x) = f(\sqrt{x})$라 하면

$g'(x) = f'(\sqrt{x}) \times (\sqrt{x})' = f'(\sqrt{x}) \times \dfrac{1}{2\sqrt{x}}$

이므로

$g'(4) = f'(\sqrt{4}) \times \dfrac{1}{2\sqrt{4}} = f'(2) \times \dfrac{1}{4}$

이때 점 $(2, f(2))$에서의 접선의 기울기가 2이므로

$f'(2) = 2$

$\therefore g'(4) = 2 \times \dfrac{1}{4} = \dfrac{1}{2}$      답 ①

**기출유형 07**

`Act❶` 매개변수로 나타낸 함수 $x = f(t)$, $y = g(t)$가 $t$에 대하여 미분가능하고 $f'(t) \neq 0$이면 $\dfrac{dy}{dx} = \dfrac{g'(t)}{f'(t)}$임을 이용한다.

$\dfrac{dx}{dt} = 1 + \dfrac{1}{2\sqrt{t}}$, $\dfrac{dy}{dt} = 3t^2 - \dfrac{1}{t^2}$이므로

$\dfrac{dy}{dx} = \dfrac{\dfrac{dy}{dt}}{\dfrac{dx}{dt}} = \dfrac{3t^2 - \dfrac{1}{t^2}}{1 + \dfrac{1}{2\sqrt{t}}}$

따라서 $t=1$일 때, $\dfrac{dy}{dx}$의 값은 $\dfrac{4}{3}$      답 ③

**25** `Act❶` 매개변수로 나타낸 함수 $x = f(t)$, $y = g(t)$가 $t$에 대하여 미분가능하고 $f'(t) \neq 0$이면 $\dfrac{dy}{dx} = \dfrac{g'(t)}{f'(t)}$임을 이용한다.

$\dfrac{dx}{dt} = 2t$, $\dfrac{dy}{dt} = 3t^2+1$이므로

$\dfrac{dy}{dx} = \dfrac{\dfrac{dy}{dt}}{\dfrac{dx}{dt}} = \dfrac{3t^2+1}{2t}$

따라서 $t=1$일 때, $\dfrac{dy}{dx}$의 값은 $\dfrac{3+1}{2} = 2$      답 ④

**26** `Act❶` 매개변수로 나타낸 함수 $x = f(t)$, $y = g(t)$가 $t$에 대하여

미분가능하고 $f'(t) \neq 0$이면 $\dfrac{dy}{dx} = \dfrac{g'(t)}{f'(t)}$ 임을 이용한다.

$\dfrac{dx}{dt} = 1 + \dfrac{1}{\sqrt{t}} = \dfrac{\sqrt{t}+1}{\sqrt{t}}$, $\dfrac{dy}{dt} = 12t^2$이므로

$\dfrac{dy}{dx} = \dfrac{12t^2}{\dfrac{\sqrt{t}+1}{\sqrt{t}}} = \dfrac{12t^2\sqrt{t}}{\sqrt{t}+1}$

따라서 $t=1$일 때, $\dfrac{dy}{dx}$의 값은 $6$　　　　　　답 6

**27** Act❶ 매개변수로 나타낸 함수 $x=f(t)$, $y=g(t)$가 $t$에 대하여 미분가능하고 $f'(t) \neq 0$이면 $\dfrac{dy}{dx} = \dfrac{g'(t)}{f'(t)}$ 임을 이용한다.

$\dfrac{dx}{dt} = 2e^{2t-6}$, $\dfrac{dy}{dt} = 2t-1$이므로

$\dfrac{dy}{dx} = \dfrac{\dfrac{dy}{dt}}{\dfrac{dx}{dt}} = \dfrac{2t-1}{2e^{2t-6}}$

따라서 $t=3$일 때, $\dfrac{dy}{dx} = \dfrac{5}{2e^0} = \dfrac{5}{2}$　　답 ⑤

**28** Act❶ 매개변수로 나타낸 함수 $x=f(\theta)$, $y=g(\theta)$가 $\theta$에 대하여 미분가능하고 $f'(\theta) \neq 0$이면 $\dfrac{dy}{dx} = \dfrac{g'(\theta)}{f'(\theta)}$ 임을 이용한다.

$\dfrac{dx}{d\theta} = 2\cos\theta$, $\dfrac{dy}{d\theta} = -4\sin\theta$이므로

$\dfrac{dy}{dx} = \dfrac{\dfrac{dy}{d\theta}}{\dfrac{dx}{d\theta}} = \dfrac{-4\sin\theta}{2\cos\theta} = -2\tan\theta$

따라서 $\theta = \dfrac{\pi}{3}$일 때, $\dfrac{dy}{dx}$의 값은 $-2\tan\dfrac{\pi}{3} = -2\sqrt{3}$　답 ①

기출유형 **08**

Act❶ 음함수 $f(x, y)=0$에서 $y$를 $x$의 함수로 보고 각 항을 $x$에 대하여 미분하여 $\dfrac{dy}{dx}$를 구한다.

$e^x - xe^y = y$의 양변을 $x$에 대하여 미분하면

$e^x - e^y - xe^y \dfrac{dy}{dx} = \dfrac{dy}{dx}$

$\therefore \dfrac{dy}{dx} = \dfrac{e^x - e^y}{1 + xe^y}$

따라서 점 $(0, 1)$에서의 접선의 기울기는

$\dfrac{e^0 - e^1}{1 + 0 \times e^1} = 1 - e$　　　　　　답 ③

**29** Act❶ 음함수 $f(x, y)=0$에서 $y$를 $x$의 함수로 보고 각 항을 $x$에 대하여 미분하여 $\dfrac{dy}{dx}$를 구한다.

$2x + x^2y - y^3 = 2$의 양변을 $x$에 대하여 미분하면

$2 + 2xy + x^2\dfrac{dy}{dx} - 3y^2\dfrac{dy}{dx} = 0$

$\therefore \dfrac{dy}{dx} = \dfrac{-2(xy+1)}{x^2 - 3y^2}$ (단, $x^2 - 3y^2 \neq 0$)

따라서 점 $(1, 1)$에서의 접선의 기울기는

$\dfrac{-2(\times 1 + 1)}{1 - 3} = 2$　　　　　　답 2

**30** Act❶ 음함수 $f(x, y)=0$에서 $y$를 $x$의 함수로 보고 각 항을 $x$에 대하여 미분하여 $\dfrac{dy}{dx}$를 구한다.

$e^x \ln y = 1$ 의 양변을 $x$에 대하여 미분하면

$e^x \ln y + e^x \dfrac{1}{y} \dfrac{dy}{dx} = 0$

$(0, e)$를 대입하여 $\dfrac{dy}{dx}$를 구하면

$e^0 \ln e + e^0 \dfrac{1}{e} \dfrac{dy}{dx} = 0$, $1 + \dfrac{1}{e} \dfrac{dy}{dx} = 0$

$\dfrac{dy}{dx} = -1 \times e = -e$　　　　　　답 ①

**31** Act❶ 음함수 $f(x, y)=0$에서 $y$를 $x$의 함수로 보고 각 항을 $x$에 대하여 미분하여 $\dfrac{dy}{dx}$를 구한다.

$x^2 - y^2 - y = 1$의 양변을 $x$에 대하여 미분하면

$2x - 2y\dfrac{dy}{dx} - \dfrac{dy}{dx} = 0$

$\therefore \dfrac{dy}{dx} = \dfrac{2x}{2y+1}$ $\left(단, y \neq -\dfrac{1}{2}\right)$

따라서 점 $A(a, b)$에서의 접선의 기울기는

$\dfrac{2a}{2b+1} = \dfrac{2}{15}a$

$2b+1 = 15$　$\therefore b = 7$　　　　　　답 7

**32** Act❶ 음함수 $f(x, y)=0$에서 $y$를 $x$의 함수로 보고 각 항을 $x$에 대하여 미분하여 $\dfrac{dy}{dx}$를 구한다.

$e^x - e^y = y$의 양변을 $x$에 대하여 미분하면

$e^x - e^y \dfrac{dy}{dx} = \dfrac{dy}{dx}$

$\therefore \dfrac{dy}{dx} = \dfrac{e^x}{1 + e^y}$

$(a, b)$에서의 접선의 기울기가 1이므로

$\dfrac{e^a}{1 + e^b} = 1$, $e^a = 1 + e^b$, $e^a - e^b = 1$　　……㉠

또, $(a, b)$는 곡선 위의 점이므로

$e^a - e^b = b$　　……㉡

㉠, ㉡을 연립하면 $e^a - e^b = 1$이므로 $b = 1$

$b = 1$을 ㉠에 대입하면

$e^a - e = 1$, $e^a = 1 + e$, $a = \ln(1+e)$

$\therefore a + b = 1 + \ln(1+e)$　　　　　　답 ①

기출유형 **09**

Act❶ $f(x)$의 역함수 $g(x)$에 대하여 $f(a)=b$이면 $f'(a)$ $g'(b) = 1$, 즉 $g'(b) = \dfrac{1}{f'(a)}$임을 이용한다.

함수 $f(x)$의 역함수가 $g(x)$이고
$f(1)=2$이므로 $g(2)=1$
$f'(1)g'(2)=1$에서 $f'(1)=3$이므로
$$g'(2)=\frac{1}{f'(1)}=\frac{1}{3}$$
한편, 함수 $h(x)=xg(x)$에서
$h'(x)=g(x)+xg'(x)$
$$\therefore h'(2)=g(2)+2g'(2)=1+2\times\frac{1}{3}=\frac{5}{3}$$　　　답 ③

**33** **Act①** $f(x)$의 역함수 $g(x)$에 대하여 $f(a)=b$이면 $f'(a)$
$g'(b)=1$, 즉 $g'(b)=\dfrac{1}{f'(a)}$임을 이용한다.

함수 $f(x)$의 역함수가 $g(x)$이고
$f(0)=1$이므로 $g(1)=0$
$f'(x)=3x^2+1$이므로 $f'(0)=1$
$f'(0)g'(1)=1$에서
$$g'(1)=\frac{1}{f'(0)}=1$$　　　답 ⑤

**34** **Act①** $f(x)$의 역함수 $g(x)$에 대하여 $f(a)=b$이면 $f'(a)$
$g'(b)=1$, 즉 $g'(b)=\dfrac{1}{f'(a)}$임을 이용한다.

$f(0)=3$이므로 $g(3)=0$
$f'(x)=3x^2+5$이므로 $f'(0)=5$
$f'(0)g'(3)=1$에서
$$g'(3)=\frac{1}{f'(0)}=\frac{1}{5}$$　　　답 ③

**35** **Act①** $f(x)$의 역함수 $g(x)$에 대하여 $f(a)=b$이면 $f'(a)$
$g'(b)=1$, 즉 $g'(b)=\dfrac{1}{f'(a)}$임을 이용한다.

$$\lim_{h\to0}\frac{g(3e+h)-g(3e-h)}{h}=2g'(3e)$$
$f(e)=3e$이므로 $g(3e)=e$
$f'(x)=3\ln x+3x\times\dfrac{1}{x}=3\ln x+3$이므로 $f'(e)=6$
$f'(e)g'(3e)=1$에서
$$g'(3e)=\frac{1}{f'(e)}=\frac{1}{6}$$
$$\therefore 2g'(3e)=\frac{1}{3}$$　　　답 ①

**36** **Act①** $f(x)$의 역함수 $g(x)$에 대하여 $g(f(x))=x$이므로
$g'(f(x))f'(x)=1$임을 이용한다.

$f(x)=\dfrac{1}{1+e^{-x}}$에서 $f'(x)=\dfrac{e^{-x}}{(1+e^{-x})^2}$
$g(f(x))=x$이므로 $g'(f(x))f'(x)=1$
$$g'(f(x))=\frac{1}{f'(x)}$$
$$\therefore g'(f(-1))=\frac{1}{f'(-1)}=\frac{1}{\dfrac{e}{(1+e)^2}}$$

$$=\frac{(1+e)^2}{e}$$　　　답 ⑤

**기출유형 10**

**Act①** $f(x)$에서 $f'(x)$, $f''(x)$를 차례로 구한다.
$f(x)=e^x\sin x$에서
$$\begin{aligned}f'(x)&=(e^x)'\sin x+e^x(\sin x)'\\&=e^x\sin x+e^x\cos x=e^x(\sin x+\cos x)\end{aligned}$$
$$\begin{aligned}f''(x)&=(e^x)'(\sin x+\cos x)+e^x(\sin x+\cos x)'\\&=e^x(\sin x+\cos x)+e^x(\cos x-\sin x)\\&=2e^x\cos x\end{aligned}$$
$$\therefore f''(\pi)=2e^\pi\cos\pi=-2e^\pi$$　　　답 ①

**37** **Act①** $f(x)$에서 $f'(x)$, $f''(x)$를 차례로 구한다.
$f(x)=12x\ln x-x^3+2x$에서
$$\begin{aligned}f'(x)&=12\ln x+12x\times\frac{1}{x}-3x^2+2\\&=12\ln x-3x^2+14\end{aligned}$$
$$f''(x)=\frac{12}{x}-6x=\frac{12-6x^2}{x}$$
$f''(a)=0$에서 $\dfrac{12-6a^2}{a}=0$
$12-6a^2=0$
$$\therefore a=\sqrt{2}\ (\because \text{로그의 진수 조건에서 } a>0)$$　　　답 ④

**38** **Act①** 도함수의 정의에 의하여
$$\lim_{h\to0}\frac{f'(a+h)-f'(a)}{h}=f''(a)$$임을 이용한다.

도함수의 정의에 의하여 $\displaystyle\lim_{h\to0}\frac{f'(a+h)-f'(a)}{h}=f''(a)$
이므로 $f''(a)=2$
$$f'(x)=-\frac{1}{(x+3)^2}$$
$$f''(x)=\frac{2(x+3)}{(x+3)^4}=\frac{2}{(x+3)^3}$$
$f''(a)=\dfrac{2}{(a+3)^3}=2$이므로 $a+3=1$
$$\therefore a=-2$$　　　답 ①

**39** **Act①** 도함수의 정의에 의하여
$$\lim_{h\to0}\frac{f'(a+h)-f'(a)}{h}=f''(a)$$임을 이용한다.

$$f'(x)=\ln(x-1)+x\times\frac{1}{x-1}$$
$$=\ln(x-1)+\frac{x}{x-1}$$
이때 $f'(2)=\ln(2-1)+\dfrac{2}{2-1}=2$이므로
$$\lim_{x\to2}\frac{f'(x)-2}{x-1}=\lim_{x\to2}\frac{f'(x)-f'(2)}{x-2}=f''(2)$$
$$f''(x)=\frac{1}{x-1}+\frac{1\times(x-1)-x\times1}{(x-1)^2}$$

$$=\frac{1}{x-1}-\frac{1}{(x-1)^2}$$

$$\therefore f'(2)=\frac{1}{2-1}-\frac{1}{(2-1)^2}=0$$  답 ③

**40** <u>Act①</u> $f''(x)=0$의 해가 $x=\alpha$이면 $f''(\alpha)=0$임을 이용한다.

$$f'(x)=-2e^{-2x}\sin x+e^{-2x}\cos x=e^{-2x}(\cos x-2\sin x)$$

$$f''(x)=-2e^{-2x}(\cos x-2\sin x)+e^{-2x}(-\sin x-2\cos x)$$
$$=e^{-2x}(3\sin x-4\cos x)$$

이때 $f''(x)=0$의 해가 $x=\alpha$이므로

$$f''(\alpha)=e^{-2\alpha}(3\sin\alpha-4\cos\alpha)=0$$

$e^{-2\alpha}>0$이므로 $3\sin\alpha-4\cos\alpha=0$ ……㉠

$\pi<\alpha<\frac{3}{2}\pi$일 때, $\cos\alpha\neq0$이므로 ㉠의 양변을 $\cos\alpha$로 나누면

$$3\times\frac{\sin\alpha}{\cos\alpha}-4=0,\ 3\tan\alpha-4=0\ \ \therefore\tan\alpha=\frac{4}{3}$$  답 ④

---

**VIT** **V**ery **I**mportant **T**est    pp. 59~61

| 01. ② | 02. 1 | 03. ⑤ | 04. ④ | 05. ① |
| 06. ⑤ | 07. 4 | 08. ③ | 09. ② | 10. ① |
| 11. ① | 12. ① | 13. ② | 14. 1 | 15. ② |
| 16. ③ | 17. ③ | 18. ③ | | |

**01**

$$f'(x)=\frac{\frac{1}{x}\times(x+1)-\ln x\times1}{(x+1)^2}$$

$$=\frac{x+1-x\ln x}{x(x+1)^2}\text{이므로}$$

$$f'(1)=\frac{1}{2}$$  답 ②

**02**

$$f'(x)=\frac{4\sqrt{x^2+2}-4x\times\frac{2x}{2\sqrt{x^2+2}}}{(\sqrt{x^2+2})^2}$$

$$=\frac{4(x^2+2)-4x^2}{(x^2+2)\sqrt{x^2+2}}$$

$$=\frac{8}{(x^2+2)\sqrt{x^2+2}}$$

이므로 $f'(\sqrt{2})=\frac{8}{4\sqrt{4}}=1$  답 1

**03**

$$f'(x)=\frac{1\times\{g(x)+3\}-(x-1)g'(x)}{\{g(x)+3\}^2}$$

$$=\frac{g(x)+3-(x-1)g'(x)}{\{g(x)+3\}^2}$$

$$f'(1)=\frac{g(1)+3}{\{g(1)+3\}^2}=\frac{1}{g(1)+3}=2\text{에서 }g(1)=-\frac{5}{2}$$  답 ⑤

**04**

원점 O에서 점 P(8, 15)까지의 거리 $r$를 구하면

$$r=\overline{OP}=\sqrt{8^2+15^2}=17$$

따라서 $r=17$, $x=8$, $y=15$이므로 삼각함수의 정의에 의하여

$$\tan\theta=\frac{y}{x}=\frac{15}{8},\ \csc\theta=\frac{r}{y}=\frac{17}{15}$$

$$\therefore\ \tan\theta\csc\theta=\frac{15}{8}\times\frac{17}{15}=\frac{17}{8}$$  답 ④

**05**

$x^2-4x+1=0$의 두 근이 $\tan\theta$, $\cot\theta$이므로 이차방정식의 근과 계수와의 관계에 의하여

$$\tan\theta+\cot\theta=\frac{\sin\theta}{\cos\theta}+\frac{\cos\theta}{\sin\theta}$$

$$=\frac{\sin^2\theta+\cos^2\theta}{\sin\theta\cos\theta}$$

$$=\frac{1}{\sin\theta\cos\theta}=4$$

$$\therefore\ \sin\theta\cos\theta=\frac{1}{4}$$

$$(\sin\theta+\cos\theta)^2=\sin^2\theta+\cos^2\theta+2\sin\theta\cos\theta$$

$$=1+2\sin\theta\cos\theta=1+\frac{1}{2}=\frac{3}{2}$$

$$\therefore\ \sin\theta+\cos\theta=\frac{\sqrt{6}}{2}\ \left(\because\ 0<\theta<\frac{\pi}{2}\right)$$  답 ①

**06**

$\lim\limits_{h\to1}\frac{f(x)-1}{x-1}=2$에서 (분모)$\to0$이므로 (분자)$\to0$이어야 한다.

또한 함수 $f(x)$는 연속함수이므로 $f(1)=1$이고

$$\lim_{x\to1}\frac{f(x)-f(1)}{x-1}=f'(1)=2$$

$F(x)=(f\circ f)\left(\frac{x}{2}\right)=f\left(f\left(\frac{x}{2}\right)\right)$로 놓으면

$$F'(x)=f'\left(f\left(\frac{x}{2}\right)\right)f'\left(\frac{x}{2}\right)\left(\frac{x}{2}\right)'$$

$$=\frac{1}{2}f'\left(f\left(\frac{x}{2}\right)\right)f'\left(\frac{x}{2}\right)$$

$$F'(2)=\frac{1}{2}f'(f(1))f'(1)=\frac{1}{2}f'(1)f'(1)$$

$$=\frac{1}{2}\times2\times2=2$$  답 ⑤

**07**

$$f'(x)=\cos(e^x-4)\times e^x=e^x\cos(e^x-4)$$

이므로

$$f'(2\ln2)=f'(\ln4)=e^{\ln4}\cos(e^{\ln4}-4)=4\cos0=4$$  답 4

**08**

$$y'=e^{\sin(\cos x)}\times\cos(\cos x)\times(\cos x)'$$

$$=e^{\sin(\cos x)}\times\cos(\cos x)\times(-\sin x)$$

$$=-e^{\sin(\cos x)}\times\cos(\cos x)\times\sin x$$

따라서 $x=\dfrac{\pi}{2}$에서의 미분계수는

$-e^{\sin\left(\cos\frac{\pi}{2}\right)}\times\cos\left(\cos\dfrac{\pi}{2}\right)\times\sin\dfrac{\pi}{2}=-1$      답 ③

## 09

$f'(x)=e^x\times\ln 2x+e^x\times\dfrac{2}{2x}$

$\qquad=e^x\left(\ln 2x+\dfrac{1}{x}\right)$

$\therefore f'\left(\dfrac{1}{2}\right)=e^{\frac{1}{2}}\left(\ln 1+\dfrac{1}{\frac{1}{2}}\right)=2\sqrt{e}$      답 ②

## 10

$f(x)=\dfrac{1}{\sqrt{x-3}}=(x-3)^{-\frac{1}{2}}$이므로

$f'(x)=-\dfrac{1}{2}(x-3)^{-\frac{3}{2}}=-\dfrac{1}{2(x-3)\sqrt{x-3}}$

$\therefore f'(4)=-\dfrac{1}{2}$      답 ①

## 11

$f(x)=x\log_2 ax^3$

$\qquad=x\times\dfrac{\ln a+3\ln x}{\ln 2}=\dfrac{x}{\ln 2}(\ln a+3\ln x)$

$f'(x)=\dfrac{1}{\ln 2}(\ln a+3\ln x)+\dfrac{x}{\ln 2}\times\dfrac{3}{x}$

$\qquad=\dfrac{1}{\ln 2}(\ln a+3\ln x)+\dfrac{3}{\ln 2}$

$\qquad=\dfrac{1}{\ln 2}(\ln a+3\ln x+3)$

$f(1)=\log_2 a$이므로

$\displaystyle\lim_{x\to 1}\dfrac{f(x)-\log_2 a}{x-1}=\lim_{x\to 1}\dfrac{f(x)-f(1)}{x-1}=f'(1)=1$

$f'(1)=\dfrac{1}{\ln 2}(\ln a+3)$이므로

$\dfrac{1}{\ln 2}(\ln a+3)=1,\ \ln a+3=\ln 2$

$\ln a=\ln 2-3=\ln\dfrac{2}{e^3}$

$\therefore a=\dfrac{2}{e^3}$      답 ①

## 12

$\dfrac{dx}{dt}=2t,\ \dfrac{dy}{dt}=3t^2-2t$이므로

$\dfrac{dy}{dx}=\dfrac{\frac{dy}{dt}}{\frac{dx}{dt}}=\dfrac{3t^2-2t}{2t}=\dfrac{3t-2}{2}$

따라서 $t=1$일 때, $\dfrac{dy}{dx}$의 값은 $\dfrac{3-2}{2}=\dfrac{1}{2}$      답 ①

## 13

$x=t+\dfrac{a}{t},\ y=t-\dfrac{a}{t}$에서

$\dfrac{dx}{dt}=1-\dfrac{a}{t^2},\ \dfrac{dy}{dt}=1+\dfrac{a}{t^2}$

$\dfrac{dy}{dx}=\dfrac{\frac{dy}{dt}}{\frac{dx}{dt}}=\dfrac{1+\frac{a}{t^2}}{1-\frac{a}{t^2}}=\dfrac{t^2+a}{t^2-a}$

$t=3$일 때, $\dfrac{dy}{dx}=\dfrac{3}{2}$이므로

$\dfrac{3^2+a}{3^2-a}=\dfrac{3}{2},\ 27-3a=18+2a$

즉 $5a=9$이므로

$a=\dfrac{9}{5}$      답 ②

## 14

$x=y(y-2)^3$의 양변을 $y$에 대하여 미분하면

$\dfrac{dx}{dy}=(y-2)^3+3y(y-2)^2$

$\dfrac{dy}{dx}=\dfrac{1}{(y-2)^3+3y(y-2)^2}$

위의 식에 $y=\dfrac{3}{2}$을 대입하면

$\dfrac{dy}{dx}=\dfrac{1}{-\frac{1}{8}+3\times\frac{3}{2}\times\frac{1}{4}}=1$      답 1

## 15

주어진 식의 양변을 $x$에 대하여 미분하면

$\dfrac{d}{dx}(x^2)+\dfrac{d}{dx}(y^2)+\dfrac{d}{dx}(ax^2y^2)+\dfrac{d}{dx}(b)=0$

$2x+2y\dfrac{dy}{dx}+2axy^2+ax^2\times 2y\dfrac{dy}{dx}=0$

$2y(ax^2+1)\dfrac{dy}{dx}=-2x(ay^2+1)$

$\therefore \dfrac{dy}{dx}=-\dfrac{x(ay^2+1)}{y(ax^2+1)}\ \left(\because y\neq 0,\ x^2\neq-\dfrac{1}{a}\right)$

점 $(1, 2)$에서의 접선의 기울기가 1이므로

$-\dfrac{4a+1}{2(a+1)}=1\quad\therefore a=-\dfrac{1}{2}$

또, 주어진 곡선이 점 $(1, 2)$를 지나므로

$1+4+4a+b=0\quad\therefore b=-3$

$\therefore ab=\left(-\dfrac{1}{2}\right)\times(-3)=\dfrac{3}{2}$      답 ②

## 16

$f(0)=1$이므로 $g(1)=0$

또, $f'(x)=3x^2+3$이므로 $f'(0)=3$

따라서 $f(g(x))=x$에서 $f'(g(x))g'(x)=1$이므로

$g'(1)=\dfrac{1}{f'(0)}=\dfrac{1}{3}$      답 ③

## 17

$\displaystyle\lim_{x\to-1}\dfrac{g(x)-4}{x+1}=3$에서 $x\to-1$일 때,

(분모)$\to 0$이므로 (분자)$\to 0$이어야 한다.

즉 $g(-1)=4$이므로

$$\lim_{x \to -1} \frac{g(x)-g(-1)}{x+1}=g'(-1)=3$$

또한 함수 $f(x)$의 역함수가 $g(x)$이므로 $f(4)=-1$

역함수의 미분법에 의하여

$$f'(4)=\frac{1}{g'(-1)}=\frac{1}{3} \qquad\qquad 답\ ③$$

## 18

$$f'(x)=2e^{2x}\sin^2 x+e^{2x}\times 2\sin x \cos x$$
$$=e^{2x}(2\sin^2 x+\sin 2x)$$
$$f''(x)=2e^{2x}(2\sin^2 x+\sin 2x)+e^{2x}(4\sin x \cos x+2\cos 2x)$$
$$f''\left(\frac{\pi}{4}\right)=2e^{\frac{\pi}{2}}(1+1)+e^{\frac{\pi}{2}}(2+0)=6e^{\frac{\pi}{2}} \qquad 답\ ③$$

# Ⅲ 미분법

## 06 도함수의 활용 (1)

pp. 62~63

| **01.** ③ | **02.** 2 | **03.** 1 | **04.** ① | **05.** ① |
|---|---|---|---|---|

**01** $f(x)=xe^x$ 이라 하면 $f'(x)=e^x+xe^x=e^x(1+x)$이므로

$$f'(1)=2e$$

곡선 위의 점 $(1, e)$에서의 접선의 방정식은

$$y-e=2e(x-1),\ y=2ex-e$$

$a=2e,\ b=-e$이므로 $ab=-2e^2$ $\qquad$ 답 ③

**02** $\dfrac{dx}{dt}=2t,\ \dfrac{dy}{dt}=2t-4$이므로

$$\frac{dy}{dx}=\frac{\dfrac{dy}{dt}}{\dfrac{dx}{dt}}=\frac{2t-4}{2t}$$

$t=1$에 대응하는 점에서의 접선의 기울기는 $\dfrac{2-4}{2}=-1$이

고 접점의 좌표는 $(1,\ -3)$이므로

접선의 방정식은

$$y-(-3)=(-1)\times(x-1),\ 즉\ y=-x-2$$

따라서 $a=-1,\ b=-2$이므로 $ab=2$ $\qquad$ 답 2

**03** 양변을 $x$에 대하여 미분하면

$$2x-y-x\frac{dy}{dx}+2y\frac{dy}{dx}=0,\ \frac{dy}{dx}=\frac{2x-y}{x-2y}\ (x\neq 2y)$$

점 $(1,\ 1)$에서의 접선의 기울기는 $\dfrac{2-1}{1-2}=-1$이므로

접선의 방정식은 $y-1=-(x-1),\ 즉\ y=-x+2$

따라서 $a=-1,\ b=2$이므로 $b-a=3$ $\qquad$ 답 3

**04** $f'(x)=(2x+2a)e^x+(x^2+2ax+11)e^x$
$$=\{x^2+2(a+1)x+2a+11\}e^x$$

실수 전체의 집합에서 함수 $f(x)$가 증가하려면 $f'(x)\geq 0$이

어야 하므로

$$f'(x)=\{x^2+2(a+1)x+2a+11\}e^x\geq 0$$

이때 $e^x>0$이므로 $x^2+2(a+1)x+2a+11\geq 0$이어야 한다.

이차방정식 $x^2+2(a+1)x+2a+11=0$의 판별식을 $D$라 할

때 $D\leq 0$이어야 하므로

$$\frac{D}{4}=(a+1)^2-(2a+11)\leq 0$$

$$a^2-10\leq 0 \quad \therefore\ -\sqrt{10}\leq a\leq\sqrt{10}$$

따라서 구하는 자연수 $a$의 최댓값은 3이다. $\qquad$ 답 ①

**05** $f(x)=x-2\sin x$에서 $f'(x)=1-2\cos x$

$f'(x)=0$에서 $x=\dfrac{\pi}{3}$

$f''(x)=2\sin x$에서 $f''\left(\dfrac{\pi}{3}\right)>0$

따라서 함수 $f(x)$는 $x=\dfrac{\pi}{3}$에서 극소이고 극솟값 $\dfrac{\pi}{3}-\sqrt{3}$

을 갖는다.　　　　　　　　　　　　　　　　답 ①

[다른 풀이]

$f'(x)=1-2\cos x$

$f'(x)=0$에서 $x=\dfrac{\pi}{3}$

| $x$ | $(0)$ | $\cdots$ | $\dfrac{\pi}{3}$ | $\cdots$ | $(2\pi)$ |
|---|---|---|---|---|---|
| $f'(x)$ | | $-$ | $0$ | $+$ | |
| $f(x)$ | | $\searrow$ | $\dfrac{\pi}{3}-\sqrt{3}$ | $\nearrow$ | |

함수 $f(x)$는 $x=\dfrac{\pi}{3}$에서 극소이고 극솟값 $\dfrac{\pi}{3}-\sqrt{3}$을 갖는다.

### 유형따라잡기　　　　　　　　　　　　　pp. 64~69

| 기출유형 01 ① | **01.** ① | **02.** ④ | **03.** ③ | **04.** ④ |
|---|---|---|---|---|
| 기출유형 02 ④ | **05.** 32 | **06.** 1 | **07.** ③ | **08.** ④ |
| 기출유형 03 ② | **09.** ② | **10.** ② | **11.** 2 | **12.** ⑤ |
| 기출유형 04 ⑤ | **13.** ③ | **14.** ① | **15.** ② | **16.** ⑤ |
| 기출유형 05 8 | **17.** ⑤ | **18.** ② | **19.** ③ | **20.** ⑤ |
| 기출유형 06 ① | **21.** ③ | **22.** ② | **23.** ④ | **24.** ④ |

#### 기출유형 01

**Act①** $y=f(x)$ 위의 점 $(a,\ b)$에서의 접선의 방정식은 $y-f(a)=f'(a)(x-a)$임을 이용한다.

$f(x)=e^{-x^2+x}$ $f'(x)=(-2x+1)e^{-x^2+x}$ 이므로 $f'(1)=-1$

곡선 위의 점 $(1,\ 1)$에서의 접선의 방정식은

$y-1=-(x-1)$ $\therefore y=-x+2$

따라서 $a=-1$, $b=2$이므로 $ab=-2$　　　　답 ①

**01** **Act①** $y=f(x)$ 위의 점 $(a,\ b)$에서의 접선의 방정식은 $y-f(a)=f'(a)(x-a)$임을 이용한다.

$f(x)=\ln(x-3)+1$이라 하면 $f'(x)=\dfrac{1}{x-3}$ 이므로

$f'(4)=1$

곡선 위의 점 $(4,\ 1)$에서의 접선의 방정식은

$y-1=x-4$ $\therefore y=x-3$

따라서 $a=1$, $b=-3$이므로 $a+b=-2$　　　답 ①

**02** **Act①** $y=f(x)$ 위의 점 $(a,\ b)$에서의 접선의 방정식은 $y-f(a)=f(a)(x-a)$임을 이용한다.

$f(x)=\ln 5x$라 하면 $f'(x)=\dfrac{1}{x}$이므로 $f'\left(\dfrac{1}{5}\right)=5$

곡선 위의 점 $\left(\dfrac{1}{5},\ 0\right)$에서의 접선의 방정식은

$y=5\left(x-\dfrac{1}{5}\right)$ $\therefore y=5x-1$

따라서 접선의 방정식의 $y$절편은 $-1$　　　　답 ④

**03** **Act①** $y=f(x)$ 위의 점 $(a,\ b)$에서의 접선의 방정식은 $y-f(a)=f'(a)(x-a)$임을 이용한다.

$f(x)=e^{x-2}$이라 하면 $f'(x)=e^{x-2}$이므로 $f'(3)=e$

곡선 위의 점 $(3,\ e)$에서의 접선의 방정식은

$y-e=e(x-3)$, $y=ex-2e$

$x$절편은 2, $y$절편은 $-2e$이므로 $A(2,\ 0)$, $B(0,\ -2e)$

따라서 삼각형 OAB의 넓이는 $\dfrac{1}{2}\times 2\times 2e=2e$　　답 ③

**04** **Act①** $y=f(x)$ 위의 점 $(a,\ b)$에서의 접선의 방정식은 $y-f(a)=f'(a)(x-a)$임을 이용한다.

$x$축과 만나는 점의 $x$좌표는 $f(x)=0$에서

$\ln(\tan x)=0$, $\tan x=1$ $\therefore x=\dfrac{\pi}{4}$

따라서 점 P의 좌표는 $\left(\dfrac{\pi}{4},\ 0\right)$이다.

$f'(x)=\dfrac{(\tan x)'}{\tan x}=\dfrac{\sec^2 x}{\tan x}$이므로

$f'\left(\dfrac{\pi}{4}\right)=\dfrac{(\sqrt{2})^2}{1}=2$

점 $P\left(\dfrac{\pi}{4},\ 0\right)$에서의 접선의 방정식은

$y=2\left(x-\dfrac{\pi}{4}\right)$, $y=2x-\dfrac{\pi}{2}$

따라서 점 P에서의 접선의 $y$절편은 $-\dfrac{\pi}{2}$　　　답 ④

#### 기출유형 02

**Act①** 접점의 좌표를 $(a,\ e^{-a})$로 놓고 접선의 방정식을 구한다.

$f(x)=e^{-x}$이라 하면 $f'(x)=-e^{-x}$

접점의 좌표를 $(a,\ e^{-a})$이라 하면 접선의 기울기가 $-1$이므로

$f'(a)=-e^{-a}=-1$ $\therefore a=0$

즉, 접점의 좌표가 $(0,\ 1)$이므로 접선의 방정식은

$y-1=(-1)\times(x-0)$ $\therefore y=-x+1$

따라서 접선의 $y$절편은 1이다.　　　　　　　답 ④

**05** **Act①** 접점의 좌표를 $(a,\ \ln(a-7))$로 놓고 접선의 방정식을 구한다.

$f(x)=\ln(x-7)$이라 하면 $f'(x)=\dfrac{1}{x-7}$

접점의 좌표를 $(a,\ \ln(a-7))$이라 하면 접선의 기울기가 1이므로

$f'(a)=\dfrac{1}{a-7}=1$ $\therefore a=8$

즉, 접점의 좌표가 $(8,\ 0)$이므로 접선의 방정식은

$y=x-8$
이므로 이 직선이 $x$축, $y$축과 만나는 점은 각각 A$(8,\ 0)$,
B$(0,\ -8)$이다.
따라서 삼각형 AOB의 넓이는
$\dfrac{1}{2}\times\overline{\text{OA}}\times\overline{\text{OB}}=\dfrac{1}{2}\times8\times8=32$

답 32

**06** [Act①] 접점의 좌표를 $(t,\ t\ln t+t)$로 놓고 접선의 방정식을 구한다.

$x+2y+2=0$에서 $y=-\dfrac{1}{2}x-1$이므로 이 직선에 수직인 직선의 기울기는 2이다.

$f(x)=x\ln x+x$라 하면

$f'(x)=\ln x+x\times\dfrac{1}{x}+1=\ln x+2$

접점의 좌표를 $(t,\ t\ln t+t)$라 하면 접선의 기울기가 2이므로

$f'(t)=\ln t+2=2,\ \ln t=0\ \ \therefore t=1$

즉, 접점의 좌표가 $(1,\ 1)$이므로 접선의 방정식은

$y-1=2(x-1)\ \ \therefore y=2x-1$

따라서 $a=2,\ b=-1$이므로 $a+b=1$

답 1

**07** [Act①] 접점의 좌표를 $(a,\ \sqrt{2a+1})$로 놓고 접선의 방정식을 구한다.

$x+2y+2=0$에서 $y=-\dfrac{1}{2}x-1$이므로 이 직선에 수직인 직선의 기울기는 2이다.

$f(x)=\sqrt{2x+1}=(2x+1)^{\frac{1}{2}}$이라 하면

$f'(x)=\dfrac{1}{2}(2x+1)^{-\frac{1}{2}}\times2=\dfrac{1}{\sqrt{2x+1}}$

접점의 좌표를 $(a,\ \sqrt{2a+1})$이라 하면 접선의 기울가 1이므로 $f'(a)=\dfrac{1}{\sqrt{2a+1}}=1\ \ \therefore a=0$

즉, 접점의 좌표가 $(0,\ 1)$이므로 접선의 방정식은

$y-1=x\ \ \therefore y=x+1$

이 직선이 점 $(k,\ 4)$를 지나므로 $4=k+1\ \ \therefore k=3$ 답 ③

**08** [Act①] 두 곡선 $y=f(x),\ y=g(x)$가 $x=t$에서 공통인 접선을 가지면 $f(t)=g(t),\ f'(t)=g'(t)$임을 이용한다.

$f(x)=ke^{x-1}$이라 하면 $f'(x)=ke^{x-1}$

접점의 좌표가 $(a,\ 3a)$이므로

$ke^{a-1}=3a$ ……㉠

또, 점 $(a,\ 3a)$에서의 접선의 기울기가 3이므로

$f'(a)=ke^{a-1}=3$ ……㉡

㉠, ㉡에서 $a=1,\ k=3$

$\therefore a+k=4$

답 ④

기출유형 03

[Act①] 접점의 좌표를 $(a,\ \sqrt{a+1})$로 놓고 접선의 방정식을 구한다.

$f(x)=\sqrt{x+1}$이라 하면 $f'(x)=\dfrac{1}{2\sqrt{x+1}}$

접점의 좌표를 $(a,\ \sqrt{a+1})$이라 하면 이 점에서의 접선의 기울기는

$f'(a)=\dfrac{1}{2\sqrt{a+1}}$이므로 접선의 방정식은

$y-\sqrt{a+1}=\dfrac{1}{2\sqrt{a+1}}(x-a)$ ……㉠

이 직선이 점 $(-2,\ 0)$을 지나므로

$-\sqrt{a+1}=\dfrac{1}{2\sqrt{a+1}}(-2-a),\ 2(a+1)=2+a\ \ \therefore a=0$

$a=0$을 ㉠에 대입하면 접선의 방정식은

$y-1=\dfrac{1}{2}x\ \ \therefore y=\dfrac{1}{2}x+1$

이 직선이 점 $(k,\ 4)$를 지나므로

$4=\dfrac{1}{2}k+1\ \ \therefore k=6$

답 ②

**09** [Act①] 접점의 좌표를 $(a,\ \ln a)$로 놓고 접선의 방정식을 구한다.

$f(x)=\ln x$라 하면 $f'(x)=\dfrac{1}{x}$

접점의 좌표를 $(a,\ \ln a)$라 하면 이 점에서의 접선의 기울기는

$f'(a)=\dfrac{1}{a}$이므로 접선의 방정식은

$y-\ln a=\dfrac{1}{a}(x-a)$ ……㉠

이 직선이 점 $(0,\ 1)$을 지나므로

$1-\ln a=\dfrac{1}{a}(0-a),\ 1-\ln a=-1,\ \ln a=2\ \ \therefore a=e^2$

$a=e^2$을 ㉠에 대입하면 접선의 방정식은

$y-2=\dfrac{1}{e^2}(x-e^2)\ \ \therefore y=\dfrac{1}{e^2}x+1$

이 직선이 점 $(e^2,\ k)$를 지나므로

$k=\dfrac{1}{e^2}\times e^2+1\ \ \therefore k=2$

답 ②

**10** [Act①] 접점의 좌표를 $\left(a,\ \dfrac{e^a}{a}\right)$으로 놓고 접선의 방정식을 구한다.

$f(x)=\dfrac{e^x}{x}$이라 하면 $f'(x)=\dfrac{e^x\times x-e^x}{x^2}=\dfrac{e^x(x-1)}{x^2}$

접점의 좌표를 $\left(a,\ \dfrac{e^a}{a}\right)$이라 하면 이 점에서의 접선의 기울기는

$f'(a)=\dfrac{e^a(a-1)}{a^2}$이므로 접선의 방정식은

$y-\dfrac{e^a}{a}=\dfrac{e^a(a-1)}{a^2}(x-a)$ ……㉠

이 직선이 점 $(0,\ 0)$을 지나므로

$-\dfrac{e^a}{a}=-\dfrac{e^a(a-1)}{a},\ e^a(a-2)=0$

$\therefore a=2\ (\because e^a>0)$

$a=2$를 ㉠에 대입하면 접선의 방정식은

$y-\dfrac{e^2}{2}=\dfrac{e^2}{4}(x-2)\ \ \therefore y=\dfrac{e^2}{4}x$

이 직선이 점 $\left(k, \dfrac{e}{2}\right)$를 지나므로

$\dfrac{e^2}{4}k=\dfrac{e}{2}$   $\therefore k=\dfrac{2}{e}$   답 ②

**11** **Act①** 접점의 좌표를 $(a, \ln(a-1))$으로 놓고 접선의 방정식을 구한다.

$f(x)=\ln(x-1)$이라 하면

$f'(x)=\dfrac{1}{x-1}$

접점의 좌표를 $(a, \ln(a-1))$이라 하면 이 점에서의 접선의 기울기는

$f'(a)=\dfrac{1}{a-1}$이므로 접선의 방정식은

$y-\ln(a-1)=\dfrac{1}{a-1}(x-a)$

$y=\dfrac{1}{a-1}(x-a)+\ln(a-1)$   ······㉠

이 직선이 점 $(1, 0)$을 지나므로

$0=\dfrac{1-a}{a-1}+\ln(a-1)$

$\ln(a-1)=1$

$e=a-1$

$a=e+1$

$a=e+1$을 ㉠에 대입하면 접선의 방정식은

$y=\dfrac{1}{e+1-1}(x-e-1)+\ln(e+1-1)$

$y=\dfrac{1}{e}(x-e-1)+\ln e$

$\therefore y=\dfrac{1}{e}(x-1)$

이 직선이 점 $\left(k, \dfrac{1}{e}\right)$을 지나므로

$\dfrac{1}{e}=\dfrac{1}{e}(k-1)$   $\therefore k=2$   답 2

**12** **Act①** 접점의 좌표를 $A(a, 3e^{a-1})$으로 놓고 접점의 좌표를 구한다.

$f(x)=3e^{x-1}$이라 하면 $f'(x)=3e^{x-1}$

접점의 좌표를 $A(a, 3e^{a-1})$이라 하면 이 점에서의 접선의 기울기는 $f'(a)=3e^{a-1}$이므로 접선의 방정식은

$y-3e^{a-1}=3e^{a-1}(x-a)$

이 직선이 원점 $O(0, 0)$을 지나므로

$-3e^{a-1}=3e^{a-1}(-a)$, $-3=-3a$   $\therefore a=1$

따라서 $A(1, 3)$이므로

$\overline{OA}=\sqrt{1^2+3^2}=\sqrt{10}$   답 ⑤

**기출유형 04**

**Act①** $\dfrac{dy}{dx}=\dfrac{\dfrac{dy}{dt}}{\dfrac{dx}{dt}}$임을 이용하여 $t=1$에 대응하는 점에서의 접선의 기울기를 구한다.

$\dfrac{dx}{dt}=1$, $\dfrac{dy}{dt}=4t$이므로 $\dfrac{dy}{dx}=4t$

$t=1$에 대응하는 점에서의 접선의 기울기는 4이고 접점의 좌표는 $(2, -3)$이므로
접선의 방정식은

$y-(-3)=4(x-2)$, 즉 $y=4x-11$

따라서 $a=4$, $b=-11$이므로 $a-b=15$   답 ⑤

**13** **Act①** $\dfrac{dy}{dx}=\dfrac{\dfrac{dy}{dt}}{\dfrac{dx}{dt}}$임을 이용하여 $t=2$에 대응하는 점에서의 접선의 기울기를 구한다.

$\dfrac{dx}{dt}=a$, $\dfrac{dy}{dt}=2at-a-1$이므로

$\dfrac{dy}{dx}=\dfrac{2at-a-1}{a}$ (단, $a\neq0$)

$t=2$에 대응하는 점에서의 접선의 기울기는 $\dfrac{3a-1}{a}$이고 접점의 좌표는 $(2a-1, 2a-2)$이므로
접선의 방정식은

$y-2a+2=\dfrac{3a-1}{a}(x-2a+1)$

이 접선이 점 $(-1, 1)$을 지나므로

$1-2a+2=\dfrac{3a-1}{a}(-1-2a+1)$, $a=-\dfrac{1}{4}$

따라서 접선의 방정식은 $y=7x+8$이고, $y$절편은 8이다.
   답 ③

**14** **Act①** $\dfrac{dy}{dx}=\dfrac{\dfrac{dy}{dt}}{\dfrac{dx}{dt}}$임을 이용하여 $t=\dfrac{\pi}{2}$에 대응하는 점에서의 접선의 기울기를 구한다.

$\dfrac{dx}{dt}=1+\cos t$, $\dfrac{dy}{dt}=-\sin t$이므로

$\dfrac{dy}{dx}=-\dfrac{\sin t}{1+\cos t}$ ($\cos t\neq-1$)

$t=\dfrac{\pi}{2}$에 대응하는 점에서의 접선의 기울기는

$-\dfrac{1}{1+0}=-1$이고 $x=\dfrac{\pi}{2}+1$, $y=-1$이므로
접선의 방정식은

$y+1=-\left(x-\dfrac{\pi}{2}-1\right)$, 즉 $y=-x+\dfrac{\pi}{2}$

따라서 $x$절편은 $\dfrac{\pi}{2}$, $y$절편은 $\dfrac{\pi}{2}$이므로 구하는 넓이는

$\dfrac{1}{2}\times\dfrac{\pi}{2}\times\dfrac{\pi}{2}=\dfrac{\pi^2}{8}$   답 ①

**15** **Act①** $\dfrac{dy}{dx}=\dfrac{\dfrac{dy}{d\theta}}{\dfrac{dx}{d\theta}}$에 곡선 위의 점의 좌표를 만족시키는 $\theta$의 값을 대입하여 접선의 기울기를 구한다.

$\dfrac{dx}{d\theta}=\sec^2\theta$, $\dfrac{dy}{d\theta}=-2\cos\theta\sin\theta$
이므로

$$\frac{dy}{dx} = \frac{-2\cos\theta\,\sin\theta}{\sec^2\theta}$$

접점의 $x$좌표는 $\tan\theta=1$이므로 $\theta=\dfrac{\pi}{4}$

점 $\left(1,\ \dfrac{1}{2}\right)$에서의 접선의 기울기는

$$\frac{-2\cos\dfrac{\pi}{4}\,\sin\dfrac{\pi}{4}}{\sec^2\dfrac{\pi}{4}}=-\frac{1}{2}$$

이므로 접선의 방정식은

$$y-\frac{1}{2}=-\frac{1}{2}(x-1),\ y=-\frac{1}{2}x+1$$

따라서 $a=-\dfrac{1}{2}$, $b=1$이므로 $ab=-\dfrac{1}{2}$ 답 ②

**16** **Act❶** $t=\dfrac{\pi}{4}$에 대응하는 점에서의 접선의 기울기가 $1$임을 이용한다.

$$\frac{dx}{dt}=-a\sin t,\ \frac{dy}{dt}=b\cos t$$

이므로

$$\frac{dy}{dx}=\frac{b\cos t}{-a\sin t}=-\frac{b}{a}\cot t$$

$t=\dfrac{\pi}{4}$에 대응하는 곡선 위의 점에서의 접선의 기울기가 $1$

이므로

$$-\frac{b}{a}\times\cot\frac{\pi}{4}=1,\ -\frac{b}{a}=1$$

$$\therefore\ b=-a\ \qquad\cdots\cdots\text{㉠}$$

$t=\dfrac{\pi}{4}$에 대응하는 접점의 좌표는 $x=\dfrac{a}{\sqrt{2}}$, $y=\dfrac{b}{\sqrt{2}}$

$\left(\dfrac{a}{\sqrt{2}},\ \dfrac{b}{\sqrt{2}}\right)$는 $y=x+\sqrt{2}$ 위의 점이므로

$$\frac{b}{\sqrt{2}}=\frac{a}{\sqrt{2}}+\sqrt{2}$$

$$\therefore\ b=a+2\ \qquad\cdots\cdots\text{㉡}$$

㉠, ㉡을 연립하여 풀면

$a=-1$, $b=1$ $\therefore\ ab=-1$ 답 ⑤

**기출유형 05**

**Act❶** 음함수의 미분법을 이용하여 $\dfrac{dy}{dx}$를 구하고 $x=1$, $y=4$를 대입하여 접선의 기울기를 구한다.

양변을 $x$에 대하여 미분하면

$$2x+\frac{2}{\sqrt{y}}\frac{dy}{dx}=0,\ \frac{dy}{dx}=-x\sqrt{y}$$

점 $(1,\ 4)$에서의 접선의 기울기는
$$(-1)\times\sqrt{4}=-2$$

이므로 접선의 방정식은
$$y-4=-2(x-1),\ \text{즉}\ y=-2x+6$$

따라서 $a=-2$, $b=6$이므로
$$b-a=8$$ 답 8

**17** **Act❶** 음함수의 미분법을 이용하여 $\dfrac{dy}{dx}$를 구하고 $x=e$, $y=0$을 대입하여 접선의 기울기를 구한다.

양변을 $x$에 대하여 미분하면

$$e^y\frac{dy}{dx}\ln x+e^y\frac{1}{x}=2\frac{dy}{dx}$$

점 $(e,\ 0)$에서의 접선의 기울기는

$$\frac{dy}{dx}+\frac{1}{e}=2\frac{dy}{dx},\ \frac{dy}{dx}=\frac{1}{e}$$

이므로 접선의 방정식은

$$y-0=\frac{1}{e}(x-e),\ \text{즉}\ y=\frac{1}{e}x-1$$

따라서 $a=\dfrac{1}{e}$, $b=-1$이므로 $ab=-\dfrac{1}{e}$ 답 ⑤

**18** **Act❶** 음함수의 미분법을 이용하여 $\dfrac{dy}{dx}$를 구하고 $x=1$, $y=0$을 대입하여 접선의 기울기를 구한다.

양변을 $x$에 대하여 미분하면

$$3x^2-3y^2\frac{dy}{dx}-4y-4x\frac{dy}{dx}=0$$

점 $(1,\ 0)$에서의 접선의 기울기는

$$3-4\frac{dy}{dx}=0,\ \frac{dy}{dx}=\frac{3}{4}$$

이므로 접선의 방정식은 $y=\dfrac{3}{4}x-\dfrac{3}{4}$

따라서 $y$절편은 $-\dfrac{3}{4}$이다. 답 ②

**19** **Act❶** 음함수의 미분법을 이용하여 $\dfrac{dy}{dx}$를 구하고 $x=1$, $y=1$을 대입하여 접선의 기울기를 구한다.

양변을 $x$에 대하여 미분하면

$$6x+2y+2x\cdot\frac{dy}{dx}+2y\cdot\frac{dy}{dx}=0$$

점 $(1,\ 1)$에서의 접선의 기울기는

$$6+2+2\frac{dy}{dx}+2\frac{dy}{dx}=0,\ 4\frac{dy}{dx}=-8,\ \frac{dy}{dx}=-2$$

이므로 접선의 방정식은

$$y-1=-2(x-1),\ \text{즉}\ y=-2x+3$$

따라서 $x$절편은 $\dfrac{3}{2}$, $y$절편은 $3$이므로 구하는 넓이는

$$\frac{1}{2}\times\frac{3}{2}\times3=\frac{9}{4}$$ 답 ③

**20** **Act❶** $x$축과 만나는 점의 좌표를 구해 $\dfrac{dy}{dx}$에 대입한다.

$y=0$을 $x^3+xy+y^3+8=0$에 대입하면
$$x^3+8=0,\ x=-2$$

이므로 곡선과 $x$축이 만나는 점의 좌표는 $(-2,\ 0)$이다.

$x^3+xy+y^3+8=0$의 양변을 $x$에 대하여 미분하면

$$3x^2+y+x\frac{dy}{dx}+3y^2\frac{dy}{dx}=0$$

따라서 점 $(-2,\ 0)$에서의 접선의 기울기는

$$3 \times 4 + (-2) \times \frac{dy}{dx} = 0, \quad \frac{dy}{dx} = 6 \qquad \text{답 ⑤}$$

$$f(2) + f(0) = \frac{2-1}{2^2-2+1} + \frac{0-1}{0^2-0+1}$$
$$= \frac{1}{3} + (-1) = -\frac{2}{3} \qquad \text{답 ③}$$

**기출유형 06**

**Act ①** 주어진 범위에서 $f'(x)=0$이 되는 $x$의 값을 구하고 그 값의 좌우에서 $f'(x)$의 부호가 바뀌는지 조사한다.

$$f'(x) = e^x(\sin x + \cos x) + e^x(\cos x - \sin x) = 2e^x \cos x$$

$f'(x)=0$에서 $x=\dfrac{\pi}{2}$ 또는 $x=\dfrac{3}{2}\pi$

| $x$ | $(0)$ | $\cdots$ | $\dfrac{\pi}{2}$ | $\cdots$ | $\dfrac{3}{2}\pi$ | $\cdots$ | $(2\pi)$ |
|---|---|---|---|---|---|---|---|
| $f'(x)$ | | $+$ | $0$ | $-$ | $0$ | $+$ | |
| $f(x)$ | | $\nearrow$ | $e^{\frac{\pi}{2}}$ | $\searrow$ | $-e^{\frac{3}{2}\pi}$ | $\nearrow$ | |

함수 $f(x)$는 $x=\dfrac{\pi}{2}$에서 극댓값 $M=e^{\frac{\pi}{2}}$, $x=\dfrac{3}{2}\pi$에서 극솟값 $m=-e^{\frac{3}{2}\pi}$을 갖는다.

$$\therefore Mm = -e^{2\pi} \qquad \text{답 ①}$$

**[다른 풀이]**

$f'(x) = e^x(\sin x + \cos x) + e^x(\cos x - \sin x) = 2e^x \cos x$이므로

$f'(x)=0$에서 $x=\dfrac{\pi}{2}$ 또는 $x=\dfrac{3}{2}\pi$

$f''(x) = 2e^x \times \cos x + 2e^x \times (-\sin x) = 2e^x(\cos x - \sin x)$

이때 모든 실수 $x$에 대하여 $e^x > 0$이므로 $f''(x)$의 부호는 $\cos x - \sin x$의 값에 의해 결정된다.

$x=\dfrac{\pi}{2}$일 때 $\cos\dfrac{\pi}{2} - \sin\dfrac{\pi}{2} = 0 - 1 = -1 < 0$,

즉 $f''\!\left(\dfrac{\pi}{2}\right) < 0$이므로

$f(x)$는 $x=\dfrac{\pi}{2}$에서 극댓값을 갖는다.

$x=\dfrac{3}{2}\pi$일 때 $\cos\dfrac{3}{2}\pi - \sin\dfrac{3}{2}\pi = 0 - (-1) = 1 > 0$, 즉

$f''\!\left(\dfrac{3}{2}\pi\right) > 0$이므로

$f(x)$는 $x=\dfrac{3}{2}\pi$에서 극솟값을 갖는다.

$$\therefore Mm = f\!\left(\dfrac{\pi}{2}\right) \times f\!\left(\dfrac{3}{2}\pi\right) = -e^{2\pi}$$

**21** **Act ①** $f'(x)=0$이 되는 $x$의 값을 구하고 그 값의 좌우에서 $f'(x)$의 부호가 바뀌는지 조사한다.

$$f'(x) = \frac{(x^2-x+1) - (x-1)(2x-1)}{(x^2-x+1)^2}$$
$$= \frac{-x^2+2x}{(x^2-x+1)^2}$$

$f'(x)=0$에서 $x=0$ 또는 $x=2$

| $x$ | $\cdots$ | $0$ | $\cdots$ | $2$ | $\cdots$ |
|---|---|---|---|---|---|
| $f'(x)$ | $-$ | $0$ | $+$ | $0$ | $-$ |
| $f(x)$ | $\searrow$ | 극소 | $\nearrow$ | 극대 | $\searrow$ |

함수 $f(x)$는 $x=0$에서 극소이고, $x=2$에서 극대이므로 극댓값과 극솟값의 합은

**22** **Act ①** 함수 $f(x)$가 $x=\alpha$에서 극값 $\beta$를 가지면 $f'(\alpha)=0$, $f(\alpha)=\beta$임을 이용한다.

$$f'(x) = (-x^2+2x+8)e^{-x+1} = -(x+2)(x-4)e^{-x+1}$$

$f'(x)=0$에서 $x=-2$ 또는 $x=4$ $(\because e^{-x+1}>0)$

따라서 $f(x)$는 $x=-2$ 또는 $x=4$에서 극값을 가진다.

$$\therefore f(-2) \times f(4) = (-4e^3) \times (8e^{-3}) = -32 \qquad \text{답 ②}$$

**23** **Act ①** 함수 $f(x)$가 $x=\alpha$에서 극값 $\beta$를 가지면 $f'(\alpha)=0$, $f(\alpha)=\beta$임을 이용한다.

$$f(x) = \frac{1}{2}x^2 - a\ln x \ (a>0)$$

$$f'(x) = x - \frac{a}{x} = \frac{x^2-a}{x} = 0$$

$f'(x)=0$에서 $x=\sqrt{a}$

| $x$ | $\cdots$ | $\sqrt{a}$ | $\cdots$ |
|---|---|---|---|
| $f'(x)$ | $-$ | $0$ | $+$ |
| $f(x)$ | $\searrow$ | 극소 | $\nearrow$ |

따라서 $f(x)$의 극솟값은

$$f(\sqrt{a}) = \frac{1}{2}a - a\ln\sqrt{a} = 0,$$

$$\therefore a = e \qquad \text{답 ④}$$

**24** **Act ①** $f'(x)=0$이 되는 $x$의 값을 구하고 그 값의 좌우에서 $f'(x)$의 부호가 바뀌는지 조사한다.

$$f'(x) = \cos^2 x - \sin^2 x + \cos x$$

$f'(x)=0$에서

$$\cos^2 x - \sin^2 x + \cos x = 0, \quad \cos^2 x - (1-\cos^2 x) + \cos x = 0$$
$$2\cos^2 x + \cos x - 1 = 0, \quad (2\cos x - 1)(\cos x + 1) = 0$$

$\cos x = -1$ 또는 $\cos x = \dfrac{1}{2}$

$$\therefore x = \frac{\pi}{3} \ \text{또는} \ x = \pi \ \text{또는} \ x = \frac{5}{3}\pi$$

| $x$ | $(0)$ | $\cdots$ | $\dfrac{\pi}{3}$ | $\cdots$ | $\pi$ | $\cdots$ | $\dfrac{5}{3}\pi$ | $\cdots$ | $(2\pi)$ |
|---|---|---|---|---|---|---|---|---|---|
| $f'(x)$ | | $+$ | $0$ | $-$ | $0$ | $-$ | $0$ | $+$ | |
| $f(x)$ | | $\nearrow$ | 극대 | $\searrow$ | | $\searrow$ | 극소 | $\nearrow$ | |

따라서 $f(x)$는 $x=\dfrac{\pi}{3}$에서 극대이고 $x=\dfrac{5}{3}\pi$에서 극소이므로 $\beta - \alpha = \dfrac{4}{3}\pi$ $\qquad$ 답 ④

**VIT** **V**ery **I**mportant **T**est　　　pp. 70~71

| | | | | |
|---|---|---|---|---|
| **01.** ① | **02.** 1 | **03.** 8 | **04.** ② | **05.** ② |
| **06.** ⑤ | **07.** 9 | **08.** ③ | **09.** ④ | **10.** ③ |
| **11.** ④ | **12.** ① | | | |

## 01

$f(x)=e^{\frac{x^2}{2}}$이라 하면 $f'(x)=e^{\frac{x^2}{2}}\times 2x=2xe^{\frac{x^2}{2}}$이므로

$f'(\sqrt{2})=2\sqrt{2}\,e$

곡선 위의 점 $(\sqrt{2},\ e)$에서의 접선의 방정식은

$y-e=2\sqrt{2}\,e(x-\sqrt{2})$ $\therefore y=2\sqrt{2}\,ex-3e$

따라서 접선의 방정식의 $y$절편은 $-3e$　　　　　답 ①

## 02

$f(x)=x+\sin x$라 하면

$f'(x)=1+\cos x$

접점의 좌표를 $(t,\ t+\sin t)$라 하면 접선 $y=x+a$의 기울기가 1이므로

$f'(t)=1+\cos t=1$, $\cos t=0$ $\therefore t=\dfrac{\pi}{2}\ (\because 0\leq x\leq\pi)$

따라서 접점의 좌표는 $\left(\dfrac{\pi}{2},\ \dfrac{\pi}{2}+1\right)$이므로

$y-\left(\dfrac{\pi}{2}-1\right)=x-\dfrac{\pi}{2}$ $\therefore y=x+1$

따라서 구하는 $a$의 값은 1이다.　　　　　답 1

## 03

$f(x)=e^{x+1}$이라 하면 $f'(x)=e^{x+1}$

$x+4y-1=0$에서 $y=-\dfrac{1}{4}x+\dfrac{1}{4}$이므로

이것과 수직인 접선 $y=ax+b$의 기울기는 4이다.

접점의 좌표를 $(t,\ e^{t+1})$이라 하면 기울기가 4이므로

$f'(t)=e^{t+1}=4$ $\therefore t=\ln 4-1$

따라서 접점의 좌표는 $(\ln 4-1,\ 4)$이므로 접선의 방정식은

$y-4=4\{x-(\ln 4-1)\}$ $\therefore y=4x-4\ln 4+8$

$\therefore a=4,\ b=-4\ln 4+8$

따라서 구하는 값은

$4\ln a+b=4\ln 4+(-4\ln 4+8)=8$　　　　　답 8

## 04

$f(x)=\ln x$라 하면 $f'(x)=\dfrac{1}{x}$

$f'(e)=\dfrac{1}{e}$이므로 접선의 방정식은 $y=\dfrac{1}{e}x$

이 접선이 곡선 $y=\dfrac{1}{4}x^2+k$에 접하므로

$\dfrac{1}{4}x^2-\dfrac{1}{e}x+k=0$에서 판별식을 $D$라 하면

$D=\left(-\dfrac{1}{e}\right)^2-4\times\dfrac{1}{4}\times k=0$

$\therefore k=\dfrac{1}{e^2}$　　　　　답 ②

## 05

접점의 좌표를 $\left(t,\ \dfrac{1}{t}\right)$이라 하면 $y'=-\dfrac{1}{x^2}$이므로 접선의 방정식은

$y-\dfrac{1}{t}=-\dfrac{1}{t^2}(x-t)$

이 접선은 점 $\left(3,\ \dfrac{1}{4}\right)$을 지나므로

$\dfrac{1}{4}-\dfrac{1}{t}=-\dfrac{1}{t^2}(3-t)$, $t^2-8t+12=0$, $(t-6)(t-2)=0$

$\therefore t=2$ 또는 $t=6$

이때 기울기가 큰 것은 $t=6$일 때이므로

$y-\dfrac{1}{6}=-\dfrac{1}{36}(x-6)$, 즉 $y=-\dfrac{1}{36}x+\dfrac{1}{3}$

따라서 구하는 $y$절편은 $\dfrac{1}{3}$이다.　　　　　답 ②

## 06

$1=e^t-2e^{-t}$의 양변에 $e^{-t}$을 곱하면

$e^{2t}-e^t-2=0$

$(e^t-2)(e^t+1)=0$

$e^t>0$이므로 $e^t=2$ $\therefore t=\ln 2$

$a=e^{2\ln 2}+e^{\ln 2}=e^{\ln 4}+e^{\ln 2}=4+2=6$

$\dfrac{dy}{dx}=\dfrac{\frac{dy}{dt}}{\frac{dx}{dt}}=\dfrac{2e^{2t}+e^t}{e^t+2e^{-t}}$이므로 $t=\ln 2$일 때의 접선의 기울기는

$\dfrac{2\times 4+2}{2+1}=\dfrac{10}{3}$

따라서 점 $(1,\ 6)$에서의 접선의 방정식은

$y=\dfrac{10}{3}(x-1)+6$

즉 $y=\dfrac{10}{3}x+\dfrac{8}{3}$이므로 $y$절편은 $b=\dfrac{8}{3}$

$\therefore ab=6\times\dfrac{8}{3}=16$　　　　　답 ⑤

## 07

접점의 좌표를 $(a,\ b)$라 하면

$a^2-b+b^2=11$ ……㉠

$x^2-y+y^2=11$의 양변을 $x$에 대하여 미분하면

$2x-\dfrac{dy}{dx}+2y\dfrac{dy}{dx}=0$

$x=a,\ y=b,\ \dfrac{dy}{dx}=2$를 대입하면

$2a-2+4b=0$

$a=1-2b$

㉠에 대입하면

$(1-2b)^2-b+b^2=11$

$5b^2-5b-10=0$

$b^2-b-2=0$

$(b+1)(b-2)=0$

$\therefore b=-1$ 또는 $b=2$

$b=2$이면 $a=-3<0$이므로 $b=-1,\ a=3$

따라서 접선의 방정식은 $y=2(x-3)-1$, 즉 $y=2x-7$이므로

$m-n=2-(-7)=9$　　　　　답 9

## 08

$\displaystyle\lim_{x\to 9}\dfrac{\sqrt{f(x)}-2}{\sqrt{x}-3}=\lim_{x\to 9}\left(\dfrac{\sqrt{f(x)}-2}{x-9}\times\dfrac{\sqrt{x}+3}{1}\right)=1$이고

$\lim_{x \to 9} (\sqrt{x}+3)=6$이므로

$\lim_{x \to 9} \dfrac{\sqrt{f(x)}-2}{x-9}=\dfrac{1}{6}$이다.

한편, $x \to 9$일 때, (분모)$\to 0$이므로 (분자)$\to 0$이어야 한다.

따라서 $\lim_{x \to 9} (\sqrt{f(x)}-2)=0$에서 $f(9)=4$이고

$F(x)=\sqrt{f(x)}$로 놓으면

$\lim_{x \to 9} \dfrac{\sqrt{f(x)}-2}{x-9}=\lim_{x \to 9} \dfrac{\sqrt{f(x)}-\sqrt{f(9)}}{x-9}=F'(9)=\dfrac{1}{6}$

$F'(x)=\dfrac{f'(x)}{2\sqrt{f(x)}}$이므로

$F'(9)=\dfrac{f'(9)}{2\sqrt{f(9)}}=\dfrac{f'(9)}{2\sqrt{4}}=\dfrac{1}{6}$에서

$f'(9)=\dfrac{2}{3}$

접선의 방정식은

$y=\dfrac{2}{3}(x-9)+4=\dfrac{2}{3}x-2$

따라서 $m=\dfrac{2}{3}$, $n=-2$이므로

$\dfrac{n}{m}=-3$     답 ③

## 09

$f(x)=(2x+a)e^{x^2}$에서

$f'(x)=2e^{x^2}+2x(2x+a)e^{x^2}=2e^{x^2}(2x^2+ax+1)$

함수 $f(x)$가 실수 전체의 집합에서 증가하려면 모든 실수 $x$에 대하여 $f'(x)\geq 0$, 즉

$2e^{x^2}(2x^2+ax+1)\geq 0$이어야 한다.

방정식 $2x^2+ax+1=0$의 판별식을 $D$라 하면

$D=a^2-8\leq 0$

$(a+2\sqrt{2})(a-2\sqrt{2})\leq 0$

$\therefore -2\sqrt{2}\leq a \leq 2\sqrt{2}$

따라서 조건을 만족시키는 정수 $a$의 개수는 $-2$, $-1$, $0$, $1$, $2$의 5개이다.     답 ④

## 10

$f(x)=\dfrac{x}{x^2+4}$에서 $f'(x)=\dfrac{-x^2+4}{(x^2+4)^2}$

$f'(x)=0$에서 $x=-2$ 또는 $x=2$

| $x$ | $\cdots$ | $-2$ | $\cdots$ | $2$ | $\cdots$ |
|---|---|---|---|---|---|
| $f'(x)$ | $-$ | $0$ | $+$ | $0$ | $-$ |
| $f(x)$ | $\searrow$ | $-\dfrac{1}{4}$ | $\nearrow$ | $\dfrac{1}{4}$ | $\searrow$ |

따라서 함수 $f(x)$는 $x=2$에서 극댓값 $\dfrac{1}{4}$을 갖고 $x=-2$에서 극솟값 $-\dfrac{1}{4}$을 갖는다.

$\therefore a=2$, $b=-2$, $k=-\dfrac{1}{4}$

따라서 구하는 값은

$a+b-12k=2+(-2)-12\times\left(-\dfrac{1}{4}\right)=3$     답 ③

## 11

$f'(x)=\dfrac{2x}{x^2}-\dfrac{a}{x^2}-1=\dfrac{-x^2+2x-a}{x^2}$

$f'(-1)=-1-2-a=0$이므로 $a=-3$

$f(-1)=\ln 1-a+1+b=5$이므로 $b=a+4=1$

$f'(x)=\dfrac{-x^2+2x+3}{x^2}=\dfrac{-(x+1)(x-3)}{x^2}=0$에서

$x=-1$ 또는 $x=3$

따라서 $x=3$에서 극대이고, 극댓값은

$f(3)=\ln 9-1-3+1=2\ln 3-3$     답 ④

## 12

$f(x)=x+2\cos x$이므로 $f'(x)=1-2\sin x$

$f'(x)=0$에서 $x=\dfrac{\pi}{6}$ 또는 $x=\dfrac{5}{6}\pi$

$f''(x)=-2\cos x$이므로

$f''\left(\dfrac{\pi}{6}\right)=-2\cos\dfrac{\pi}{6}=-\sqrt{3}<0$

$f''\left(\dfrac{5}{6}\pi\right)=-\cos\dfrac{5}{6}\pi=\sqrt{3}>0$

따라서 함수 $f(x)$의 극댓값은 $f\left(\dfrac{\pi}{6}\right)$, 극솟값은 $f\left(\dfrac{5}{6}\pi\right)$이다.

$\therefore M-m=f\left(\dfrac{\pi}{6}\right)-f\left(\dfrac{5}{6}\pi\right)$

$\qquad =\left(\dfrac{\pi}{6}+2\cos\dfrac{\pi}{6}\right)-\left(\dfrac{5}{6}\pi+2\cos\dfrac{5}{6}\pi\right)$

$\qquad =\left(\dfrac{\pi}{6}+\sqrt{3}\right)-\left(\dfrac{5}{6}\pi-\sqrt{3}\right)$

$\qquad =-\dfrac{2}{3}\pi+2\sqrt{3}$     답 ①

# 07 도함수의 활용 (2)

pp. 72~73

**01.** ③    **02.** 4    **03.** 1    **04.** ⑤    **05.** 40

**01** $f(x)=\dfrac{1}{x^2+3}$이라 하면

$f'(x)=-\dfrac{2x}{(x^2+3)^2}$, $f''(x)=\dfrac{6(x+1)(x-1)}{(x^2+3)^3}$

$f''(x)=0$에서 $x=-1$ 또는 $x=1$

$x=-1$, $x=1$의 좌우에서 $f''(x)$의 부호가 바뀌므로 곡선 $y=f(x)$의 두 변곡점은 $\left(-1, \dfrac{1}{4}\right)$, $\left(1, \dfrac{1}{4}\right)$

따라서 두 변곡점의 $y$좌표의 곱은 $\dfrac{1}{4}\times\dfrac{1}{4}=\dfrac{1}{16}$     답 ③

**02** $f(x)=x-2\sqrt{x}$에서 $f'(x)=1-\dfrac{1}{\sqrt{x}}$

$f'(x)=0$에서 $x=1$

| $x$ | $0$ | $\cdots$ | $1$ | $\cdots$ | $9$ |
|---|---|---|---|---|---|
| $f'(x)$ | | $-$ | $0$ | $+$ | |
| $f(x)$ | $0$ | $\searrow$ | $-1$ | $\nearrow$ | $3$ |

따라서 함수 $f(x)$의 최댓값은 3, 최솟값은 $-1$이다.

$\therefore M-m=4$      답 4

**03** $f(x)=e^x+e^{-x}-2$라 하면 $f'(x)=e^x-e^{-x}$

$f'(x)=0$에서 $e^x=e^{-x}$, $x=-x$   $\therefore x=0$

| $x$ | $\cdots$ | 0 | $\cdots$ |
|---|---|---|---|
| $f'(x)$ | $-$ | 0 | $+$ |
| $f(x)$ | $\searrow$ | 0 | $\nearrow$ |

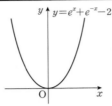

함수 $f(x)$의 그래프는 $x$축과 한 점에서 만나므로 주어진 방정식의 실근의 개수는 1이다.      답 1

**04** 부등식 $x\ln x-x\geq k$에서 $f(x)=x\ln x-x$라 하면

$f'(x)=\ln x$

$f'(x)=0$에서 $x=1$

$x>0$일 때, 함수 $f(x)$는 $x=1$에서 극소이면서 최솟값 $-1$을 갖는다.

$f(x)\geq-1$이므로 $x>0$인 $x$에 대하여 부등식 $x\ln x-x\geq k$가 성립하도록 하는 $k$의 값의 범위는 $k\leq-1$이다.

따라서 주어진 부등식을 만족시키는 실수 $k$의 최댓값은 $-1$이다.      답 ⑤

**05** 시각 $t$에서의 위치가 $x(t)$일 때, 가속도의 크기는 $|x''(x)|$이다.

$x'(t)=1-\dfrac{40}{\pi}\sin(2\pi t)$

$x''(t)=-80\cos(2\pi t)$

따라서 시각 $t=\dfrac{1}{3}$에서의 점 P의 가속도의 크기는

$\left|x''\left(\dfrac{1}{3}\right)\right|=\left|-80\cos\dfrac{2\pi}{3}\right|=\left|-80\times\left(-\dfrac{1}{2}\right)\right|=40$    답 40

---

### 유형따라잡기             pp. 74~79

| 기출유형 01 ⑤ | **01.** ① | **02.** ② | **03.** ⑤ | **04.** 96 |
|---|---|---|---|---|
| 기출유형 02 ① | **05.** 6 | **06.** 2 | **07.** ① | **08.** ⑤ |
| 기출유형 03 ① | **09.** ② | **10.** ② | **11.** ④ | **12.** ② |
| 기출유형 04 ④ | **13.** ④ | **14.** 2 | **15.** ⑤ | **16.** 1 |
| 기출유형 05 16 | **17.** ⑤ | **18.** ⑤ | **19.** ⑤ | **20.** 1 |
| 기출유형 06 ④ | **21.** ③ | **22.** ④ | **23.** ② | **24.** 4 |

**기출유형 01**

**Act①** 함수 $f(x)$에서 $f''(a)=0$이고 $x=a$의 좌우에서 $f''(x)$의 부호가 바뀌면 점 $(a,f(a))$는 곡선 $y=f(x)$의 변곡점이다.

$f(x)=xe^x$에서

---

$f'(x)=e^x+xe^x=e^x(1+x)$

$f''(x)=e^x(1+x)+e^x=e^x(x+2)$

$f''(x)=0$에서 $x=-2$

$x=-2$의 좌우에서 $f''(x)$의 부호가 바뀌고

$f(-2)=-\dfrac{2}{e^2}$이므로 변곡점의 좌표는 $\left(-2,-\dfrac{2}{e^2}\right)$

$\therefore ab=(-2)\times\left(-\dfrac{2}{e^2}\right)=\dfrac{4}{e^2}$      답 ⑤

**01** **Act①** 함수 $f(x)$에서 $f''(a)=0$이고 $x=a$의 좌우에서 $f''(x)$의 부호가 바뀌면 점 $(a,f(a))$는 곡선 $y=f(x)$의 변곡점이다.

$f(x)=x^2-2x\ln x$라 하면

$f'(x)=2x-\left(2\ln x+2x\times\dfrac{1}{x}\right)=2x-(2\ln x+2)$

$f''(x)=2-\dfrac{2}{x}$

$f''(x)=0$에서 $x=1$

$0<x<1$일 때 $f''(x)<0$, $x>1$일 때 $f''(x)>0$이다.

따라서 $x=1$의 좌우에서 $f''(x)$의 부호가 바뀌므로 변곡점의 $x$좌표는 1      답 ①

**02** **Act①** 함수 $f(x)$에서 $f''(a)=0$이고 $x=a$의 좌우에서 $f''(x)$의 부호가 바뀌면 점 $(a,f(a))$는 곡선 $y=f(x)$의 변곡점이다.

$f(x)=(\ln x)^2-x+1$이라 하면

$f'(x)=\dfrac{2\ln x}{x}-1$

$f''(x)=\dfrac{2\dfrac{1}{x}\times x-2\ln x\times 1}{x^2}=\dfrac{2-2\ln x}{x^2}$

$f''(x)=0$에서 $2-2\ln x=0$, $x=e$

$x=e$의 좌우에서 $f''(x)$의 부호가 바뀌므로 $x=e$는 변곡점의 $x$좌표이다.

따라서 변곡점에서의 접선의 기울기는

$f'(e)=\dfrac{2\ln e}{e}-1=\dfrac{2}{e}-1$      답 ②

**03** **Act①** 함수 $f(x)$에서 $f''(a)=0$이고 $x=a$의 좌우에서 $f''(x)$의 부호가 바뀌면 점 $(a,f(a))$는 곡선 $y=f(x)$의 변곡점이다.

$f(x)=\left(\ln\dfrac{1}{ax}\right)^2=(-\ln ax)^2=(\ln ax)^2$이라 하면

$f'(x)=2\ln ax\times\dfrac{a}{ax}=\dfrac{2\ln ax}{x}$

$f''(x)=\dfrac{2\dfrac{a}{ax}\times x-2\ln ax}{x^2}=\dfrac{2(1-\ln ax)}{x^2}$

$f''(x)=0$에서 $x=\dfrac{e}{a}$

$x<\dfrac{e}{a}$일 때, $f''(x)>0$이고 $x>\dfrac{e}{a}$일 때, $f''(x)<0$이다.

따라서 $x=\dfrac{e}{a}$의 좌우에서 $f''(x)$의 부호가 바뀌므로 변곡점의 좌표는 $\left(\dfrac{e}{a},1\right)$

변곡점이 직선 $y=2x$ 위에 있으므로

$\dfrac{2e}{a}=1$   $\therefore a=2e$ 답 ⑤

**04** Act❶ 함수 $f(x)$에서 $f''(a)=0$이고 $x=a$의 좌우에서 $f''(x)$의 부호가 바뀌면 점 $(a, f(a))$는 곡선 $y=f(x)$의 변곡점이다.

$f(x)=\dfrac{2}{x^2+b}\ (b>0)$이라 하면

$f'(x)=\dfrac{-4x}{(x^2+b)^2}$

$f''(x)=\dfrac{-4(x^2+b)^2-(-4x)\times 2(x^2+b)\times 2x}{(x^2+b)^4}$

$\qquad =\dfrac{-4(x^2+b-4x^2)}{(x^2+b)^3}=\dfrac{-4(b-3x^2)}{(x^2+b)^3}$

$(2, a)$가 변곡점이므로 $f''(2)=0$에서

$b-3\times 2^2=0$   $\therefore b=12$

$(2, a)$는 주어진 곡선 위의 점이므로

$a=\dfrac{2}{2^2+12}=\dfrac{1}{8}$

$\therefore \dfrac{b}{a}=\dfrac{12}{\dfrac{1}{8}}=96$ 답 96

**기출유형 02**

Act❶ 주어진 구간에서 함수의 극값을 구한 후 구간의 양 끝에서의 함숫값과 비교하여 최댓값, 최솟값을 구한다.

$f(x)=\sin^2 x+\cos x$에서

$f'(x)=2\sin x\cos x-\sin x=\sin x(2\cos x-1)$

$f'(x)=0$에서 $x=0$ 또는 $x=\dfrac{\pi}{3}$ 또는 $x=\pi$

| $x$ | $0$ | $\cdots$ | $\dfrac{\pi}{3}$ | $\cdots$ | $\pi$ |
|---|---|---|---|---|---|
| $f'(x)$ | | $+$ | $0$ | $-$ | |
| $f(x)$ | $1$ | $\nearrow$ | $\dfrac{5}{4}$ | $\searrow$ | $-1$ |

따라서 함수 $f(x)$는 $x=\dfrac{\pi}{3}$에서 최댓값 $\dfrac{5}{4}$, $x=\pi$에서 최솟값 $-1$을 갖는다.

$\therefore M+m=\dfrac{1}{4}$ 답 ①

**05** Act❶ 주어진 구간에서 함수의 극값을 구한 후 구간의 양 끝에서의 함숫값과 비교하여 최댓값, 최솟값을 구한다.

$f(x)=x\ln x-x+3$ 에서

$f'(x)=\ln x+x\times\dfrac{1}{x}-1=\ln x$

$f'(x)=0$에서 $x=1$

| $x$ | $\dfrac{1}{e}$ | $\cdots$ | $1$ | $\cdots$ | $e$ |
|---|---|---|---|---|---|
| $f'(x)$ | | $-$ | $0$ | $+$ | |
| $f(x)$ | $3-\dfrac{2}{e}$ | $\searrow$ | $2$ | $\nearrow$ | $3$ |

따라서 함수 $f(x)$는 $x=e$에서 최댓값 $3$, $x=1$에서 최솟값 $2$를 갖는다.

$\therefore Mm=3\times 2=6$ 답 6

**06** Act❶ 주어진 구간에서 함수의 극값을 구한 후 구간의 양 끝에서의 함숫값과 비교하여 최솟값을 구한다.

$f(x)=e^x+e^{-x}$에서 $f'(x)=e^x-e^{-x}$

$f'(x)=0$에서 $x=0$

| $x$ | $-1$ | $\cdots$ | $0$ | $\cdots$ | $1$ |
|---|---|---|---|---|---|
| $f'(x)$ | | $-$ | $0$ | $+$ | |
| $f(x)$ | $e+\dfrac{1}{e}$ | $\searrow$ | $2$ | $\nearrow$ | $e+\dfrac{1}{e}$ |

따라서 구하는 최솟값은 2이다. 답 2

**07** Act❶ 주어진 구간에서 함수의 극값을 구한 후 구간의 양 끝에서의 함숫값과 비교하여 최댓값을 구한다.

$f'(x)=\sqrt{1-x^2}+x\cdot\dfrac{-2x}{2\sqrt{1-x^2}}=\dfrac{1-2x^2}{\sqrt{1-x^2}}$

$f'(x)=0$에서 $1-2x^2=0$, $x=\pm\dfrac{\sqrt{2}}{2}$

| $x$ | $-1$ | $\cdots$ | $-\dfrac{\sqrt{2}}{2}$ | $\cdots$ | $\dfrac{\sqrt{2}}{2}$ | $\cdots$ | $1$ |
|---|---|---|---|---|---|---|---|
| $f'(x)$ | | $-$ | $0$ | $+$ | $0$ | $-$ | |
| $f(x)$ | $0$ | $\searrow$ | | $\nearrow$ | $\dfrac{1}{2}$ | $\searrow$ | $0$ |

따라서 함수 $f(x)$는 $x=\dfrac{\sqrt{2}}{2}$에서 최댓값 $\dfrac{1}{2}$을 갖는다. 답 ①

**08** Act❶ 주어진 구간에서 함수의 극값을 구한 후 구간의 양 끝에서의 함숫값과 비교하여 최댓값, 최솟값을 구한다.

$f(x)=x-2\sin x$에서 $f'(x)=1-2\cos x$

$f'(x)=0$에서 $x=\dfrac{\pi}{3}$ 또는 $x=\dfrac{5}{3}\pi$

| $x$ | $0$ | $\cdots$ | $\dfrac{\pi}{3}$ | $\cdots$ | $\dfrac{5}{3}\pi$ | $\cdots$ | $2\pi$ |
|---|---|---|---|---|---|---|---|
| $f'(x)$ | | $-$ | $0$ | $+$ | $0$ | $-$ | |
| $f(x)$ | $0$ | $\searrow$ | $\dfrac{\pi}{3}-\sqrt{3}$ | $\nearrow$ | $\dfrac{5}{3}\pi+\sqrt{3}$ | $\searrow$ | $2\pi$ |

따라서 함수 $f(x)$는 $x=\dfrac{5}{3}\pi$에서 최댓값 $\dfrac{5}{3}\pi+\sqrt{3}$, $x=\dfrac{\pi}{3}$에서 최솟값 $\dfrac{\pi}{3}-\sqrt{3}$을 갖는다.

$\therefore M+m=2\pi$ 답 ⑤

**기출유형 03**

Act❶ 도형의 넓이를 함수로 나타낸 다음 함수의 최대, 최소를 이용한다.

$t<0$이므로 삼각형 ABO의 넓이는

$\dfrac{1}{2}\times(-t)\times e^t=-\dfrac{1}{2}te^t$

$f(t)=-\dfrac{1}{2}te^t\ (t<0)$이라 하면

$f'(t)=-\dfrac{1}{2}e^t-\dfrac{1}{2}te^t$

$\qquad =-\dfrac{1}{2}(1+t)e^t$

$f'(t)=0$에서 $t=-1$

| $t$ | $\cdots$ | $-1$ | $\cdots$ | $(0)$ |
|---|---|---|---|---|
| $f'(t)$ | $+$ | $0$ | $-$ | |
| $f(t)$ | ↗ | $\dfrac{1}{2e}$ | ↘ | |

따라서 함수 $f(t)$의 최댓값은 $\dfrac{1}{2e}$이다.　　　답 ①

**09** Act❶ 도형의 넓이를 함수로 나타낸 다음 함수의 최대, 최소를 이용한다.

점 $P$의 좌표를 $(a,\ \ln a)\ (0<a<1)$, 직사각형의 OBPA의 넓이를 $S(a)$라 하면
$$S(a)=a(-\ln a)=-a\ln a$$
$$S'(a)=-\ln a-a\times\dfrac{1}{a}=-(\ln a+1)$$
$$S'(a)=0\text{에서 } a=\dfrac{1}{e}$$

| $a$ | $(0)$ | $\cdots$ | $\dfrac{1}{e}$ | $\cdots$ | $(1)$ |
|---|---|---|---|---|---|
| $S'(a)$ | | $+$ | $0$ | $-$ | |
| $S(a)$ | | ↗ | $\dfrac{1}{e}$ | ↘ | |

따라서 직사각형의 넓이의 최댓값은 $\dfrac{1}{e}$이다.　　　답 ②

**10** Act❶ 도형의 넓이를 함수로 나타낸 다음 함수의 최대, 최소를 이용한다.

직사각형의 넓이를 $S(a)$라 하면
$$S(a)=2ae^{-2a}$$
$$S'(a)=2e^{-2a}-4ae^{-2a}=-2e^{-2a}(2a-1)$$
$$S'(a)=0\text{에서 } a=\dfrac{1}{2}\ (\because\ e^{-2a}>0)$$

| $a$ | $(0)$ | $\cdots$ | $\dfrac{1}{2}$ | $\cdots$ |
|---|---|---|---|---|
| $S'(a)$ | | $+$ | $0$ | $-$ |
| $S(a)$ | | ↗ | $\dfrac{1}{e}$ | ↘ |

따라서 직사각형의 넓이의 최댓값은 $\dfrac{1}{e}$이다.　　　답 ②

**11** Act❶ 도형의 넓이를 함수로 나타낸 다음 함수의 최대, 최소를 이용한다.

$f(x)=2e^{-x}$이라 하면 $f'(x)=-2e^{-x}$이므로
점 $\mathrm{P}(t,\ 2e^{-t})$에서의 접선의 방정식은
$$y-2e^{-t}=-2e^{-t}(x-t),\ y=-2e^{-t}x+2te^{-t}+2e^{-t}$$
즉 $\mathrm{B}(0,\ 2te^{-t}+2e^{-t})$, $\mathrm{A}(0,\ 2e^{-t})$이므로 $\overline{\mathrm{AB}}=2te^{-t}$
삼각형 APB의 넓이를 $S(t)$라 하면
$$S(t)=\dfrac{1}{2}\times 2te^{-t}\times t=t^2e^{-t}$$
$$S'(t)=2te^{-t}-t^2e^{-t}=t(2-t)e^{-t}$$
$$S'(t)=0\text{에서 } t=2\ (\because\ t>0)$$
이때 $S(t)$는 $t=2$에서 극대이면서 최대이므로 구하는 $t$의 값은 2이다.　　　답 ④

**12** Act❶ 선분 PQ의 길이를 함수로 나타낸 다음 함수의 최대, 최소를 이용한다.

$\mathrm{P}(a,\ a)$, $\mathrm{Q}(a,\ \sqrt{a-2})$이므로
$$\overline{\mathrm{PQ}}=a-\sqrt{a-2}$$
$$f(a)=a-\sqrt{a-2}\text{라 하면}$$
$$f'(a)=1-\dfrac{1}{2\sqrt{a-2}}=\dfrac{2\sqrt{a-2}-1}{2\sqrt{a-2}}$$
$$f'(a)=0\text{에서 } 2\sqrt{a-2}-1=0,\ \sqrt{a-2}=\dfrac{1}{2}$$
$$a-2=\dfrac{1}{4}\ \ \therefore\ a=\dfrac{9}{4}$$

| $a$ | $(2)$ | $\cdots$ | $\dfrac{9}{4}$ | $\cdots$ |
|---|---|---|---|---|
| $f'(a)$ | | $-$ | $0$ | $+$ |
| $f(a)$ | | ↘ | $\dfrac{7}{4}$ | ↗ |

따라서 선분 PQ의 길이의 최솟값은 $\dfrac{7}{4}$이다.　　　답 ②

**기출유형 04**

Act❶ $y=e^x-x$의 그래프와 직선 $y=k$의 교점의 개수가 2가 되도록 하는 $k$의 값의 범위를 구한다.

$e^x-x=k$에서 $f(x)=e^x-x$라 하면 $f'(x)=e^x-1$
$f'(x)=0$에서 $x=0$

| $x$ | $\cdots$ | $0$ | $\cdots$ |
|---|---|---|---|
| $f'(x)$ | $-$ | $0$ | $+$ |
| $f(x)$ | ↘ | $1$ | ↗ |

따라서 방정식 $e^x-x-k=0$이 서로 다른 두 실근을 갖는 $k$의 범위는 $k>1$이므로 $\alpha=1$　　　답 ④

**13** Act❶ $y=x-\ln x$의 그래프와 직선 $y=k$의 교점의 개수가 2가 되도록 하는 $k$의 값의 범위를 구한다.

$x-\ln x=k$에서 $f(x)=x-\ln x$라 하면 $f'(x)=1-\dfrac{1}{x}$
$f'(x)=0$에서 $x=1$

| $x$ | $(0)$ | $\cdots$ | $1$ | $\cdots$ |
|---|---|---|---|---|
| $f'(x)$ | | $-$ | $0$ | $+$ |
| $f(x)$ | | ↘ | $1$ | ↗ |

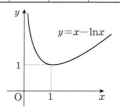

한편, $\lim\limits_{x\to 0}f(x)=\infty$, $\lim\limits_{x\to\infty}f(x)=\infty$
이므로 함수 $f(x)$의 그래프는 그림과 같다.
따라서 방정식 $x-\ln x-k=0$이 서로 다른 두 실근을 갖는 $k$의 범위는 $k>1$이므로 $\alpha=1$　　　답 ④

**14** Act❶ $y=\ln x-x+3$의 그래프와 직선 $y=n$이 교점을 갖도록

하는 자연수 $n$의 값을 구한다.

$\ln x - x + 3 = n$에서 $f(x) = \ln x - x + 3$ $(x > 0)$이라 하면

$f'(x) = \dfrac{1}{x} - 1$

$f'(x) = 0$에서 $x = 1$

| $x$ | $(0)$ | $\cdots$ | $1$ | $\cdots$ |
|---|---|---|---|---|
| $f'(x)$ | | $+$ | $0$ | $-$ |
| $f(x)$ | | $\nearrow$ | $2$ | $\searrow$ |

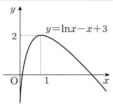

한편, $\lim\limits_{x \to 0} f(x) = -\infty$, $\lim\limits_{x \to \infty} f(x) = -\infty$이므로 함수 $y = f(x)$의 그래프는 그림과 같다.

방정식 $\ln x - x + 3 = n$이 실근을 가질 조건은 $n \leq 2$

따라서 자연수 $n$은 1, 2로 2개이다.    답 2

**15** **Act①** $y = \sin x - x \cos x$의 그래프와 직선 $y = k$의 교점의 개수가 2가 되도록 하는 $k$의 값을 구한다.

$\sin x - x \cos x = k$에서 $f(x) = \sin x - x \cos x$라 하면

$f'(x) = \cos x - (\cos x - x \sin x) = x \sin x$

| $x$ | $0$ | $\cdots$ | $\pi$ | $\cdots$ | $2\pi$ |
|---|---|---|---|---|---|
| $f'(x)$ | $0$ | $+$ | $0$ | $-$ | $0$ |
| $f(x)$ | $0$ | $\nearrow$ | $\pi$ | $\searrow$ | $-2\pi$ |

방정식 $f(x) = k$의 서로 다른 실근의 개수가 2가 되려면 $0 \leq k < \pi$

따라서 정수 $k$는 0, 1, 2, 3이므로 합은 6    답 ⑤

**16** **Act①** $y = \sin x$의 그래프와 직선 $y = kx$가 교점을 갖도록 하는 정수 $k$의 값을 구한다.

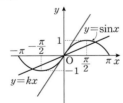

닫힌구간 $[-\pi, \pi]$에서 방정식 $\sin x = kx$가 서로 다른 세 실근을 가지려면 함수 $y = \sin x$의 그래프와 직선 $y = kx$의 교점이 3개이어야 하므로 $k$는 $k \geq 0$이고, 곡선 $y = \sin x$ 위의 점 $(0, 0)$에서의 접선의 기울기보다 작아야 한다. 이때 $y = \sin x$에서 $y' = \cos x$이므로 점 $(0, 0)$에서의 접선의 기울기는 $\cos 0 = 1$이다.

따라서 방정식 $\sin x = kx$가 서로 다른 세 실근을 가지기 위한 상수 $k$의 값의 범위는 $0 \leq k < 1$이므로 정수 $k$의 개수는 1이다.    답 1

기출유형 **05**

**Act①** 어떤 구간에서 부등식 $f(x) \geq m$이 성립하려면 그 구간에서 $(f(x)$의 최솟값$) \geq m$이어야 함을 이용한다.

$f(x) = \dfrac{x^2 + k}{x}$라 하면

$f'(x) = \dfrac{2x \times x - (x^2 + k) \times 1}{x^2} = \dfrac{x^2 - k}{x^2}$

$x > 0$이므로 $f(x) = 0$에서 $x = \sqrt{k}$

| $x$ | $(0)$ | $\cdots$ | $\sqrt{k}$ | $\cdots$ |
|---|---|---|---|---|
| $f'(x)$ | | $-$ | $0$ | $+$ |
| $f(x)$ | | $\searrow$ | $2\sqrt{k}$ | $\nearrow$ |

함수 $f(x)$의 최솟값은 $2\sqrt{k}$이므로 $f(x) \geq 8$이 성립하려면 $2\sqrt{k} \geq 8$ $\therefore k \geq 16$

따라서 양수 $k$의 최솟값은 16이다.    답 16

**17** **Act①** 어떤 구간에서 부등식 $f(x) \geq 0$이 성립하려면 그 구간에서 $(f(x)$의 최솟값$) \geq 0$이어야 함을 이용한다.

$f(x) = \dfrac{x^2}{\ln x} - k$로 놓으면

$f'(x) = \dfrac{2x \ln x - x^2 \times \dfrac{1}{x}}{(\ln x)^2} = \dfrac{x(2\ln x - 1)}{(\ln x)^2}$

$f'(x) = 0$에서 $\ln x = \dfrac{1}{2}$ $\therefore x = \sqrt{e}$

| $x$ | $(1)$ | $\cdots$ | $\sqrt{e}$ | $\cdots$ |
|---|---|---|---|---|
| $f'(x)$ | | $-$ | $0$ | $+$ |
| $f(x)$ | | $\searrow$ | $2e - k$ | $\nearrow$ |

함수 $f(x)$의 최솟값은 $2e - k$이므로 $f(x) \geq 0$이 성립하려면 $2e - k \geq 0$ $\therefore k \leq 2e$

따라서 실수 $k$의 값의 최댓값은 $2e$이다.    답 ⑤

**18** **Act①** 어떤 구간에서 부등식 $f(x) \geq 0$이 성립하려면 그 구간에서 $(f(x)$의 최솟값$) \geq 0$이어야 함을 이용한다.

$f(x) = -e^x(\sin x + \cos x) - k$로 놓으면

$f'(x) = -e^x(\sin x + \cos x) - e^x(\cos x - \sin x) = -2e^x \cos x$

$f'(x) = 0$에서 $x = \dfrac{\pi}{2}$ $\left(\because 0 \leq x \leq \dfrac{3}{4}\pi\right)$

| $x$ | $0$ | $\cdots$ | $\dfrac{\pi}{2}$ | $\cdots$ | $\dfrac{3}{4}\pi$ |
|---|---|---|---|---|---|
| $f'(x)$ | | $-$ | $0$ | $+$ | |
| $f(x)$ | | $\searrow$ | $-e^{\frac{\pi}{2}} - k$ | $\nearrow$ | |

함수 $f(x)$의 최솟값은 $-e^{\frac{\pi}{2}} - k$이므로 $f(x) \geq 0$이 성립하려면

$-e^{\frac{\pi}{2}} - k \geq 0$ $\therefore k \leq -e^{\frac{\pi}{2}}$

따라서 실수 $k$의 값의 최댓값은 $-e^{\frac{\pi}{2}}$이다.    답 ⑤

**19** **Act①** $x > a$에서 최솟값이 존재하지 않을 때, $f(x) > 0$임을 보이려면 $x > a$에서 $f(x)$가 증가하고 $f(a) \geq 0$임을 보인다.

$f(x) = e^x - \dfrac{x^2}{2} - x + k$로 놓으면

$f'(x) = e^x - x - 1$, $f''(x) = e^x - 1$

$x>0$일 때 $f''(x)>0$이므로 $f'(x)$는 증가하고 $f'(0)=0$이므로 $x>0$에서 $f'(x)>0$이다.

즉 함수 $f(x)$는 $x>0$에서 증가한다.

$f(x)>0$이 성립하려면

$f(0)=1+k\geq0$ $\quad\therefore k\geq-1$

따라서 실수 $k$의 최솟값은 $-1$이다. 　　　　답 ⑤

**20** **Act①** $x>a$에서 최솟값이 존재하지 않을 때, $f(x)>0$임을 보이려면 $x>a$에서 $f(x)$가 증가하고 $f(a)\geq0$임을 보인다.

$f(x)=x-k+1-\ln(1+x)$로 놓으면

$f'(x)=1-\dfrac{1}{1+x}=\dfrac{x}{1+x}>0$ $(\because x>0)$

즉 함수 $f(x)$는 $x>0$에서 증가하므로 $f(x)>0$이 성립하려면

$f(0)=-k+1\geq0$ $\quad\therefore k\leq1$

따라서 실수 $k$의 최댓값은 $1$이다. 　　　　답 1

### 기출유형 06

**Act①** 시각 $t$에서의 위치가 $x=f(t)$, $y=g(t)$일 때, 속력은 $\sqrt{\{f'(t)\}^2+\{g'(t)\}^2}$임을 이용한다.

$\dfrac{dx}{dy}=3-\cos t$, $\dfrac{dy}{dt}=\sin t$

이므로 점 P의 속력은

$\sqrt{\left(\dfrac{dx}{dt}\right)^2+\left(\dfrac{dy}{dt}\right)^2}=\sqrt{(3-\cos t)^2+\sin^2 t}$
$\qquad\qquad\qquad\qquad=\sqrt{9-6\cos t+\cos^2 t+\sin^2 t}$
$\qquad\qquad\qquad\qquad=\sqrt{10-6\cos t}$

이때 $-1\leq\cos t\leq1$이므로

$M=\sqrt{10-6\times(-1)}=4$

$m=\sqrt{10-6\times1}=2$

$\therefore M+m=6$ 　　　　답 ④

**21** **Act①** 시각 $t$에서의 위치가 $x=f(t)$, $y=g(t)$일 때, 속력은 $\sqrt{\{f'(t)\}^2+\{g'(t)\}^2}$임을 이용한다.

$\dfrac{dx}{dt}=1+\dfrac{2}{t^2}$, $\dfrac{dy}{dt}=2-\dfrac{1}{t^2}$

이므로 시각 $t=1$에서 점 P의 속도는 $(3,\ 1)$

따라서 시각 $t=1$에서 점 P의 속력은 $\sqrt{3^2+1^2}=\sqrt{10}$ 　　답 ③

**22** **Act①** 시각 $t$에서의 위치가 $x=f(t)$, $y=g(t)$일 때, 속력은 $\sqrt{\{f'(t)\}^2+\{g'(t)\}^2}$임을 이용한다.

$\dfrac{dx}{dt}=2$, $\dfrac{dy}{dt}=-6t+12$

이므로 시각 $t$에서의 점 P의 속력은

$\sqrt{\left(\dfrac{dx}{dt}\right)^2+\left(\dfrac{dy}{dt}\right)^2}=\sqrt{2^2+(-6t+12)^2}$
$\qquad\qquad\qquad\qquad=\sqrt{36(t-2)^2+4}=2\sqrt{9(t-2)^2+1}$

따라서 $t=2$일 때 점 P의 속력이 최소이므로 구하는 점 P의 좌표는 $(4,\ 12)$이다.

$\therefore m+n=16$ 　　　　답 ④

**23** **Act①** 시각 $t$에서의 위치가 $x=f(t)$, $y=g(t)$일 때, 속력은 $\sqrt{\{f'(t)\}^2+\{g'(t)\}^2}$, 가속도의 크기는 $\sqrt{\{f''(t)\}^2+\{g''(t)\}^2}$임을 이용한다.

$\dfrac{dx}{dt}=1-\sin t$, $\dfrac{dy}{dt}=2\cos t$

이므로 점 P의 속력은

$\sqrt{\left(\dfrac{dx}{dt}\right)^2+\left(\dfrac{dy}{dt}\right)^2}=\sqrt{1-2\sin t+\sin^2 t+4\cos^2 t}$
$\qquad\qquad\qquad\qquad=\sqrt{5-2\sin t-3\sin^2 t}$
$\qquad\qquad\qquad\qquad=\sqrt{-3\left(\sin t+\dfrac{1}{3}\right)^2+\dfrac{16}{3}}$

이고 $\sin t=-\dfrac{1}{3}$일 때 속력이 최대가 된다.

$\dfrac{d^2x}{dt^2}=-\cos t$, $\dfrac{d^2y}{dt^2}=-2\sin t$

이므로 점 P의 가속도의 크기는

$\sqrt{\left(\dfrac{d^2x}{dt^2}\right)^2+\left(\dfrac{d^2y}{dt^2}\right)^2}=\sqrt{\cos^2 t+4\sin^2 t}=\sqrt{1+3\sin^2 t}$

따라서 $\sin t=-\dfrac{1}{3}$일 때의 가속도의 크기는

$\sqrt{\dfrac{4}{3}}=\dfrac{2\sqrt{3}}{3}$ 　　　　답 ②

**24** **Act①** 시각 $t$에서의 위치가 $x=f(t)$, $y=g(t)$일 때, 속력은 $\sqrt{\{f'(t)\}^2+\{g'(t)\}^2}$, 가속도의 크기는 $\sqrt{\{f''(t)\}^2+\{g''(t)\}^2}$임을 이용한다.

$\dfrac{dx}{dt}=4\sin4t$, $\dfrac{dy}{dt}=\cos4t$

이므로 점 P의 속력은

$\sqrt{\left(\dfrac{dx}{dt}\right)^2+\left(\dfrac{dy}{dt}\right)^2}=\sqrt{16\sin^2 4t+\cos^2 4t}$
$\qquad\qquad\qquad\qquad=\sqrt{16\sin^2 4t+(1-\sin^2 4t)}$
$\qquad\qquad\qquad\qquad=\sqrt{15\sin^2 4t+1}$

이고 $\sin^2 4t=1$, $\cos^2 4t=0$일 때 속력이 최대가 된다.

$\dfrac{d^2x}{dt^2}=16\cos4t$, $\dfrac{d^2x}{dt^2}=-4\sin4t$

이므로 점 P의 가속도의 크기는

$\sqrt{\left(\dfrac{d^2x}{dt^2}\right)^2+\left(\dfrac{d^2y}{dt^2}\right)^2}=\sqrt{16^2\cos^2 4t+16\sin^2 4t}$

따라서 속력이 최대가 될 때의 가속도의 크기는

$\sqrt{16^2\times0+16\times1}=4$ 　　　　답 4

### VIT Very Important Test 　　　　pp. 80~81

| 01. ② | 02. ① | 03. ③ | 04. ② | 05. ② |
| 06. ② | 07. ② | 08. ② | 09. 16 | 10. ④ |
| 11. ④ | 12. ② | | | |

**01**

$f'(x)=\dfrac{2x}{x^2+1}$, $f''(x)=\dfrac{-2(x+1)(x-1)}{(x^2+1)^2}$

$f''(x)=0$에서 $x=-1$ 또는 $x=1$

$x=-1$, $x=1$의 좌우에서 $f''(x)$의 부호가 바뀌므로 변곡점의 좌표는 $(-1,\ \ln2)$, $(1,\ \ln2)$이다.
따라서 두 변곡점 사이의 거리는 2이다.     답 ②

## 02

$f'(x)=2\ln ax\times\dfrac{1}{ax}\times a=\dfrac{2\ln ax}{x}$

$f''(x)=\dfrac{\left(2\times\dfrac{1}{ax}\times a\right)\times x-2\ln ax\times1}{x^2}=\dfrac{2(1-\ln ax)}{x^2}$

$f''(x)=0$에서 $x=\dfrac{e}{a}$이고

$0<x<\dfrac{e}{a}$일 때 $f''(x)>0$, $x>\dfrac{e}{a}$일 때 $f''(x)<0$

이므로 변곡점의 좌표는 $\left(\dfrac{e}{a},\ 1\right)$이다.

변곡점 $\left(\dfrac{e}{a},\ 1\right)$이 직선 $y=x$ 위에 있으므로 $\dfrac{e}{a}=1$에서 $a=e$
    답 ①

## 03

$f(x)=x^2e^x$에서
$f'(x)=2xe^x+x^2e^x=xe^x(2+x)$
$f'(x)=0$에서 $x=0$ 또는 $x=-2$

| $x$ | $-3$ | $\cdots$ | $-2$ | $\cdots$ | $0$ | $\cdots$ | $1$ |
|---|---|---|---|---|---|---|---|
| $f'(x)$ | | $+$ | $0$ | $-$ | $0$ | $+$ | |
| $f(x)$ | $\dfrac{9}{e^3}$ | $\nearrow$ | $\dfrac{4}{e^2}$ | $\searrow$ | $0$ | $\nearrow$ | $e$ |

따라서 함수 $f(x)=x^2e^x$은 $x=1$에서 최댓값 $e$, $x=0$에서 최솟값 0을 갖는다.
$\therefore M+m=e+0=e$     답 ③

## 04

$f(x)=\dfrac{\ln x}{x}$에서

$f'(x)=\dfrac{\dfrac{1}{x}\times x-\ln x}{x^2}=\dfrac{1-\ln x}{x^2}$

$f'(x)=0$에서 $x=e$

| $x$ | $1$ | $\cdots$ | $e$ | $\cdots$ | $3$ |
|---|---|---|---|---|---|
| $f'(x)$ | | $+$ | $0$ | $-$ | |
| $f(x)$ | $0$ | $\nearrow$ | $\dfrac{1}{e}$ | $\searrow$ | $\dfrac{\ln3}{3}$ |

따라서 함수 $f(x)=\dfrac{\ln x}{x}$는 $x=e$에서 최댓값 $\dfrac{1}{e}$, $x=0$에서 최솟값 0을 갖는다.
$\therefore M+m=\dfrac{1}{e}+0=\dfrac{1}{e}$     답 ②

## 05

$P(x,\ e^{-x})(x>0)$이라 하고 직사각형 OAPB의 넓이를 $S(x)$라 하면

$S(x)=xe^{-x}$
$S'(x)=e^{-x}-xe^{-x}=(1-x)e^{-x}$
$S'(x)=0$에서 $x=1$

| $x$ | $(0)$ | $\cdots$ | $1$ | $\cdots$ |
|---|---|---|---|---|
| $S'(x)$ | | $+$ | $0$ | $-$ |
| $S(x)$ | | $\nearrow$ | 극대 | $\searrow$ |

따라서 $S(x)$는 $x=1$일 때 극대이면서 최대이므로 구하는 최댓값은
$S(1)=e^{-1}=\dfrac{1}{e}$     답 ②

## 06

$e^x-x=n$에서 $f(x)=e^x-x$라 하면 $f'(x)=e^x-1$, $f''(x)=e^x$
이므로
$f'(x)=0$에서 $x=0$, $f''(0)=1>0$
즉 $f(x)=e^x-x$는 $x=0$에서 극소이고
극솟값은 $f(0)=1$이므로 $y=f(x)$의 그래프는 그림과 같다.
따라서 방정식 $e^x-x=n$이 서로 다른 두 실근을 가지려면 곡선 $y=e^x-x$와 직선 $y=n$이 서로 다른 두 점에서 만나야 하므로 $n>1$
따라서 구하는 자연수 $n$의 최솟값은 2이다.     답 ②

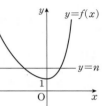

## 07

$x\ln x-\dfrac{x}{2}=k$에서 $f(x)=x\ln x-\dfrac{x}{2}$라 하면

$f'(x)=\ln x+\dfrac{1}{2}$, $f''(x)=\dfrac{1}{x}$

$f'(x)=0$에서 $x=e^{-\frac{1}{2}}$, $f''(e^{-\frac{1}{2}})=e^{\frac{1}{2}}>0$
즉 $f(x)$는 $x=e^{-\frac{1}{2}}$일 때 극소이면서 최소이다.
$f\left(e^{-\frac{1}{2}}\right)=e^{-\frac{1}{2}}\times\left(-\dfrac{1}{2}\right)-\dfrac{1}{2}\times e^{-\frac{1}{2}}=-e^{-\frac{1}{2}}$이므로 $k\geq-e^{-\frac{1}{2}}$일 때, 주어진 방정식은 적어도 하나의 실근을 갖는다.
따라서 $k$의 최솟값은 $-e^{-\frac{1}{2}}$이다.     답 ②

## 08

$x\ln x+x\geq a$에서 $f(x)=x(\ln x+1)$이라 하면
$f'(x)=\ln x+1+x\times\dfrac{1}{x}=\ln x+2$

$f'(x)=0$에서 $x=\dfrac{1}{e^2}$

| $x$ | $(0)$ | $\cdots$ | $\dfrac{1}{e^2}$ | $\cdots$ |
|---|---|---|---|---|
| $f'(x)$ | | $-$ | $0$ | $+$ |
| $f(x)$ | | $\searrow$ | $-\dfrac{1}{e^2}$ | $\nearrow$ |

함수 $f(x)$의 최솟값은 $-\dfrac{1}{e^2}$이므로 $x>0$인 모든 실수 $x$에 대하여 $f(x)\geq a$가 성립하려면 $-\dfrac{1}{e^2}\geq a$이어야 한다.

따라서 실수 $a$의 최댓값은 $-\dfrac{1}{e^2}$이다.      답 ②

## 09

$f(x)=\dfrac{x^2+k}{x}$라 하면

$f'(x)=\dfrac{2x\times x-(x^2+k)\times 1}{x^2}=\dfrac{x^2-k}{x^2}$

$x>0$일 때 $f'(x)=0$에서 $x=\sqrt{k}$

| $x$ | $(0)$ | $\cdots$ | $\sqrt{k}$ | $\cdots$ |
|---|---|---|---|---|
| $f'(x)$ | | $-$ | $0$ | $+$ |
| $f(x)$ | | $\searrow$ | $2\sqrt{k}$ | $\nearrow$ |

따라서 함수 $f(x)$의 최솟값은 $2\sqrt{k}$이므로 $x>0$인 모든 실수 $x$에 대하여 부등식 $f(x)\geq 8$이 성립하려면 $2\sqrt{k}\geq 8$, 즉 $k\geq 16$이어야 한다.
따라서 양수 $k$의 최솟값은 16이다.      답 16

## 10

$\dfrac{dx}{dt}=2e^{2t}\cos t-e^{2t}\sin t$, $\dfrac{dy}{dt}=2e^{2t}\sin t+e^{2t}\cos t$

$\dfrac{d^2x}{dt^2}=4e^{2t}\cos t-2e^{2t}\sin t-2e^{2t}\sin t-e^{2t}\cos t$
$\qquad =3e^{2t}\cos t-4e^{2t}\sin t$

$\dfrac{d^2y}{dt^2}=4e^{2t}\sin t+2e^{2t}\cos t+2e^{2t}\cos t-e^{2t}\sin t$
$\qquad =3e^{2t}\sin t+4e^{2t}\cos t$

이므로 시각 $t$에서의 점 P의 가속도의 크기는
$\sqrt{(3e^{2t}\cos t-4e^{2t}\sin t)^2+(3e^{2t}\sin t+4e^{2t}\cos t)^2}=5e^{2t}$

따라서 $t=\dfrac{\pi}{2}$일 때의 가속도의 크기는 $5e^{\pi}$      답 ④

## 11

$\dfrac{dx}{dt}=-2\cos 2t$, $\dfrac{dy}{dt}=4\sin 2t$이므로 시각 $t$에서의 점 P의 속도의 크기는
$\sqrt{(-2\cos 2t)^2+(4\sin 2t)^2}=\sqrt{4\cos^2 2t+16\sin^2 2t}$
$\qquad\qquad\qquad\qquad\qquad =2\sqrt{1+3\sin^2 2t}$

점 P의 속도의 크기가 $2\sqrt{3}$이므로
$2\sqrt{1+3\sin^2 2t}=2\sqrt{3}$

$\sin^2 2t=\dfrac{2}{3}$         $\cdots\cdots$ ㉠

$\dfrac{d^2x}{dt^2}=4\sin 2t$, $\dfrac{d^2y}{dt^2}=8\cos 2t$이므로 시각 $t$에서의 점 P의 가속도의 크기는
$\sqrt{(4\sin 2t)^2+(8\cos 2t)^2}=\sqrt{16\sin^2 2t+64\cos^2 2t}$
$\qquad\qquad\qquad\qquad\qquad =4\sqrt{1+3\cos^2 2t}$

이때 ㉠에 의하여 $\cos^2 2t=1-\sin^2 2t=\dfrac{1}{3}$이므로 점 P의 속도의 크기가 $2\sqrt{3}$이 되는 순간 가속도의 크기는
$4\sqrt{1+3\cos^2 2t}=4\sqrt{1+3\times\dfrac{1}{3}}=4\sqrt{2}$      답 ④

## 12

$\dfrac{dx}{dt}=t$, $\dfrac{dy}{dt}=t-6$이므로 시각 $t$에서의 점 P의 속도의 크기는
$\sqrt{t^2+(t-6)^2}=\sqrt{2t^2-12t+36}$
$\qquad\qquad\qquad =\sqrt{2(t-3)^2+18}$

따라서 점 P의 속도의 크기는 $t=3$일 때 최소이다.
이때 점 P의 위치는
$x=\dfrac{1}{2}\times 3^2+\dfrac{1}{2}=5$,

$y=\dfrac{1}{2}\times 3^2-6\times 3+\dfrac{11}{2}=-8$

이므로 $(5,\ -8)$      답 ②

# Ⅳ 적분법

## 08 여러 가지 적분법

pp. 82~83

| 01. 1 | 02. ③ | 03. 3 | 04. 2 | 05. ③ |
|---|---|---|---|---|
| 06. ① | 07. ① | | | |

**01** $f(x)=\int x^2\sqrt{x}\,dx$

$=\int x^{\frac{5}{2}}dx$

$=\dfrac{1}{\frac{5}{2}+1}x^{\frac{5}{2}+1}+C$

$=\dfrac{2}{7}x^3\sqrt{x}+C$

이때 $f(0)=\dfrac{5}{7}$ 에서 $C=\dfrac{5}{7}$

따라서 $f(x)=\dfrac{2}{7}x^3\sqrt{x}+\dfrac{5}{7}$ 이므로 $f(1)=1$　　　　**답 1**

**02** $\int 2^x dx=\dfrac{2^x}{\ln 2}+C$ 이므로 $k=\ln 2$　　　　**답 ③**

**03** $f(x)=\int(\cos x-3\sin x)dx$

$=\int\cos x\,dx-3\int\sin x\,dx$

$=\sin x+3\cos x+C$

이때 $f(0)=5$ 에서 $3+C=5$, $C=2$

따라서 $f(x)=\sin x+3\cos x+2$ 이므로

$f\left(\dfrac{\pi}{2}\right)=1+0+2=3$　　　　**답 3**

**04** $\dfrac{1}{1-\sin^2 x}=\dfrac{1}{\cos^2 x}=\sec^2 x$ 이므로

$f(x)=\int\dfrac{1}{1-\sin^2 x}dx=\int\sec^2 x\,dx=\tan x+C$

이때 $f(0)=1$ 에서 $\tan 0+C=1$, $C=1$

따라서 $f(x)=\tan x+1$ 이므로 $f\left(\dfrac{\pi}{4}\right)=2$　　　　**답 2**

**05** $x+1=t$ 로 놓으면 $\dfrac{dx}{dt}=1$ 이므로

$f(x)=\int(x+1)\sqrt{x+1}\,dx=\int(x+1)^{\frac{3}{2}}dx$

$=\int t^{\frac{3}{2}}dt=\dfrac{2}{5}t^{\frac{5}{2}}+C$

$=\dfrac{2}{5}(x+1)^{\frac{5}{2}}+C$

이때 $f(0)=\dfrac{3}{5}$ 에서 $\dfrac{2}{5}+C=\dfrac{3}{5}$ $\therefore C=\dfrac{1}{5}$

따라서 $f(x)=\dfrac{2}{5}(x+1)^{\frac{5}{2}}+\dfrac{1}{5}$ 이므로

$f(3)=\dfrac{2}{5}\times 2^5+\dfrac{1}{5}=13$　　　　**답 ③**

**06** $f(x)=\int\dfrac{2x+2}{x^2+2x-1}dx$

$=\int\dfrac{(x^2+2x-1)'}{x^2+2x-1}dx$

$=\ln|x^2+2x-1|+C$

이때 $f(0)=0$ 에서 $\ln|-1|+C=0$ $\therefore C=0$

따라서 $f(x)=\ln|x^2+2x-1|$ 이므로

$f(1)=\ln|1+2-1|=\ln 2$　　　　**답 ①**

**07** $f'(x)=\ln x$ 에서 $f(x)=\int\ln x\,dx$

$u(x)=\ln x$, $v'(x)=1$ 로 놓으면

$u'(x)=\dfrac{1}{x}$, $v(x)=x$

$f(x)=\int\ln x\,dx$

$=\ln x\times x-\int\left(\dfrac{1}{x}\times x\right)dx$

$=x\ln x-x+C$

이때 $f(e)=0$ 에서

$e\ln e-e+C=0$, $C=0$

따라서 $f(x)=x\ln x-x$ 이므로

$f(1)=1\times\ln 1-1=-1$　　　　**답 ①**

### 유형따라잡기　　　　pp. 84~90

| 기출유형 01 ② | 01. ⑤ | 02. ③ | 03. 23 | 04. ④ |
|---|---|---|---|---|
| 기출유형 02 ④ | 05. ② | 06. ① | 07. ⑤ | 08. ③ |
| 기출유형 03 ② | 09. ② | 10. 2 | 11. 2 | 12. 17 |
| 기출유형 04 ④ | 13. 1 | 14. ② | 15. 1 | 16. ③ |
| 기출유형 05 ② | 17. ③ | 18. ② | 19. ④ | 20. ② |
| 기출유형 06 ⑤ | 21. ④ | 22. ④ | 23. 1 | 24. 36 |
| 기출유형 07 ④ | 25. ⑤ | 26. ④ | 27. ① | 28. ② |

#### 기출유형 01

**Act①** $n\neq -1$ 일 때, $\int x^n dx=\dfrac{1}{n+1}x^{n+1}+C$ 임을 이용한다.

$\int\dfrac{-x^3-1}{x^2}dx=\int\left(-x-\dfrac{1}{x^2}\right)dx\}$

$=-\int x\,dx-\int\dfrac{1}{x^2}dx$

$=-\dfrac{1}{2}x^2+\dfrac{1}{x}+C$

이때 $f(1)=\dfrac{1}{2}$에서

$-\dfrac{1}{2}+1+C=\dfrac{1}{2}$ $\therefore C=0$

따라서 $f(x)=-\dfrac{1}{2}x^2+\dfrac{1}{x}$이므로

$f(2)=-\dfrac{1}{2}\times 2^2+\dfrac{1}{2}=-\dfrac{3}{2}$ 　　　　　답 ②

**01** **Act①** $\sqrt[n]{x}$의 부정적분은 $\sqrt[n]{x}=x^{\frac{1}{n}}$으로 변형한다.

$\displaystyle\int x\sqrt{x}\,dx=\int x^{\frac{3}{2}}\,dx=\dfrac{1}{\frac{3}{2}+1}x^{\frac{3}{2}+1}+C$

$\qquad\qquad\qquad=\dfrac{2}{5}x^2\sqrt{x}+C$

이때 $f(0)=2$에서 $C=2$

따라서 $f(x)=\dfrac{2}{5}x^2\sqrt{x}+2$이므로

$5f(1)=5\left(\dfrac{2}{5}+2\right)=12$ 　　　　　답 ⑤

**02** **Act①** $f(x)$는 $f(-2)=\dfrac{1}{2}$이고 $x=-1$에서 연속임을 이용한다.

$f(x)=\begin{cases}-\dfrac{1}{x}+C_1 & (x<-1)\\ x^3+x+C_2 & (x>-1)\end{cases}$ (단, $C_1$, $C_2$는 적분상수)

$f(-2)=\dfrac{1}{2}$에서 $\dfrac{1}{2}+C_1=\dfrac{1}{2}$ $\therefore C_1=0$

함수 $f(x)$는 $x=-1$에서 연속이므로

$\displaystyle\lim_{x\to-1-}\left(-\dfrac{1}{x}\right)=\lim_{x\to-1+}(x^3+x+C_2)$

$1=-2+C_2$ $\therefore C_2=3$

$\therefore f(0)=3$ 　　　　　답 ③

**03** **Act①** $f(x)$는 $f(4)=13$이고 $x=1$에서 연속임을 이용한다.

$f(x)=\begin{cases}2x^{\frac{3}{2}}+C_1 & (x>1)\\ x^2+C_2 & (x<1)\end{cases}$ (단, $C_1$, $C_2$는 적분상수)

$f(4)=13$에서 $16+C_1=13$ $\therefore C_1=-3$

$x=1$에서 연속이므로

$\displaystyle\lim_{x\to1-}(x^2+C_2)=\lim_{x\to1+}(2x^{\frac{3}{2}}-3)$

$1+C_2=-1$ $\therefore C_2=-2$

$\therefore f(-5)=25-2=23$ 　　　　　답 23

**04** **Act①** 주어진 식의 양변을 $x$에 대하여 미분하여 $f'(x)$를 구한다.

$F(x)=xf(x)+\dfrac{6}{x}$의 양변을 $x$에 대하여 미분하면

$f(x)=f(x)+xf'(x)-\dfrac{6}{x^2}$

$xf'(x)=\dfrac{6}{x^2}$ $\therefore f'(x)=\dfrac{6}{x^3}$

$\therefore f(x)=\displaystyle\int\dfrac{6}{x^3}dx=\int 6x^{-3}\,dx=-\dfrac{3}{x^2}+C$

이때 $f(1)=1$에서 $-3+C=1$ $\therefore C=4$

따라서 $f(x)=-\dfrac{3}{x^2}+4$이므로

$4f(2)=4\times\left(-\dfrac{3}{4}+4\right)=13$ 　　　　　답 ④

**기출유형 02**

**Act①** $\displaystyle\int e^x\,dx=e^x+C$임을 이용한다.

$f(x)=\displaystyle\int\dfrac{e^{2x}-1}{e^x-1}dx=\int\dfrac{(e^x-1)(e^x+1)}{e^x-1}dx$

$\qquad=\displaystyle\int(e^x+1)dx$

$\qquad=e^x+x+C$

이때 곡선 $y=f(x)$가 $(0,\ 1)$을 지나므로 $f(0)=1$에서

$1+C=1$ $\therefore C=0$

따라서 $f(x)=e^x+x$이므로

$f(\ln4)=e^{\ln4}+\ln4=4+\ln4$

$\therefore p+q=8$ 　　　　　답 ④

**05** **Act①** $\displaystyle\int e^x\,dx=e^x+C$임을 이용한다.

$f(x)=\displaystyle\int\dfrac{xe^x+2}{x}dx=\int\left(e^x+\dfrac{2}{x}\right)dx$

$\qquad=e^x+2\ln|x|+C$

이때 $f(1)=e^2+e$에서 $e+C=e^2+e$ $\therefore C=e^2$

따라서 $f(x)=e^x+2\ln|x|+e^2$이므로

$f(2)=2e^2+2\ln2$

$\therefore p+q=4$ 　　　　　답 ②

**06** **Act①** $\displaystyle\int a^x\,dx=\dfrac{a^x}{\ln a}+C\ (a>0,\ a\neq1)$임을 이용한다.

$f(x)=\displaystyle\int(2^x+4^x)dx=\dfrac{2^x}{\ln2}+\dfrac{4^x}{\ln4}+C$

이때 곡선 $y=f(x)$가 $\left(0,\ \dfrac{3}{\ln4}\right)$을 지나므로 $f(0)=\dfrac{3}{\ln4}$에서

$\dfrac{1}{\ln2}+\dfrac{1}{\ln4}+C=\dfrac{3}{\ln4}$, $\dfrac{1}{\ln2}+\dfrac{1}{2\ln2}+C=\dfrac{3}{2\ln2}$

$\dfrac{3}{2\ln2}+C=\dfrac{3}{2\ln2}$ $\therefore C=0$

따라서 $f(x)=\dfrac{2^x}{\ln2}+\dfrac{4^x}{\ln4}$이므로

$f(1)=\dfrac{2}{\ln2}+\dfrac{4}{\ln4}=\dfrac{2}{\ln2}+\dfrac{4}{2\ln2}=\dfrac{2}{\ln2}+\dfrac{2}{\ln2}=\dfrac{4}{\ln2}$ 답 ①

**07** **Act①** $f(x)$는 $f(-1)=e+\dfrac{1}{e^2}$이고 $x=1$에서 연속임을 이용한다.

$f(x)=\begin{cases}e^{x-1}+C_1 & (x<1)\\ \ln x+C_2 & (x>1)\end{cases}$ (단, $C_1$, $C_2$는 적분상수)

$f(-1)=e+\dfrac{1}{e^2}$에서 $\dfrac{1}{e^2}+C_1=e+\dfrac{1}{e^2}$ $\therefore C_1=e$

$x=1$에서 연속이므로

$\displaystyle\lim_{x\to1-}(e^{x-1}+e)=\lim_{x\to1+}(\ln x+C_2)$

$1+e=C_2$

$\therefore f(e)=\ln e+(1+e)=e+2$ 답 ⑤

**08** Act❶ $\int e^x dx=e^x+C$, $\lim_{x\to 0}\dfrac{F(a+h)-F(a)}{h}=F'(a)$임을 이용한다.

$f'(x)=\dfrac{e^{3x}-1}{e^x-1}=\dfrac{(e^x-1)(e^{2x}+e^x+1)}{e^x-1}=e^{2x}+e^x+1$이므로

$f(x)=\int (e^{2x}+e^x+1)dx$

$\quad\quad =\dfrac{1}{2}e^{2x}+e^x+x+C$

이때 $f(0)=2$에서 $\dfrac{1}{2}+1+C=2$ $\therefore C=\dfrac{1}{2}$

$\therefore f(x)=\dfrac{1}{2}e^{2x}+e^x+x+\dfrac{1}{2}$

$\lim_{x\to 0}\dfrac{F(1+2h)-F(1)}{3h}=\lim_{x\to 0}\dfrac{F(1+2h)-F(1)}{2h}\times\dfrac{2}{3}$

$\quad =\dfrac{2}{3}F'(1)=\dfrac{2}{3}f(1)$

$\quad =\dfrac{2}{3}\left(\dfrac{1}{2}e^2+e+\dfrac{3}{2}\right)$

$\quad =\dfrac{e^2}{3}+\dfrac{2}{3}e+1$ 답 ③

**기출유형 03**

Act❶ $\cos^2x=1-\sin^2x$임을 이용하여 주어진 식을 적분하기 쉬운 꼴로 변형한다.

곡선 $y=f(x)$ 위의 점 $(x, f(x))$에서의 접선의 기울기가

$\dfrac{\cos^2x}{1+\sin x}$이므로

$f(x)=\int\dfrac{\cos^2x}{1+\sin x}dx=\int\dfrac{1-\sin^2x}{1+\sin x}dx$

$\quad =\int\dfrac{(1+\sin x)(1-\sin x)}{1+\sin x}dx$

$\quad =\int(1-\sin x)dx=x+\cos x+C$

이때 이 곡선이 점 $(0, 1)$을 지나므로 $f(0)=1$에서 $C=0$

따라서 $f(x)=x+\cos x$이므로

$f(\pi)=\pi-1$ 답 ②

**09** Act❶ $1=\sin^2x+\cos^2x$임을 이용하여 주어진 식을 적분하기 쉬운 꼴로 변형한다.

선 $y=f(x)$ 위의 점 $(x, f(x))$에서의 접선의 기울기가

$\dfrac{1}{\sin^2x\cos^2x}$이므로

$f(x)=\int\dfrac{1}{\sin^2x\cos^2x}dx=\int\dfrac{\sin^2x+\cos^2x}{\sin^2x\cos^2x}dx$

$\quad =\int\left(\dfrac{1}{\cos^2x}+\dfrac{1}{\sin^2x}\right)dx$

$\quad =\int\sec^2x\,dx+\int\csc^2x\,dx$

$\quad =\tan x-\cot x+C$

이때 이 곡선이 점 $\left(\dfrac{\pi}{4}, 0\right)$을 지나므로 $f\left(\dfrac{\pi}{4}\right)=0$에서

$C=0$

따라서 $f(x)=\tan x-\cot x$이므로

$f\left(\dfrac{\pi}{3}\right)=\sqrt{3}-\dfrac{\sqrt{3}}{3}=\dfrac{2\sqrt{3}}{3}$ 답 ②

**10** Act❶ $\sin^2x=1-\cos^2x$임을 이용하여 주어진 식을 적분하기 쉬운 꼴로 변형한다.

$\int\dfrac{\sin^2x}{1-\cos x}dx=\int\dfrac{1-\cos^2x}{1-\cos x}dx$

$\quad\quad =\int(1+\cos x)dx$

$\quad\quad =x+\sin x+C$

따라서 $a=1$, $b=1$이므로 $a+b=2$ 답 2

**11** Act❶ $f(x)$는 $f\left(\dfrac{\pi}{2}\right)=1$이고 $x=0$에서 연속임을 이용한다.

$f(x)=\begin{cases}-\cos x+C_1 & (x>0)\\ \dfrac{1}{2}x^2+C_2 & (x<0)\end{cases}$

$f\left(\dfrac{\pi}{2}\right)=1$이므로 $-\cos\dfrac{\pi}{2}+C_1=C_1=1$

함수 $f(x)$는 $x=0$에서 연속이므로

$\lim_{x\to 0-}\left(\dfrac{1}{2}x^2+C_2\right)=\lim_{x\to 0+}(-\cos x+1)$

$C_2=-1+1$ $\therefore C_2=0$

$\therefore f(-2)=\dfrac{1}{2}\times(-2)^2=2$ 답 2

**12** Act❶ $f(x)$는 $f\left(\dfrac{\pi}{4}\right)=2$이고 $x=0$에서 연속임을 이용한다.

$f(x)=\begin{cases}\tan x+C_1 & (x>0)\\ x^4+C_2 & (x<0)\end{cases}$

$f\left(\dfrac{\pi}{4}\right)=2$이므로 $\tan\dfrac{\pi}{4}+C_1=2$, $1+C_1=2$ $\therefore C_1=1$

함수 $f(x)$는 $x=0$에서 연속이므로

$\lim_{x\to 0-}(x^4+C_2)=\lim_{x\to 0+}(\tan x+1)$

$\therefore C_2=1$

$\therefore f(-2)=(-2)^4+1=17$ 답 17

**기출유형 04**

Act❶ $x^2+1=t$로 놓고 치환적분법을 이용한다.

$x^2+1=t$로 놓으면 $2x\dfrac{dx}{dt}=1$, $xdx=\dfrac{1}{2}dt$이므로

$f(x)=\int\dfrac{2x}{\sqrt{x^2+1}}dx=\dfrac{1}{2}\int\dfrac{2}{\sqrt{t}}dt=\int\dfrac{1}{\sqrt{t}}dt$

$\quad =2\sqrt{t}+C=2\sqrt{x^2+1}+C$

이때 $f(0)=2$에서 $2+C=2$ $\therefore C=0$

따라서 $f(x)=2\sqrt{x^2+1}$이므로

$f(1)=2\sqrt{2}$ 답 ④

**13** Act❶ $2x+3=t$로 놓고 치환적분법을 이용한다.

$2x+3=t$로 놓으면 $x=\dfrac{t-3}{2}$에서 $\dfrac{dx}{dt}=\dfrac{1}{2}$이므로

$$f(x)=\int(2x+3)^5dx=\int t^5\times\frac{1}{2}dt$$
$$=\frac{1}{2}\times\frac{t^6}{6}+C=\frac{1}{12}(2x+3)^6+C$$

이때 $f(-1)=1$에서 $\frac{1}{12}+C=1$   $\therefore C=\frac{11}{12}$

따라서 $f(x)=\frac{1}{12}(2x+3)^6+\frac{11}{12}$이므로

$$f(-2)=\frac{1}{12}+\frac{11}{12}=1$$                           답 1

**14** **Act①** $3x+2=t$로 놓고 치환적분법을 이용한다.

$3x+2=t$로 놓으면 $x=\frac{t-2}{3}$에서 $\frac{dx}{dt}=\frac{1}{3}$이므로

$$\int e^{3x+2}dx=\frac{1}{3}\int e^t dt=\frac{1}{3}e^t+C$$
$$=\frac{1}{3}e^{3x+2}+C$$

함수 $f(x)$의 그래프가 점 $\left(-\frac{2}{3},\ \frac{1}{3}\right)$을 지나므로

$f\left(-\frac{2}{3}\right)=\frac{1}{3}$에서

$\frac{1}{3}e^0+C=\frac{1}{3}$   $\therefore C=0$

따라서 $f(x)=\frac{1}{3}e^{3x+2}$이므로 $f(-1)=\frac{1}{3e}$   답 ②

**15** **Act①** $\ln x=t$로 놓고 치환적분법을 이용한다.

$\ln x=t$로 놓으면 $\frac{dt}{dx}=\frac{1}{x}$이므로

$$F(x)=\int\frac{\ln x}{2x}dx=\frac{1}{2}\int\frac{\ln x}{x}dx=\frac{1}{2}\int t\,dt$$
$$=\frac{t^2}{4}+C=\frac{(\ln x)^2}{4}+C$$

이때 $F(e)=\frac{1}{4}$에서 $\frac{1}{4}+C=\frac{1}{4}$   $\therefore C=0$

따라서 $F(x)=\frac{(\ln x)^2}{4}$이므로

$$F(e^2)=\frac{(\ln e^2)^2}{4}=\frac{(2\ln e)^2}{4}=1$$           답 1

**16** **Act①** $3x=t$로 놓고 치환적분법을 이용한다.

$\lim\limits_{h\to 0}\frac{f(x+h)-f(x)}{h}=f'(x)$이므로 $f'(x)=3\cos3x$

$$f(x)=\int 3\cos3x\,dx$$

$3x=t$로 놓으면 $\frac{dt}{dx}=3$이므로

$$\int 3\cos3x\,dx=\int\cos t\,dt$$
$$=\sin t+C$$
$$=\sin3x+C$$

이때 $f\left(\frac{\pi}{6}\right)=1$에서 $1+C=1$   $\therefore C=0$

따라서 $f(x)=\sin3x$이므로 $f\left(\frac{\pi}{3}\right)=0$   답 ③

**기출유형 05**

**16** **Act①** $\int\frac{f'(x)}{f(x)}dx=\ln|f(x)|+C$임을 이용한다.

$(x^2+1)'=2x$이므로

$$f(x)=\int\frac{4x}{x^2+1}dx=2\int\frac{2x}{x^2+1}dx$$
$$=2\int\frac{(x^2+1)'}{x^2+1}dx=2\ln(x^2+1)+C\ (\because x^2+1>0)$$

이때 $f(0)=1$에서 $C=1$

따라서 $f(x)=2\ln(x^2+1)+1$이므로 $f(1)=2\ln2+1$   답 ②

**17** **Act①** $\int\frac{f'(x)}{f(x)}dx=\ln|f(x)|+C$임을 이용한다.

$(x^2-3x+4)'=2x-3$이므로

$$f(x)=\int\frac{2x-3}{x^2-3x+4}dx=\int\frac{(x^2-3x+4)'}{x^2-3x+4}dx$$
$$=\ln(x^2-3x+4)+C$$

함수 $f(x)$의 그래프가 점 $(1,\ 0)$을 지나므로 $f(1)=0$에서

$\ln2+C=0$   $\therefore C=-\ln2$

따라서 $f(x)=\ln(x^2-3x+4)-\ln2$이므로

$f(2)=\ln2-\ln2=0$   답 ③

**18** **Act①** $\int\frac{f'(x)}{f(x)}dx=\ln|f(x)|+C$임을 이용한다.

$(e^{2x}+2)'=2e^{2x}$이므로

$$f(x)=\int\frac{2e^{2x}}{e^{2x}+2}dx=\int\frac{(e^{2x}+2)'}{e^{2x}+2}dx$$
$$=\ln(e^{2x}+2)+C\ (\because e^{2x}+2>0)$$
$$\therefore f(\ln4)-f(\ln2)=\{\ln(e^{2\ln4}+2)+C\}-\{\ln(e^{2\ln2}+2)+C\}$$
$$=(\ln18+C)-(\ln6+C)$$
$$=\ln\frac{18}{6}=\ln3$$                    답 ②

**19** **Act①** $\int\frac{f'(x)}{f(x)}=\ln|f(x)|+C$임을 이용한다.

$(2^x+1)'=2^x\ln2$이므로

$$f(x)=\int\frac{2^x\ln2}{2^x+1}dx=\int\frac{(2^x+1)'}{2^x+1}dx$$
$$=\ln|2^x+1|+C$$

이때 $f(0)=\ln2$에서 $C=0$

따라서 $f(x)=\ln|2^x+1|$이므로

$f(3)=\ln|2^3+1|=2\ln3$                    답 ④

**20** **Act①** $\int\frac{f'(x)}{f(x)}dx\}=\ln|f(x)|+C$임을 이용한다.

$(1+\sin x)'=\cos x$이므로

$$f(x)=\int\frac{\cos x}{1+\sin x}dx=\int\frac{(1+\sin x)'}{1+\sin x}dx$$
$$=\ln|1+\sin x|+C$$

이때 $f(0)=0$에서 $C=0$

따라서 $f(x)=\ln|1+\sin x|$이므로

$$f\left(\frac{\pi}{2}\right)=\ln2$$                    답 ②

**Act①** $\dfrac{1}{(x+a)(x+b)}=\dfrac{1}{b-a}\left(\dfrac{1}{x+a}-\dfrac{1}{x+b}\right)$임을 이용하여 피적분함수를 유리함수의 차로 나타내어 적분한다.

$\dfrac{2}{x(x+2)}=\dfrac{1}{x}-\dfrac{1}{x+2}$이므로

$$f(x)=\int\dfrac{2}{x(x+2)}dx=\int\left(\dfrac{1}{x}-\dfrac{1}{x+2}\right)dx$$
$$=\ln|x|-\ln|x+2|+C$$
$$=\ln\left|\dfrac{x}{x+2}\right|+C$$

이때 $f(1)=\ln2$에서 $-\ln3+C=\ln2$

$\therefore C=\ln2+\ln3=\ln6$

따라서 $f(x)=\ln\left|\dfrac{x}{x+2}\right|+\ln6=\ln\left|\dfrac{6x}{x+2}\right|$이므로

$f(-1)=\ln\left|\dfrac{-6}{1}\right|=\ln6$ 　　　　　　　답 ⑤

**21** **Act①** $\dfrac{1}{(x+a)(x+b)}=\dfrac{1}{b-a}\left(\dfrac{1}{x+a}-\dfrac{1}{x+b}\right)$임을 이용하여 피적분함수를 유리함수의 차로 나타내어 적분한다.

$\dfrac{4}{x^2-4}=\dfrac{4}{(x-2)(x+2)}=\dfrac{4}{4}\left(\dfrac{1}{x-2}-\dfrac{1}{x+2}\right)$이므로

$$f(x)=\int\dfrac{4}{x^2-4}dx=\int\left(\dfrac{1}{x-2}-\dfrac{1}{x+2}\right)dx$$
$$=\ln|x-2|-\ln|x+2|+C$$
$$=\ln\left|\dfrac{x-2}{x+2}\right|+C$$

이때 $f(0)=0$에서 $C=0$

따라서 $f(x)=\ln\left|\dfrac{x-2}{x+2}\right|$이므로

$f(1)=\ln\dfrac{1}{3}=-\ln3$ 　　　　　　　답 ④

**22** **Act①** $\dfrac{1}{(x+a)(x+b)}=\dfrac{1}{b-a}\left(\dfrac{1}{x+a}-\dfrac{1}{x+b}\right)$임을 이용하여 피적분함수를 유리함수의 차로 나타내어 적분한다.

$\dfrac{1}{4x^2-1}=\dfrac{1}{(2x-1)(2x+1)}=\dfrac{1}{2}\left(\dfrac{1}{2x-1}-\dfrac{1}{2x+1}\right)$이므로

$$f(x)=\int\dfrac{1}{4x^2-1}dx=\int\dfrac{1}{2}\left(\dfrac{1}{2x-1}-\dfrac{1}{2x+1}\right)dx$$
$$=\int\dfrac{1}{4}\left(\dfrac{2}{2x-1}-\dfrac{2}{2x+1}\right)dx$$
$$=\dfrac{1}{4}(\ln|2x-1|-\ln|2x+1|)+C$$
$$=\dfrac{1}{4}\ln\left|\dfrac{2x-1}{2x+1}\right|+C$$

이때 $f(0)=0$에서 $C=0$

따라서 $f(x)=\dfrac{1}{4}\ln\left|\dfrac{2x-1}{2x+1}\right|$이므로

$f(-1)=\dfrac{1}{4}\ln\left|\dfrac{-3}{-1}\right|=\dfrac{\ln3}{4}$ 　　　　　　　답 ④

**23** **Act①** $\dfrac{px+q}{(x+a)(x+b)}=\dfrac{A}{x+a}+\dfrac{B}{x+b}$ 꼴로 변형한 후 적분

한다.

$\dfrac{3x}{x^2+x-2}=\dfrac{3x}{(x-1)(x+2)}=\dfrac{A}{x-1}+\dfrac{B}{x+2}$로 놓으면

$$\dfrac{A}{x-1}+\dfrac{B}{x+2}=\dfrac{A(x+2)+B(x-1)}{(x-1)(x+2)}$$
$$=\dfrac{(A+B)x+2A-B}{(x-1)(x+2)}$$

이므로 $3x=(A+B)x+2A-B$

$A+B=3,\ 2A-B=0$

두 식을 연립하여 풀면 $A=1,\ B=2$

$$\therefore\int\dfrac{3x}{x^2+x-2}dx$$
$$=\int\left(\dfrac{1}{x-1}+\dfrac{2}{x+2}\right)dx$$
$$=\ln|x-1|+2\ln|x+2|+C$$

따라서 $a=-1,\ b=2$이므로 $a+b=1$ 　　　답 1

**24** **Act①** $\dfrac{px+q}{(x+a)(x+b)}=\dfrac{A}{x+a}+\dfrac{B}{x+b}$ 꼴로 변형한 후 적분한다.

$\dfrac{x+1}{x^2-5x+6}=\dfrac{x+1}{(x-3)(x-2)}=\dfrac{A}{x-3}+\dfrac{B}{x-2}$로 놓으면

$$\dfrac{A}{x-3}+\dfrac{B}{x-2}=\dfrac{A(x-2)+B(x-3)}{(x-3)(x-2)}$$
$$=\dfrac{(A+B)x-2A-3B}{(x-3)(x-2)}$$

이므로 $x+1=(A+B)x-2A-3B$

$A+B=1,\ 2A+3B=-1$

두 식을 연립하여 풀면 $A=4,\ B=-3$

$$\therefore\int\dfrac{x+1}{x^2-5x+6}=\int\left(\dfrac{4}{x-3}-\dfrac{3}{x-2}\right)dx$$
$$=4\ln|x-3|-3\ln|x-2|+C$$

따라서 $a=4,\ b=-3,\ c=-3$이므로 $abc=36$ 　　답 36

**Act①** $u(x)=x+1,\ v'(x)=e^x$으로 놓고 부분적분법을 이용한다.

$u(x)=x+1,\ v'(x)=e^x$으로 놓으면

$u'(x)=1,\ v(x)=e^x$이므로

$$f(x)=\int(x+1)e^x\,dx=(x+1)e^x-\int e^x\,dx$$
$$=(x+1)e^x-e^x+C=xe^x+C$$

이때 $f(0)=0$에서 $C=0$

따라서 $f(x)=xe^x$이므로 $f(-1)=-\dfrac{1}{e}$ 　　　　답 ④

**25** **Act①** $u(x)=\ln x,\ v'(x)=x$로 놓고 부분적분법을 이용한다.

$$f(x)=\int\left(x\ln x+\dfrac{5}{2}x\right)dx=\int x\ln x\,dx+\dfrac{5}{2}\int x\,dx$$

$u(x)=\ln x,\ v'(x)=x$으로 놓으면

$u'(x)=\dfrac{1}{x},\ v(x)=\dfrac{1}{2}x^2$이므로

$$\int x\ln x\,dx=\frac{1}{2}x^2\ln x-\int\left(\frac{1}{x}\times\frac{1}{2}x^2\right)dx$$
$$=\frac{1}{2}x^2\ln x-\int\frac{1}{2}x\,dx$$

즉 $f(x)=\frac{1}{2}x^2\ln x-\frac{1}{2}\int x\,dx+\frac{5}{2}\int x\,dx$
$$=\frac{1}{2}x^2\ln x+x^2+C$$

이때 $f(1)=1$에서 $1+C=1$, $C=0$

따라서 $f(x)=\frac{1}{2}x^2\ln x+x^2$이므로

$f(\sqrt{e})=\frac{1}{2}e\ln\sqrt{e}+e=\frac{5}{4}e$ 답 ⑤

**26** **Act①** $u(x)=x$, $v'(x)=\cos x$로 놓고 부분적분법을 이용한다.

곡선 $y=f(x)$ 위의 임의의 점 $(x,\ y)$에서의 접선의 기울기가 $x\cos x$이므로
$$f'(x)=x\cos x$$
$$f(x)=\int f'(x)dx=\int x\cos x\,dx$$

$u(x)=x$, $v'(x)=\cos x$로 놓으면
$u'(x)=1$, $v(x)=\sin x$
$$f(x)=\int x\cos x\,dx$$
$$=x\sin x-\int\sin x\,dx$$
$$=x\sin x+\cos x+C$$

곡선 $y=f(x)$가 점 $(0,\ 1)$을 지나므로 $f(0)=1$에서 $C=0$

따라서 $f(x)=x\sin x+\cos x$이므로 $f\left(\frac{\pi}{2}\right)=\frac{\pi}{2}$ 답 ④

**27** **Act①** $f(x)+xf'(x)=\{xf(x)\}'$이므로

$xf(x)=\int\{f(x)+xf'(x)\}dx$임을 이용한다.

$\{xf(x)\}'=f(x)+xf'(x)=x\ln x$에서
$$xf(x)=\int x\ln x\,dx$$

$u(x)=\ln x$, $v'(x)=x$로 놓으면
$u'(x)=\frac{1}{x}$, $v(x)=\frac{1}{2}x^2$
$$\int x\ln x\,dx=\ln x\times\frac{1}{2}x^2-\int\left(\frac{1}{x}\times\frac{1}{2}x^2\right)dx$$
$$=\frac{1}{2}x^2\ln x-\frac{1}{2}\int x\,dx$$
$$=\frac{1}{2}x^2\ln x-\frac{1}{4}x^2+C$$

즉 $xf(x)=\frac{1}{2}x^2\ln x-\frac{1}{4}x^2+C$

이때 $f(1)=-\frac{1}{4}$에서 $-\frac{1}{4}+C=-\frac{1}{4}$, $C=0$

$xf(x)=\frac{1}{2}x^2\ln x-\frac{1}{4}x^2$이므로
$$f(x)=\frac{1}{2}x\ln x-\frac{1}{4}x$$
$$\therefore f(e^2)=\frac{1}{2}\times e^2\times2-\frac{1}{4}\times e^2=\frac{3}{4}e^2$$ 답 ①

**28** **Act①** $f(x)+xf'(x)=\{xf(x)\}'$이므로

$xf(x)=\int\{f(x)+xf'(x)\}dx$임을 이용한다.

$\{xf(x)\}'=f(x)+xf'(x)=x\cos x$에서
$$\int\{xf(x)\}'dx=\int x\cos x\,dx$$

$u(x)=x$, $v'(x)=\cos x$로 놓으면
$u'(x)=1$, $v(x)=\sin x$
$$\int x\cos x\,dx=x\sin x-\int\sin x\,dx$$
$$=x\sin x+\cos x+C$$

즉 $xf(x)=x\sin x+\cos x+C$

(가)에서 $f\left(\frac{\pi}{2}\right)=1$이므로
$$\frac{\pi}{2}f\left(\frac{\pi}{2}\right)=\frac{\pi}{2}\sin\frac{\pi}{2}+\cos\frac{\pi}{2}+C$$
$$\frac{\pi}{2}=\frac{\pi}{2}+C,\ C=0$$

$xf(x)=x\sin x+\cos x$이므로
$$\pi f(\pi)=\pi\sin\pi+\cos\pi$$
$$\therefore f(\pi)=-\frac{1}{\pi}$$ 답 ②

**VIT** **V**ery **I**mportant **T**est pp. 91~93

| | | | | |
|---|---|---|---|---|
| **01.** ⑤ | **02.** ⑤ | **03.** ④ | **04.** ② | **05.** ⑤ |
| **06.** ④ | **07.** ④ | **08.** 1 | **09.** ① | **10.** ④ |
| **11.** 9 | **12.** ⑤ | **13.** ② | **14.** ③ | **15.** ④ |
| **16.** ⑤ | **17.** 1 | **18.** ④ | | |

**01**
$$f(x)=\int\frac{(\sqrt{x}+1)^2}{\sqrt{x}}dx=\int\frac{x+2\sqrt{x}+1}{\sqrt{x}}dx$$
$$=\int\left(\sqrt{x}+2+\frac{1}{\sqrt{x}}\right)dx$$
$$=\int\left(2+x^{\frac{1}{2}}+x^{-\frac{1}{2}}\right)dx$$
$$=2x+\frac{2}{3}x^{\frac{3}{2}}+2x^{\frac{1}{2}}+C$$

이때 $f(1)=\frac{14}{3}$에서

$2+\frac{2}{3}+2+C=\frac{14}{3}$ $\quad\therefore C=0$

따라서 $f(x)=2x+\frac{2}{3}x^{\frac{3}{2}}+2x^{\frac{1}{2}}$이므로
$$f(9)=18+\frac{2}{3}\times9^{\frac{3}{2}}+2\times9^{\frac{1}{2}}$$
$$=18+18+6=42$$ 답 ⑤

**02**
$$f(x)=\int\frac{(x+1)(x-3)}{x^2}dx$$

$$= \int \left(1 - \frac{2}{x} - \frac{3}{x^2}\right)dx$$

$$= x - 2\ln|x| + \frac{3}{x} + C$$

이때 $f(1) = 4$에서 $1 - 0 + 3 + C = 4$ ∴ $C = 0$

따라서 $f(x) = x - 2\ln|x| + \frac{3}{x}$이므로

$$f(3) = 3 - 2\ln3 + \frac{3}{3} = 4 - 2\ln3$$ 　　　　　답 ⑤

## 03

$$f(x) = \int (2e^{2x} - 3e^x)dx$$

$$= e^{2x} - 3e^x + C$$

$f(0) = 1 - 3 + C = 0$에서 $C = 2$

∴ $f(x) = e^{2x} - 3e^x + 2$

$f(x) = 0$에서

$e^{2x} - 3e^x + 2 = (e^x - 1)(e^x - 2) = 0$

$e^x = 1$ 또는 $e^x = 2$

∴ $x = 0$ 또는 $x = \ln2$

따라서 모든 해의 합은 $\ln2$이다. 　　　　　답 ④

## 04

$$f(x) = \int \left(2x + \frac{1}{x} + \frac{1}{\sqrt[3]{x^2}}\right)dx$$

$$= \int \left(2x + \frac{1}{x} + x^{-\frac{2}{3}}\right)dx$$

$$= x^2 + \ln|x| + 3x^{\frac{1}{3}} + C$$

이때 $f(1) = 4$에서

$1 + 0 + 3 + C = 4$ ∴ $C = 0$

따라서 $f(x) = x^2 + \ln|x| + 3x^{\frac{1}{3}}$이므로

$f(e^3) = (e^3)^2 + \ln e^3 + 3(e^3)^{\frac{1}{3}} = e^6 + 3e + 3$ 　답 ②

## 05

$$\int \frac{9^x - 1}{3^x - 1}dx = \int \frac{(3^x - 1)(3^x + 1)}{3^x - 1}dx$$

$$= \int (3^x + 1)dx$$

$$= \frac{3^x}{\ln3} + x + C$$

$$= p \times 3^x + qx + C$$

$p = \frac{1}{\ln3}$, $q = 1$이므로 $\frac{q}{p} = \frac{1}{\frac{1}{\ln3}} = \ln3$ 　답 ⑤

## 06

$$f(x) = \int (4^x - 2^x)dx = \int 4^x dx - \int 2^x dx$$

$$= \frac{4^x}{\ln4} - \frac{2^x}{\ln2} + C$$

이때 $f(1) = 0$에서 $\frac{4}{\ln4} - \frac{2}{\ln2} + C = 0$

$\frac{2}{\ln2} - \frac{2}{\ln2} + C = 0$ ∴ $C = 0$

따라서 $f(x) = \frac{4^x}{\ln4} - \frac{2^x}{\ln2}$이므로

$$f(2) = \frac{4^2}{\ln4} - \frac{2^2}{\ln2} = \frac{8}{\ln2} - \frac{4}{\ln2} = \frac{4}{\ln2}$$ 　답 ④

## 07

$$f(x) = \int \frac{\cos^2 x}{1 - \sin x}dx = \int \frac{1 - \sin^2 x}{1 - \sin x}dx$$

$$= \int \frac{(1 + \sin x)(1 - \sin x)}{1 - \sin x}dx$$

$$= \int (1 + \sin x)dx$$

$$= x - \cos x + C$$

$f\left(\frac{\pi}{2}\right) = \frac{\pi}{2} - 0 + C = \frac{\pi}{2}$이므로 $C = 0$

따라서 $f(x) = x - \cos x$이므로

$f(\pi) = \pi + 1$ 　　　　　답 ④

## 08

$f'(x) = \sec^2 x$이므로

$$f(x) = \int \sec^2 x \, dx = \tan x + C$$

$f(0) = 1$이므로 $C = 1$

따라서 $f(x) = \tan x + 1$이므로

$f(\pi) = \tan\pi + 1 = 1$ 　　　　　답 1

## 09

$\{-\cos(\ln x)\}' = \sin(\ln x) \times \frac{1}{x} = \frac{1}{x}\sin(\ln x)$이므로

$$f(x) = -\cos(\ln x) + C$$

이때 $f\left(e^{\frac{\pi}{2}}\right) = 0$에서 $-\cos\left(\ln e^{\frac{\pi}{2}}\right) + C = 0$, $-\cos\frac{\pi}{2} + C = 0$

∴ $C = 0$

따라서 $f(x) = -\cos(\ln x)$이므로

방정식 $-\cos(\ln x) = 1$을 풀면

$\cos(\ln x) = -1$, $\ln x = \pi$ ∴ $x = e^{\pi}$ 　답 ①

## 10

$x^2 - 1 = t$로 놓으면 $2x\frac{dx}{dt} = 1$, $2x\,dx = dt$이므로

$$f(x) = \int e^t dt$$

$$= e^t + C = e^{x^2 - 1} + C$$

이때 $f(1) = 1$에서 $e^0 + C = 1$ ∴ $C = 0$

따라서 $f(x) = e^{x^2 - 1}$이므로

$f(\sqrt{2}) = e^{2-1} = e$ 　　　　　답 ④

## 11

$x^2 + 1 = t$로 놓으면 $2x\frac{dx}{dt} = 1$, $x\,dx = \frac{1}{2}dt$이므로

$$f(x) = \int x\sqrt{x^2 + 1}\,dx = \int \sqrt{t}\,\frac{1}{2}dt$$

$$= \frac{1}{2}\int t^{\frac{1}{2}}dt = \frac{1}{2} \times \frac{2}{3}t^{\frac{3}{2}} + C = \frac{1}{3}(x^2 + 1)^{\frac{3}{2}} + C$$

$f(0)=\dfrac{1}{3}+C=\dfrac{1}{3}$에서 $C=0$

따라서 $f(x)=\dfrac{1}{3}(x^2+1)^{\frac{3}{2}}$이므로

$f(2\sqrt{2})=\dfrac{1}{3}(8+1)^{\frac{3}{2}}=9$ 답 9

## 12

$\tan x=t$로 놓으면 $\sec^2 x\dfrac{dx}{dt}=1$, $\sec^2 x\,dx=dt$이므로

$f(x)=\displaystyle\int\dfrac{\sec^2 x(1+\tan x)}{\tan^2 x}dx$

$\qquad=\displaystyle\int\dfrac{1+t}{t^2}dt=\int\left(\dfrac{1}{t^2}+\dfrac{1}{t}\right)dt$

$\qquad=-\dfrac{1}{t}+\ln|t|+C$

$\qquad=-\dfrac{1}{\tan x}+\ln|\tan x|+C$

이때 $f\left(\dfrac{\pi}{4}\right)=-1$에서 $-1+\ln 1+C=-1$ $\therefore C=0$

따라서 $f(x)=-\dfrac{1}{\tan x}+\ln|\tan x|$이므로

$f\left(\dfrac{\pi}{3}\right)=-\dfrac{1}{\sqrt{3}}+\ln\sqrt{3}$

$\qquad=-\dfrac{\sqrt{3}}{3}+\dfrac{1}{2}\ln 3$ 답 ⑤

## 13

$\displaystyle\int\tan x\,dx=\int\dfrac{\sin x}{\cos x}dx$

$\qquad\qquad\quad=-\displaystyle\int\dfrac{(\cos x)'}{\cos x}dx=-\ln|\cos x|+C$

이때 $f(0)=0$에서

$-\ln|\cos 0|+C=0$ $\therefore C=0$

따라서 $f(x)=-\ln|\cos x|$이므로

$f\left(\dfrac{\pi}{3}\right)=-\ln\left|\cos\dfrac{\pi}{3}\right|=-\ln\dfrac{1}{2}=\ln 2$ 답 ②

## 14

$f(x)=\displaystyle\int\dfrac{1}{x^2-x-2}dx$

$\qquad=\displaystyle\int\dfrac{1}{(x-2)(x+1)}dx$

$\qquad=\displaystyle\int\dfrac{1}{3}\left(\dfrac{1}{x-2}-\dfrac{1}{x+1}\right)dx$

$\qquad=\dfrac{1}{3}(\ln|x-2|-\ln|x+1|)+C$

$\qquad=\dfrac{1}{3}\ln\left|\dfrac{x-2}{x+1}\right|+C$

이때 $f\left(\dfrac{1}{2}\right)=0$에서

$\dfrac{1}{3}\ln\left|\dfrac{\frac{1}{2}-2}{\frac{1}{2}+1}\right|+C=0$, $\dfrac{1}{3}\ln 1+C=0$ $\therefore C=0$

따라서 $f(x)=\dfrac{1}{3}\ln\left|\dfrac{x-2}{x+1}\right|$이므로

$f(0)=\dfrac{1}{3}\ln 2$ 답 ③

## 15

곡선 $y=f(x)$ 위의 임의의 점 $(x,\ y)$에서의 접선의 기울기가 $x\cos x$이므로

$f'(x)=x\cos x$

$f(x)=\displaystyle\int f'(x)dx=\int x\cos x\,dx$

$u=x$, $v'=\cos x$로 놓으면

$u'=1$, $v=\sin x$

$f(x)=\displaystyle\int x\cos x\,dx$

$\qquad=x\sin x-\displaystyle\int\sin x\,dx$

$\qquad=x\sin x+\cos x+C$

곡선 $y=f(x)$가 원점 $O(0,\ 0)$을 지나므로

$f(0)=1+C=0$ $\therefore C=-1$

따라서 $f(x)=x\sin x+\cos x-1$이므로

$f\left(\dfrac{\pi}{2}\right)=\dfrac{\pi}{2}-1$ 답 ④

## 16

$f'(x)=(x+1)e^x$에서

$f(x)=\displaystyle\int f'(x)dx=\int(x+1)e^x\,dx$

$u(x)=x+1$, $v'(x)=e^x$으로 놓으면

$u'(x)=1$, $v(x)=e^x$

$f(x)=\displaystyle\int(x+1)e^x\,dx$

$\qquad=(x+1)e^x-\displaystyle\int e^x\,dx$

$\qquad=(x+1)e^x-e^x+C$

$\qquad=xe^x+C$

$f'(x)=(x+1)e^x=0$에서 $x=-1$

| $x$ | $\cdots$ | $-1$ | $\cdots$ |
|---|---|---|---|
| $f'(x)$ | $-$ | $0$ | $+$ |
| $f(x)$ | $\searrow$ | 극소 | $\nearrow$ |

함수 $f(x)$는 $x=-1$에서 극솟값 $e-\dfrac{1}{e}$을 가지므로

$f(-1)=-\dfrac{1}{e}+C=e-\dfrac{1}{e}$에서 $C=e$

따라서 $f(x)=xe^x+e$이므로

$f(1)=2e$ 답 ⑤

## 17

$F(x)=xf(x)-x\ln x+x$에서

$F'(x)=f(x)+xf'(x)-\ln x-1+1$

이때 $F'(x)=f(x)$이므로

$f(x)=f(x)+xf'(x)-\ln x$

$f'(x)=\dfrac{\ln x}{x}$

따라서 $f(x)=\displaystyle\int\dfrac{\ln x}{x}dx$이므로

$u=\ln x$, $v'=\dfrac{1}{x}$로 놓으면 $u'=\dfrac{1}{x}$, $v=\ln x$

$f(x)=\displaystyle\int \dfrac{\ln x}{x}dx=(\ln x)^2-\int \dfrac{\ln x}{x}dx$에서

$2\displaystyle\int \dfrac{\ln x}{x}dx=(\ln x)^2+C$

$f(x)=\dfrac{1}{2}(\ln x)^2+C$

이때 $f(e)=1$에서 $\dfrac{1}{2}+C=1$  $\therefore C=\dfrac{1}{2}$

따라서 $f(x)=\dfrac{1}{2}(\ln x)^2+\dfrac{1}{2}$이므로

$f(e)=1$ 　　　　　　　　　　　　　　 답 1

## 18

$F(x)=xf(x)-xe^x+e^x$의 양변을
$x$에 대하여 미분하면

$f(x)=f(x)+xf'(x)-e^x-xe^x+e^x$

따라서 $f'(x)=e^x$이므로

$f(x)=\displaystyle\int e^x dx=e^x+C$　　……㉠

$x=1$을 $F(x)=xf(x)-xe^x+e^x$에 대입하면

$F(1)=f(1)-e+e=e$이므로 $f(1)=e$, $x=1$을 ㉠에 대입하면

$f(1)=e+C=e$이므로 $C=0$

따라서 $f(x)=e^x$이므로 $f(1)=e$ 　　　 답 ④

# 09 정적분

**01.** ⑤　　**02.** ①　　**03.** ⑤　　**04.** ①　　**05.** ③

**01** $\displaystyle\int_0^{\frac{\pi}{2}} 2\sin x\, dx=\Big[-2\cos x\Big]_0^{\frac{\pi}{2}}=0-(-2)=2$ 　 답 ⑤

**02** $\displaystyle\int_0^{\pi} f(x)dx=\int_0^{\frac{\pi}{2}} 2\sin x dx+\int_{\frac{\pi}{2}}^{\pi}(\cos x+2)dx$

$=\Big[-2\cos x\Big]_0^{\frac{\pi}{2}}+\Big[\sin x+2x\Big]_{\frac{\pi}{2}}^{\pi}$

$=\{0-(-2)\}+\{(0+2\pi)-(1+\pi)\}$

$=\pi+1$ 　　　　　　　　　　　　　　 답 ①

**03** $2x-1=t$라 하면 $\dfrac{dx}{dt}=\dfrac{1}{2}$이고

$x=\dfrac{1}{2}$일 때 $t=0$, $x=1$일 때 $t=1$이므로

$\displaystyle\int_{\frac{1}{2}}^{1}\sqrt{2x-1}\,dx=\dfrac{1}{2}\int_0^1 \sqrt{t}\,dt$

$=\dfrac{1}{2}\times\Big[\dfrac{2}{3}t\sqrt{t}\Big]_0^1=\dfrac{1}{3}$ 　　 답 ⑤

**04** $u(x)=x$, $v'(x)=e^x$으로 놓으면
$u'(x)=1$, $v(x)=e^x$이므로

$\displaystyle\int_0^1 xe^x dx=\Big[xe^x\Big]_0^1-\int_0^1 e^x dx$

$=(e-0)-\Big[e^x\Big]_0^1$

$=e-(e-1)=1$ 　　　　　　　　　　 답 ①

**05** 함수 $x\sin x$의 한 부정적분을 $F(x)$라 하면

$\displaystyle\lim_{x\to 0}\dfrac{1}{2h}\int_{\frac{\pi}{2}-1}^{\frac{\pi}{2}+h} x\sin x dx$

$=\dfrac{1}{2}\displaystyle\lim_{x\to 0}\dfrac{F\left(\dfrac{\pi}{2}+h\right)-F\left(\dfrac{\pi}{2}-h\right)}{h}$

$=\dfrac{1}{2}\displaystyle\lim_{x\to 0}\dfrac{F\left(\dfrac{\pi}{2}+h\right)-F\left(\dfrac{\pi}{2}\right)-\left\{F\left(\dfrac{\pi}{2}-h\right)-F\left(\dfrac{\pi}{2}\right)\right\}}{h}$

$=\dfrac{1}{2}\displaystyle\lim_{x\to 0}\left\{\dfrac{F\left(\dfrac{\pi}{2}+h\right)-F\left(\dfrac{\pi}{2}\right)}{h}+\dfrac{F\left(\dfrac{\pi}{2}-h\right)-F\left(\dfrac{\pi}{2}\right)}{-h}\right\}$

$=\dfrac{1}{2}\cdot 2F'\left(\dfrac{\pi}{2}\right)=F'\left(\dfrac{\pi}{2}\right)=\dfrac{\pi}{2}\sin\dfrac{\pi}{2}=\dfrac{\pi}{2}$ 　 답 ③

| 유형따라잡기 | | | | pp. 96~101 |
|---|---|---|---|---|
| 기출유형 01 ② | **01.** ① | **02.** ⑤ | **03.** ① | **04.** ③ |
| 기출유형 02 ① | **05.** ③ | **06.** ② | **07.** ① | **08.** 4 |
| 기출유형 03 ② | **09.** ① | **10.** ④ | **11.** 4 | **12.** 3 |
| 기출유형 04 ② | **13.** ② | **14.** ② | **15.** 6 | **16.** 3 |
| 기출유형 05 ② | **17.** 2 | **18.** ② | **19.** ⑤ | **20.** ③ |
| 기출유형 06 ③ | **21.** ④ | **22.** ② | **23.** 16 | **24.** ⑤ |

**기출유형 01**

**Act①** $\sqrt[q]{x}=x^{\frac{1}{q}}$ 으로 변형한 후 $\displaystyle\int_a^b x^n dx=\Big[\dfrac{1}{n+1}x^{n+1}\Big]_a^b$
(단, $n\neq -1$)임을 이용한다.

$\displaystyle\int_0^4 (5x-3)\sqrt{x}\,dx=\int_0^4\left(5x^{\frac{3}{2}}-3x^{\frac{1}{2}}\right)dx$

$=\Big[2x^{\frac{5}{2}}-2x^{\frac{3}{2}}\Big]_0^4=48$ 　　 답 ②

**01** **Act①** $\displaystyle\int_a^{\beta} e^x dx=\Big[e^x\Big]_a^{\beta}$임을 이용한다.

$\displaystyle\int_0^1 e^{x+4}dx=\Big[e^{x+4}\Big]_0^1=e^5-e^4$ 　　 답 ①

**02** **Act①** $\displaystyle\int_a^b \dfrac{f'(x)}{f(x)}dx=\Big[\ln|f(x)|\Big]_a^b$임을 이용한다.

$\displaystyle\int_0^e \dfrac{5}{x+e}dx=\Big[5\ln|x+e|\Big]_0^e$

$=5\ln 2e-5\ln e$

$=5\ln 2$ 　　　　　　　　　　　 답 ⑤

**03** **Act①** $\dfrac{f'(x)}{f(x)}$ 꼴이 아닌 분수함수는 부분분수로 변형한 후 적분한다.

친절한 해설 • 53

$$\int_3^6 \frac{2}{x^2-2x}dx=\int_3^6\left(\frac{1}{x-2}-\frac{1}{x}\right)dx$$
$$=\left[\ln|x-2|-\ln|x|\right]_3^6$$
$$=\ln2 \qquad\qquad\text{답 ①}$$

**04** Act① $\int_\alpha^\beta \cos ax\,dx=\left[\frac{1}{a}\sin ax\right]_\alpha^\beta$ 임을 이용한다.

$$\int_0^{\frac{\pi}{6}}\cos3x\,dx=\left[\frac{1}{3}\sin3x\right]_0^{\frac{\pi}{6}}=\frac{1}{3} \qquad\text{답 ③}$$

### 기출유형 **02**

Act① $x^2+5x+2=t$로 놓고 치환적분을 이용한다.

$x^2+5x+2=t$로 놓으면 $2x+5=\dfrac{dt}{dx}$

$x=0$일 때 $t=2$, $x=1$일 때 $t=8$이므로

$$\int_0^1 \frac{2x+5}{x^2+5x+2}dx=\int_2^8 \frac{1}{t}dt$$
$$=\left[\ln|t|\right]_2^8$$
$$=\ln8-\ln2=\ln\frac{8}{2}=\ln4=2\ln2 \qquad\text{답 ①}$$

[다른 풀이]
$$\int_0^1 \frac{2x+5}{x^2+5x+2}dx=\int_0^1 \frac{(x^2+5x+2)'}{x^2+5x+2}dx$$
$$=\left[\ln|x^2+5x+2|\right]_0^1$$
$$=\ln8-\ln2=\ln4=2\ln2$$

**05** Act① $2x+1=t$로 놓고 치환적분을 이용한다.

$2x+1=t$로 놓으면 $2=\dfrac{dt}{dx}$

$x=0$일 때 $t=1$, $x=3$일 때 $t=7$이므로

$$\int_0^3 \frac{2}{2x+1}dx=\int_1^7 \frac{1}{t}dt$$
$$=\left[\ln|t|\right]_1^7$$
$$=\ln7-\ln1$$
$$=\ln7-0=\ln7 \qquad\text{답 ③}$$

[다른 풀이]
$$\int_0^3 \frac{2}{2x+1}dx=\int_0^3 \frac{(2x+1)'}{2x+1}dx$$
$$=\left[\ln|2x+1|\right]_0^3$$
$$=\ln7-\ln1$$
$$=\ln7-0=\ln7$$

**06** Act① $x^2-1=t$로 놓고 치환적분법을 이용한다.

$x^2-1=t$로 놓으면 $2x\dfrac{dx}{dt}=1$, $x\,dx=\dfrac{1}{2}dt$

$x=1$일 때 $t=0$이고 $x=\sqrt{2}$일 때 $t=1$이므로

$$\int_1^{\sqrt{2}} x^3\sqrt{x^2-1}\,dx=\int_1^{\sqrt{2}} x^2\sqrt{x^2-1}\,x\,dx$$

$$=\int_0^1 \frac{1}{2}(1+t)\sqrt{t}\,dt$$
$$=\left[\frac{1}{3}t^{\frac{3}{2}}+\frac{1}{5}t^{\frac{5}{2}}\right]_0^1=\frac{1}{3}+\frac{1}{5}=\frac{8}{15} \qquad\text{답 ②}$$

**07** Act① $x^2-1=t$로 놓고 치환적분법을 이용한다.

$x^2-1=t$로 놓으면 $2x\dfrac{dx}{dt}=1$, $x\,dx=\dfrac{1}{2}dt$

$x=1$일 때 $t=0$이고 $x=2$일 때 $t=3$이므로

$$\int_1^2 x\sqrt{x^2-1}\,dx=\frac{1}{2}\int_0^3 \sqrt{t}\,dt$$
$$=\frac{1}{2}\left[\frac{2}{3}t\sqrt{t}\right]_0^3$$
$$=\frac{1}{2}(2\sqrt{3}-0)$$
$$=\sqrt{3} \qquad\text{답 ①}$$

**08** Act① $x^2+1=t$로 놓고 치환적분법을 이용한다.

$x^2+1=t$로 놓으면 $2x=\dfrac{dt}{dx}$

$x=0$일 때 $t=1$이고 $x=\sqrt{3}$일 때 $t=4$이므로

$$\int_0^{\sqrt{3}} \frac{4x}{\sqrt{x^2+1}}dx=\int_1^4 \frac{2}{\sqrt{t}}dt=\int_1^4 2t^{-\frac{1}{2}}dt$$
$$=\left[4t^{\frac{1}{2}}\right]_1^4$$
$$=8-4=4 \qquad\text{답 4}$$

### 기출유형 **03**

Act① $3^x+1=t$로 놓고 치환적분법을 이용한다.

$3^x+1=t$로 놓으면 $3^x\ln3=\dfrac{dt}{dx}$

$x=0$일 때 $t=2$, $x=2$일 때 $t=10$이므로

$$\int_0^2 \frac{3^x\ln3}{3^x+1}dx=\int_2^{10} \frac{1}{t}dt=\left[\ln|t|\right]_2^{10}$$
$$=\ln10-\ln2=\ln\frac{10}{2}=\ln5 \qquad\text{답 ②}$$

**09** Act① $\ln x=t$로 놓고 치환적분법을 이용한다.

$\ln x=t$로 놓으면 $\dfrac{1}{x}=\dfrac{dt}{dx}$

$x=1$일 때 $t=0$, $x=e$일 때 $t=1$이므로

$$\int_1^e \frac{3(\ln x)^2}{x}dx=\int_0^1 3t^2dt=\left[t^3\right]_0^1=1 \qquad\text{답 ①}$$

**10** Act① $\ln x=t$로 놓고 치환적분법을 이용한다.

$\ln x=t$로 놓으면 $\dfrac{1}{x}=\dfrac{dt}{dx}$

$x=1$일 때 $t=0$, $x=e^2$일 때 $t=2$이므로

$$\int_1^{e^2} \frac{(\ln x)^3}{x}dx=\int_0^2 t^3dt=\left[\frac{1}{4}t^4\right]_0^2=4 \qquad\text{답 ④}$$

**11** Act① $2x-4=t$로 놓고 치환적분법을 이용한다.

$2x-4=t$로 놓으면 $2=\dfrac{dt}{dx}$

$x=2$일 때 $t=0$, $x=4$일 때 $t=4$이므로

$$\int_2^4 2e^{2x-4}dx = \int_0^4 e^t dt$$
$$= \left[ e^t \right]_0^4$$
$$= e^4 - 1$$

$k = e^4 - 1$ 이므로 $k+1 = e^4$

$\therefore \ln(k+1) = \ln e^4 = 4$ 답 4

**12** Act① $x^2 - 2x = t$로 놓고 치환적분법을 이용한다.

$x^2 - 2x = t$로 놓으면 $2x - 2 = \dfrac{dt}{dx}$

$x=2$일 때 $t=0$, $x=3$일 때 $t=3$이므로

$$\int_2^3 (x-1)e^{x^2-2x}dx = \int_0^3 \frac{1}{2}e^t dt$$
$$= \left[ \frac{1}{2}e^t \right]_0^3$$
$$= \frac{e^3-1}{2}$$

$k = \dfrac{e^3-1}{2}$이므로 $2k+1 = e^3$

$\therefore \ln(2k+1) = \ln e^3 = 3$ 답 3

**기출유형 04**

Act① 피적분함수가 $f(\sin x)\cos x$ 꼴인 경우 $\sin x = t$로 치환한다.

$\sin x = t$로 놓으면 $\cos x = \dfrac{dt}{dx}$

$x=0$일 때 $t=0$, $x=\dfrac{\pi}{2}$일 때 $t=1$이므로

$$\int_0^{\frac{\pi}{2}} \sin^2 x \cos x \, dx = \int_0^1 t^2 dt$$
$$= \left[ \frac{1}{3}t^3 \right]_0^1$$
$$= \frac{1}{3}$$ 답 ②

**13** Act① 피적분함수가 $f(\cos x)\sin x$ 꼴인 경우 $\cos x = t$로 치환한다.

$\cos x = t$로 놓으면 $-\sin x = \dfrac{dt}{dx}$

$x=0$일 때 $t=1$, $x=\dfrac{\pi}{2}$일 때 $t=0$이므로

$$\int_0^{\frac{\pi}{2}} \sin x \cos^2 x \, dx = \int_1^0 t^2 \times (-1)dt$$
$$= \left[ -\frac{1}{3}t^3 \right]_1^0$$
$$= \frac{1}{3}$$ 답 ②

**14** Act① $\sin 2x$를 $\sin x$와 $\cos x$를 이용하여 나타낸 후 피적분함수가 $f(\sin x)\cos x$ 꼴인 경우 $\sin x = t$로 치환한다.

$$\int_0^{\frac{\pi}{2}} f(x)\sin 2x \, dx = \int_0^{\frac{\pi}{2}} (\sin x + 1)\sin 2x \, dx$$
$$= \int_0^{\frac{\pi}{2}} (\sin x + 1) \times 2\sin x \cos x \, dx$$

이때 $\sin x = t$로 놓으면

$x=0$일 때 $t=0$, $x=\dfrac{\pi}{2}$일 때 $t=1$이므로

$$\int_0^{\frac{\pi}{2}} (\sin x + 1) \times 2\sin x \cos x \, dx$$
$$= \int_0^1 (t+1) \times 2t \, dt$$
$$= \int_0^1 (2t^2 + 2t)dt$$
$$= \left[ \frac{2}{3}t^3 + t^2 \right]_0^1 = \frac{5}{3}$$ 답 ②

**15** Act① 피적분함수가 $f(\sin x)\cos x$ 꼴인 경우 $\sin x = t$로 치환한다.

$\sin x = t$로 놓으면 $\cos x = \dfrac{dt}{dx}$이고

$x=\dfrac{\pi}{6}$일 때 $t=\dfrac{1}{2}$, $x=\dfrac{\pi}{2}$일 때 $t=1$이므로

$$\int_{\frac{\pi}{6}}^{\frac{\pi}{2}} f'(\sin x)\cos x \, dx = \int_{\frac{1}{2}}^1 f'(t)dt = f(1) - f\left(\frac{1}{2}\right) = 6$$ 답 6

**16** Act① $\cos^3 x$를 $\sin x$와 $\cos x$를 이용하여 나타낸 후 피적분함수가 $f(\sin x)\cos x$ 꼴인 경우 $\sin x = t$로 치환한다.

$$\int_0^{\frac{\pi}{2}} \cos x \, dx + 3\int_0^{\frac{\pi}{2}} \cos^3 x \, dx$$
$$= \left[ \sin x \right]_0^{\frac{\pi}{2}} + 3\int_0^{\frac{\pi}{2}} (1-\sin^2 x)\cos x \, dx$$

이때 $\sin x = t$로 놓으면

$x=0$일 때 $t=0$, $x=\dfrac{\pi}{2}$일 때 $t=1$이므로

$$\left[ \sin x \right]_0^{\frac{\pi}{2}} + 3\int_0^{\frac{\pi}{2}} (1-\sin^2 x)\cos x \, dx$$
$$= 1 + 3\int_0^1 (1-t^2)dt$$
$$= 1 + 3\left[ t - \frac{t^3}{3} \right]_0^1$$
$$= 1 + 2 = 3$$ 답 3

**기출유형 05**

Act① $u(x)=x+1$, $v'(x)=\cos x$로 놓고 부분적분법을 이용한다.

$u(x)=x+1$, $v'(x)=\cos x$로 놓으면
$u'(x)=1$, $v(x)=\sin x$이므로

$$\int_0^{\frac{\pi}{2}} (x+1)\cos x \, dx = \left[ (x+1)\sin x \right]_0^{\frac{\pi}{2}} - \int_0^{\frac{\pi}{2}} \sin x \, dx$$
$$= \left( \frac{\pi}{2} + 1 \right) - \left[ -\cos x \right]_0^{\frac{\pi}{2}}$$
$$= \frac{\pi}{2}$$ 답 ②

**17** Act① $u(x)=x$, $v'(x)=\cos x$로 놓고 부분적분법을 이용한다.

$$\int_0^\pi x\cos(\pi - x)dx = -\int_0^\pi x\cos x \, dx = \int_\pi^0 x\cos x \, dx$$

$u(x)=x$, $v'(x)=\cos x$로 놓으면
$u'(x)=1$, $v(x)=\sin x$이므로

$$\int_{\pi}^{0} x\cos x\,dx = \left[x\sin x\right]_{\pi}^{0} - \int_{\pi}^{0}\sin x\,dx$$
$$= (0-0) + \left[\cos x\right]_{\pi}^{0}$$
$$= 1 - (-1) = 2$$

답 2

**18** Act❶ $\int_{1}^{e}\ln\dfrac{x}{e}\,dx = \int_{1}^{e}\ln x\,dx - \int_{1}^{e}dx$임을 이용한다.

$\ln\dfrac{x}{e} = \ln x - 1$이므로

$$\int_{1}^{e}\frac{\ln x}{e}\,dx = \int_{1}^{e}\ln x\,dx - \int_{1}^{e}dx$$

한편, $\int_{1}^{e}\ln x\,dx$에서

$u(x) = \ln x$, $v'(x) = 1$로 놓으면

$u'(x) = \dfrac{1}{x}$, $v(x) = x$이므로

$$\int_{1}^{e}\ln x\,dx = \left[x\ln x\right]_{1}^{e} - \int_{1}^{e}\frac{1}{x}\times x\,dx$$
$$= e\ln e - \left[x\right]_{1}^{e}$$
$$= e - (e-1) = 1$$

$\therefore \int_{1}^{e}\dfrac{\ln x}{e}\,dx = \int_{1}^{e}\ln x\,dx - \int_{1}^{e}dx$

$\qquad\qquad = 1 - \left[x\right]_{1}^{e} = 1 - (e-1) = 2-e$

답 ②

**19** Act❶ $u(x) = 1-\ln x$, $v'(x) = x$로 놓고 부분적분법을 이용한다.

$u(x) = 1-\ln x$, $v'(x) = x$로 놓으면

$u'(x) = -\dfrac{1}{x}$, $v(x) = \dfrac{1}{2}x^2$이므로

$$\int_{1}^{e}x(1-\ln x)\,dx = \left[\frac{1}{2}x^2(1-\ln x)\right]_{1}^{e} - \int_{1}^{e}\left(-\frac{1}{2}x\right)dx$$
$$= \left(0-\frac{1}{2}\right) - \left[-\frac{1}{4}x^2\right]_{1}^{e} = \frac{1}{4}e^2 - \frac{3}{4}$$
$$= \frac{1}{4}(e^2-3)$$

답 ⑤

**20** Act❶ $u(x) = \ln(x-1)$, $v'(x) = 1$로 놓고 부분적분법을 이용한다.

$u(x) = \ln(x-1)$, $v'(x) = 1$로 놓으면

$u'(x) = \dfrac{1}{x-1}$, $v(x) = x$이므로

$$\int_{2}^{6}\ln(x-1)\,dx$$
$$= \left[x\ln(x-1)\right]_{2}^{6} - \int_{2}^{6}\frac{x}{x-1}\,dx$$
$$= (6\ln 5 - 0) - \int_{2}^{6}\left(1+\frac{1}{x-1}\right)dx$$
$$= 6\ln 5 - \left[x+\ln|x-1|\right]_{2}^{6}$$
$$= 6\ln 5 - \{(6+\ln 5) - (2+0)\}$$
$$= 5\ln 5 - 4$$

답 ③

기출유형 **06**

Act❶ 적분 구간이 상수인 정적분은 적분 결과가 상수이므로

$\int_{1}^{e}f(t)\,dt = k$ ($k$는 상수)로 놓고 $k$의 값을 구한다.

$\int_{1}^{e}f(t)\,dt = k$라 하면

$f(x) = \dfrac{1}{x} + k$이므로

$$k = \int_{1}^{e}f(t)\,dt = \int_{1}^{e}\left(\frac{1}{t}+k\right)dt$$
$$= \left[\ln|t| + kt\right]_{1}^{e}$$
$$= (1+ek) - k$$
$k = (1+ek) - k$, $(2-e)k = 1$

$\therefore k = \dfrac{1}{2-e}$

답 ③

**21** Act❶ 적분 구간이 상수인 정적분은 적분 결과가 상수이므로

$\int_{0}^{1}tf(t)\,dt = k$ ($k$는 상수)로 놓고 $k$의 값을 구한다.

$\int_{0}^{1}tf(t)\,dt = k$라 하면

$f(x) = e^{x^2} + k$이므로

$$k = \int_{0}^{1}tf(t)\,dt = \int_{0}^{1}t(e^{t^2}+k)\,dt$$
$$= \int_{0}^{1}(te^{t^2}+kt)\,dt = \left[\frac{1}{2}e^{t^2} + \frac{1}{2}kt^2\right]_{0}^{1}$$
$$= \frac{1}{2}e + \frac{1}{2}k - \frac{1}{2}$$
$k = \dfrac{1}{2}e + \dfrac{1}{2}k - \dfrac{1}{2}$ $\quad \therefore k = e-1$

답 ④

**22** Act❶ 적분 구간이 변수인 정적분의 적분 결과인 함수 $F(x)$에 미정계수가 있으면 $\int_{a}^{a}f(t)\,dt = 0$임을 이용하여 $F(x)$를 결정한 후 양변을 미분하여 $f(x)$를 구한다.

양변에 $x=1$을 대입하면 $0 = 1-a$ $\quad\therefore a=1$

$\int_{1}^{x}f(t)\,dt = x^2 - \sqrt{x}$의 양변을 $x$에 대하여 미분하면

$$f(x) = 2x - \frac{1}{2\sqrt{x}}$$

$\therefore f(1) = 2 - \dfrac{1}{2} = \dfrac{3}{2}$

답 ②

**23** Act❶ 적분 구간이 변수인 정적분의 적분 결과인 함수 $F(x)$에 미정계수가 있으면 $\int_{a}^{a}f(t)\,dt = 0$임을 이용하여 $F(x)$를 결정한 후 양변을 미분하여 $f(x)$를 구한다.

양변에 $x=1$을 대입하면

$0 = 1-2a+a$ $\quad\therefore a=1$

$\int_{1}^{x}f(t)\,dt = x^3 - 2x^2 + x$의 양변을 $x$에 대하여 미분하면

$$f(x) = 3x^2 - 4x + 1$$

$\therefore f(3) = 16$

답 16

**24** Act❶ $\displaystyle\lim_{x\to 0}\frac{1}{x}\int_{a}^{x+a}f(t)\,dt = \lim_{x\to 0}\frac{F(x+a)-F(a)}{x} = f(a)$

**임을 이용한다.**

$f(x)$의 부정적분을 $F(x)$라 하면

$$\lim_{x \to 0} \left\{ \frac{x^2+1}{x}(F(x+1)-F(1)) \right\}$$

$$= \lim_{x \to 0} \left\{ (x^2+1)\frac{F(x+1)-F(1)}{x} \right\}$$

$$= \lim_{x \to 0} (x^2+1) \times F'(1)$$

$$= f(1) = 3$$

이때 $f(x) = a\cos(\pi x^2)$에서

$f(1) = a\cos\pi = 3$ $\therefore a = -3$

따라서 $f(x) = -3\cos(\pi x^2)$이므로

$f(-3) = -3\cos 9\pi = 3$  답 ⑤

---

## VIT  Very Important Test  pp. 102~103

| | | | | |
|---|---|---|---|---|
| **01.** ⑤ | **02.** ④ | **03.** ⑤ | **04.** ⑤ | **05.** ④ |
| **06.** ② | **07.** 16 | **08.** ⑤ | **09.** ④ | **10.** ② |
| **11.** ④ | **12.** ③ | | | |

## 01

$$\int_0^1 (\sqrt{x}+1)^2 dx = \int_0^1 (x+2\sqrt{x}+1)dx$$

$$= \left[ \frac{1}{2}x^2 + \frac{4}{3}x^{\frac{3}{2}} + x \right]_0^1$$

$$= \frac{1}{2} + \frac{4}{3} + 1 = \frac{17}{6}$$  답 ⑤

## 02

$$\int_1^4 \frac{x-2}{\sqrt{x}}dx = \int_1^4 \left( x^{\frac{1}{2}} - 2x^{-\frac{1}{2}} \right)dx = \left[ \frac{2}{3}x\sqrt{x} - 4\sqrt{x} \right]_1^4$$

$$= \left( \frac{2}{3} \times 8 - 8 \right) - \left( \frac{2}{3} - 4 \right) = \frac{2}{3}$$  답 ④

## 03

$\sin x = 0$을 만족시키는 $x$의 값은

$x = 0$ 또는 $x = \pi$

따라서 $f(x) = \sin x$라 하면

$$f(x) = \begin{cases} \sin x \ (0 \le x \le \pi) \\ -\sin x \ \left( \pi \le x \le \frac{3\pi}{2} \right) \end{cases}$$

이므로

$$\int_0^{\frac{3\pi}{2}} |\sin x| dx = \int_0^\pi \sin x\, dx + \int_\pi^{\frac{3\pi}{2}} (-\sin x)dx$$

$$= \left[ -\cos x \right]_0^\pi + \left[ \cos x \right]_\pi^{\frac{3\pi}{2}}$$

$$= 2 + 1 = 3$$  답 ⑤

## 04

$g(x) = \int_1^x f(t)dt = 3x^2 - a\sqrt{x}$라 하자.

$g(1) = 0 = 3 - a$이므로 $a = 3$이다.

$g'(x) = f(x) = 6x - \frac{3}{2\sqrt{x}}$이므로

$f(1) = 6 - \frac{3}{2 \times 1} = 6 - \frac{3}{2} = \frac{9}{2}$  답 ⑤

## 05

$$\frac{x+4}{x^2+5x+6} = \frac{A}{x+2} + \frac{B}{x+3}$$

$$= \frac{A(x+3)+B(x+2)}{(x+2)(x+3)}$$

$$= \frac{(A+B)x+(3A+2B)}{(x+2)(x+3)}$$

$\therefore A+B = 1$, $3A+2B = 4$

이 두 식을 연립하여 풀면 $A = 2$, $B = -1$

$$\int_0^2 \frac{x+4}{x^2+5x+6}dx = \int_0^2 \left( \frac{2}{x+2} - \frac{1}{x+3} \right)dx$$

$$= \left[ 2\ln|x+2| - \ln|x+3| \right]_0^2 = \left[ \ln\left| \frac{(x+2)^2}{x+3} \right| \right]_0^2$$

$$= \ln\frac{16}{5} - \ln\frac{4}{3} = 4\ln 2 - \ln 5 - 2\ln 2 + \ln 3$$

$$= \ln 2^2 + \ln\frac{3}{5} = \ln\left( 2^2 \times \frac{3}{5} \right) = \ln\frac{12}{5}$$  답 ④

## 06

$\ln x = t$로 놓으면 $\frac{dt}{dx} = \frac{1}{x}$

$x = e$일 때 $t = 1$, $x = e^5$일 때 $t = 5$이므로

$$\int_e^{e^5} \frac{\ln x}{x}dx = \int_1^5 t\, dt = \left[ \frac{1}{2}t^2 \right]_1^5 = 12$$  답 ②

## 07

$\ln x = t$로 놓으면 $\frac{1}{x}\frac{dx}{dt} = 1$,

즉 $\frac{1}{x}dx = dt$이고

$x = 1$일 때 $t = 0$, $x = a$일 때 $t = \ln a$이므로

$$f(a) = \int_1^a \frac{\ln x}{x}dx = \int_0^{\ln a} t\, dt$$

$$= \left[ \frac{1}{2}t^2 \right]_0^{\ln a} = \frac{1}{2}(\ln a)^2$$

$$f(a^4) = \frac{1}{2}(\ln a^4)^2 = \frac{1}{2}(4\ln a)^2$$

$$= 16 \times \frac{1}{2}(\ln a)^2 = 16f(a)$$

$\therefore k = 16$  답 16

## 08

$u(x) = \ln x$, $v'(x) = x^2$으로 놓으면

$u'(x) = \frac{1}{x}$, $v(x) = \frac{1}{3}x^3$이므로

$$\int_0^e x^2 \ln x\, dx = \left[ \frac{1}{3}x^3 \ln x \right]_0^e - \frac{1}{3}\int_0^e x^2 dx$$

$$= \frac{1}{3}e^3 - \frac{1}{3}\left[ \frac{1}{3}x^3 \right]_0^e$$

$$= \frac{1}{3}e^3 - \frac{1}{9}e^3$$

$$= \frac{2}{9}e^3$$  답 ⑤

## 09

$u(x)=x+2$, $v'(x)=\sin2x$로 놓으면

$u'(x)=1$, $v(x)=-\dfrac{1}{2}\cos2x$이므로

$\displaystyle\int_0^{\frac{\pi}{4}}(x+2)\sin2x\,dx$

$=\left[-\dfrac{1}{2}(x+2)\cos2x\right]_0^{\frac{\pi}{4}}+\dfrac{1}{2}\int_0^{\frac{\pi}{3}}\cos2x\,dx$

$=1+\left[\dfrac{1}{2}\sin2x\right]_0^{\frac{\pi}{4}}$

$=1+\dfrac{1}{2}=\dfrac{3}{2}$

답 ④

## 10

$\displaystyle\int_1^e f(t)\,dt=k\,(k$는 상수)로 놓으면

$f(x)=\ln x+k$

$\displaystyle\int_1^e(\ln x+k)\,dx=k$에서

$\displaystyle\int_1^e\ln x\,dx+k\int_1^e 1\,dx=k$ ······㉠

$\displaystyle\int_1^e\ln x\,dx=\left[x\ln x-x\right]_1^e$

$\qquad\qquad=(e\times1-e)-(0-1)=1$ ······㉡

㉡을 ㉠에 대입하면

$1+k\left[x\right]_1^e=1+k(e-1)=k$

$k=-\dfrac{1}{e-2}$

따라서 $f(x)=\ln x-\dfrac{1}{e-2}$이므로

$f(1)=-\dfrac{1}{e-2}$

답 ②

## 11

$\displaystyle\int_0^\pi f(t)\,dt=k$라 하면

$f(t)=1+2\sin2t+k$이므로

$k=\displaystyle\int_0^\pi(1+2\sin2t+k)\,dt$

$\quad=\left[t-\cos2t+kt\right]_0^\pi$

$\quad=(\pi-1+k\pi)-(0-1+0)=\pi+k\pi$

$k=\dfrac{\pi}{1-\pi}$

따라서 $f(t)=1+2\sin2t+\dfrac{\pi}{1-\pi}$이므로

$f\left(\dfrac{\pi}{2}\right)=1+0+\dfrac{\pi}{1-\pi}=\dfrac{1}{1-\pi}$

답 ④

## 12

$\displaystyle\int_1^x f(t)\,dt=xf(x)+e^x\ln x-\dfrac{e^x}{x}$ ······㉠

㉠의 양변에 $x=1$을 대입하면

$0=f(1)+0-e$, $f(1)=e$

또 ㉠의 양변을 $x$에 대하여 미분하면

$f(x)=f(x)+xf'(x)+e^x\ln x+\dfrac{e^x}{x}-\dfrac{e^x}{x}+\dfrac{e^x}{x^2}$

$xf'(x)=-e^x\left(\ln x+\dfrac{1}{x^2}\right)$ ······㉡

㉡의 양변에 $x=1$을 대입하면

$f'(1)=-e$

$\therefore\ \dfrac{f(1)}{f'(1)}=-1$

답 ③

# 10 정적분의 활용

pp. 104~105

**01.** ①    **02.** ①    **03.** ④    **04.** ③    **05.** 130
**06.** 6

**01** $\displaystyle\lim_{n\to\infty}\sum_{k=1}^n f\left(\dfrac{2k}{n}\right)\dfrac{1}{n}=\dfrac{1}{2}\lim_{n\to\infty}\sum_{k=1}^n f\left(\dfrac{2k}{n}\right)\dfrac{2}{n}$

$=\dfrac{1}{2}\displaystyle\int_0^2 f(x)\,dx$

$=\dfrac{1}{2}\displaystyle\int_0^2(6x^2+x)\,dx$

$=\dfrac{1}{2}\left[2x^3+\dfrac{1}{2}x^2\right]_0^2$

$=\dfrac{1}{2}\times(16+2)$

$=9$

답 ①

**02** 곡선 $y=e^x$과 $x$축, $y$축 및 직선 $x=1$로 둘러싸인 도형은 오른쪽과 같다.

따라서 구하는 넓이는

$\displaystyle\int_0^1 e^x\,dx=\left[e^x\right]_0^1=e-1$

답 ①

**03** 곡선 $y=e^x$과 $y$축 및 직선 $y=2$로 둘러싸인 도형은 오른쪽과 같다.

따라서 구하는 넓이는

$\displaystyle\int_1^2\ln y\,dy=\left[y\ln y-y\right]_1^2$

$=2\ln2-1$

답 ④

**04** $\dfrac{1}{2}\displaystyle\int_0^1 e^x\,dx=\dfrac{1}{2}a$

$\therefore\ e-1=a$

답 ③

**05** 구하는 입체도형의 부피는

$\displaystyle\int_0^5 S(x)\,dx=\int_0^5(3x^2+1)\,dx=\left[x^3+x\right]_0^5=130$

답 130

**06** $\dfrac{dx}{dt}=-3\sin t$, $\dfrac{dy}{dt}=3\cos t$이므로 구하는 곡선의 길이는

$\displaystyle\int_0^{2\pi}\sqrt{\left(\dfrac{dx}{dt}\right)^2+\left(\dfrac{dy}{dt}\right)^2}\,dt$

$$= \int_0^{2\pi} \sqrt{(-3\sin t)^2 + (3\cos t)^2} \, dt$$

$$= \int_0^{2\pi} \sqrt{9(\sin^2 t + \cos^2 t)} \, dt$$

$$= \int_0^{2\pi} 3 \, dt$$

$$= \Big[ 3t \Big]_0^{2\pi} = 6\pi$$

$$\therefore a = 6 \qquad\qquad \text{답 } 6$$

**기출유형 01**

**Act①** $\lim\limits_{n\to\infty} \sum\limits_{k=1}^{n} f\left(a + \dfrac{p}{n}k\right) \times \dfrac{p}{n} = \int_a^{a+p} f(x)dx$ 임을 이용하여 주어진 식을 정적분으로 나타낸다.

$$\lim_{n\to\infty} \sum_{k=1}^{n} f\left(1 + \frac{2k}{n}\right)\frac{2}{n} = \int_1^3 f(x)dx = \int_1^3 \frac{1}{x}dx$$

$$= \Big[ \ln|x| \Big]_1^3 = \ln 3 \qquad\qquad \text{답 } ②$$

**[다른 풀이]**

$$\lim_{n\to\infty} \sum_{k=1}^{n} f\left(1 + \frac{2k}{n}\right)\frac{2}{n} = \int_0^2 f(1+x)dx = \int_0^2 \frac{1}{1+x}dx$$

$$= \Big[ \ln|1+x| \Big]_0^2 = \ln 3$$

**01** **Act①** $\lim\limits_{n\to\infty} \sum\limits_{k=1}^{n} f\left(a + \dfrac{p}{n}k\right) \times \dfrac{p}{n} = \int_a^{a+p} f(x)dx$ 임을 이용하여 주어진 식을 정적분으로 나타낸다.

$$\lim_{n\to\infty} \sum_{k=1}^{n} f\left(1 + \frac{2k}{n}\right)\frac{1}{n} = \frac{1}{2}\lim_{n\to\infty} \sum_{k=1}^{n} f\left(1 + \frac{2}{n}k\right)\frac{2}{n}$$

$$= \frac{1}{2}\int_1^3 f(x)dx = \frac{1}{2}\int_1^3 (3x^2 + 2)dx$$

$$= \frac{1}{2}\Big[ x^3 + 2x \Big]_1^3 = \frac{1}{2} \times (33 - 3) = 15 \qquad \text{답 } ②$$

**02** **Act①** $\lim\limits_{n\to\infty} \sum\limits_{k=1}^{n} f\left(a + \dfrac{p}{n}k\right) \times \dfrac{p}{n} = \int_a^{a+p} f(x)dx$ 임을 이용하여 주어진 식을 정적분으로 나타낸다.

$$\lim_{n\to\infty} \frac{1}{n}\sum_{k=1}^{n} f\left(1 + \frac{2k}{n}\right) = \frac{1}{2}\lim_{n\to\infty} \sum_{k=1}^{n} f\left(1 + \frac{2k}{n}\right)\frac{2}{n}$$

$$= \frac{1}{2}\int_1^3 f(x)dx$$

$$= \frac{1}{2}\Big[ x^3 - 2x^2 + 6x \Big]_1^3$$

$$= 11 \qquad\qquad \text{답 } ③$$

**03** **Act①** 합의 기호 $\sum$를 이용하여 간단히 나타낸 후 $\lim\limits_{n\to\infty} \sum\limits_{k=1}^{n} f\left(a + \dfrac{p}{n}k\right) \times \dfrac{p}{n} = \int_a^{a+p} f(x)dx$를 이용한다.

$$\lim_{n\to\infty} \frac{\sqrt{1} + \sqrt{2} + \cdots + \sqrt{n}}{n\sqrt{n}}$$

$$= \lim_{n\to\infty} \frac{1}{n}\left(\sqrt{\frac{1}{n}} + \sqrt{\frac{2}{n}} + \cdots + \sqrt{\frac{n}{n}}\right)$$

$$= \lim_{n\to\infty} \sum_{k=1}^{n} \sqrt{\frac{k}{n}} \times \frac{1}{n}$$

$$= \int_0^1 \sqrt{x} \, dx$$

$$= \Big[ \frac{2}{3}x^{\frac{3}{2}} \Big]_0^1 = \frac{2}{3} \qquad\qquad \text{답 } ④$$

**04** **Act①** 합의 기호 $\sum$를 이용하여 간단히 나타낸 후 $\lim\limits_{n\to\infty} \sum\limits_{k=1}^{n} f\left(a + \dfrac{p}{n}k\right) \times \dfrac{p}{n} = \int_a^{a+p} f(x)dx$를 이용한다.

$$\lim_{n\to\infty} \frac{1}{n}\ln\left(\frac{n+1}{n} \times \frac{n+2}{n} \times \frac{n+3}{n} \times \cdots \times \frac{2n}{n}\right)$$

$$= \lim_{n\to\infty} \frac{1}{n}\left(\ln\frac{n+1}{n} + \ln\frac{n+2}{n} + \ln\frac{n+3}{n} + \cdots + \ln\frac{2n}{n}\right)$$

$$= \lim_{n\to\infty} \frac{1}{n}\left(\sum_{k=1}^{n} \ln\frac{n+k}{n}\right)$$

$$= \lim_{n\to\infty} \sum_{k=1}^{n} \ln\left(1 + \frac{k}{n}\right) \times \frac{1}{n}$$

$$= \int_1^2 \ln x \, dx$$

$$= \Big[ x\ln x - x \Big]_1^2$$

$$= 2\ln 2 - 1 \qquad\qquad \text{답 } ③$$

**기출유형 02**

**Act①** 넓이는 양수이므로 닫힌구간 $[a, b]$에서 $f(x) \geq 0$이면 $S = \int_a^b f(x)dx$, $f(x) \leq 0$이면 $S = -\int_a^b f(x)dx$임을 이용한다.

곡선 $y = \sqrt{x} - 3$의 그래프는 그림과 같다.

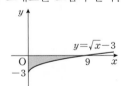

곡선 $y = \sqrt{x} - 3$과 $x$축이 만나는 점의 $x$좌표는 9이므로 구하는 넓이는

$$\int_0^9 |\sqrt{x} - 3| \, dx = \int_0^9 (-\sqrt{x} + 3)dx = \Big[ -\frac{2}{3}x^{\frac{3}{2}} + 3x \Big]_0^9 = 9$$

$$\text{답 } ⑤$$

**05** **Act①** 넓이는 양수이므로 닫힌구간 $[a, b]$에서 $g(y) \geq 0$이면 $S = \int_a^b g(y)dy$, $g(y) \leq 0$이면 $S = -\int_a^b g(y)dy$임을 이용한다.

$y = \ln(x - 2)$에서 $x - 2 = e^y$,

즉 $x = e^y + 2$

곡선 $y = \ln(x - 2)$와 $x$축, $y$축 및 직선 $y = 1$로 둘러싸인 도형은 그림과 같다.

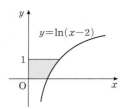

따라서 구하는 넓이는

$$\int_0^1 x\,dy = \int_0^1 (e^y+2)\,dy$$
$$= \left[\, e^y + 2y \,\right]_0^1$$
$$= (e+2)-1$$
$$= e+1 \qquad\qquad\qquad \text{답 ③}$$

**06** **Act❶** 넓이는 양수이므로 닫힌구간 $[a,\ b]$에서 $f(x)\geq 0$이면 $S=\int_a^b f(x)\,dx$, $f(x)\leq 0$이면 $S=-\int_a^b f(x)\,dx$임을 이용한다.

$0\leq x\leq\dfrac{\pi}{2}$에서 $\sin^2 x\cos x=0$의 해를 구하면

$x=0$ 또는 $x=\dfrac{\pi}{2}$

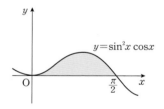

$0\leq x\leq\dfrac{\pi}{2}$일 때 $\sin^2 x\cos x\geq 0$이므로 구하는 넓이는

$$\int_0^{\frac{\pi}{2}} |\sin^2 x\cos x|\,dx = \int_0^{\frac{\pi}{2}} \sin^2 x\ \cos x\ dx$$

$\sin x=t$로 놓고 양변을 $x$에 대하여 미분하면

$$\cos x = \frac{dt}{dx}$$

$x=0$일 때 $t=0$, $x=\dfrac{\pi}{2}$일 때 $t=1$이므로

$$\int_0^{\frac{\pi}{2}} \sin^2 x\cos x\ dx = \int_0^1 t^2\,dt$$
$$= \left[\, \frac{1}{3}t^3 \,\right]_0^1$$
$$= \frac{1}{3} \qquad\qquad\qquad \text{답 ②}$$

**07** **Act❶** $y=|\sin 2x|$의 그래프는 주기가 $\pi$인 $y=\sin 2x$의 그래프의 $x$축 아랫부분을 꺾어 올린 그래프이다.

$y=|\sin 2x|$와 $x$축의 교점의 $x$좌표는 $x=\dfrac{\pi}{2}$, $x=\pi$이므로 $y=|\sin 2x|+1$의 그래프는 다음과 같다.

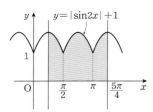

따라서 곡선과 $x$축 및 두 직선 $x=\dfrac{\pi}{4}$, $x=\dfrac{5\pi}{4}$로 둘러싸인 부분의 넓이는

$$\int_{\frac{\pi}{4}}^{\frac{\pi}{2}} (\sin 2x+1)\,dx + \int_{\frac{\pi}{4}}^{\pi} (-\sin 2x+1)\,dx$$
$$+ \int_{\pi}^{\frac{5\pi}{4}} (\sin 2x+1)\,dx$$
$$= 4\int_0^{\frac{\pi}{4}} (\sin 2x+1)\,dx$$
$$= 4\left[\, -\frac{1}{2}\cos 2x + x \,\right]_0^{\frac{\pi}{4}}$$
$$= 4\left\{ -\frac{1}{2}\cos\frac{\pi}{2} + \frac{\pi}{4} - \left(-\frac{1}{2}\right) \right\} = \pi+2 \qquad \text{답 ③}$$

**08** **Act❶** 곡선과 $y$축 사이의 넓이를 구하기 어려울 때는 직사각형의 넓이에서 곡선과 $x$축 사이의 넓이를 뺀다.

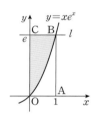

4개의 점 $O(0,\ 0)$, $A(1,\ 0)$, $B(1,\ e)$, $C(0,\ e)$를 꼭짓점으로 하는 직사각형의 넓이는

$1\times e = e$

이고, 곡선 $y=xe^x$과 $x$축 및 직선 $x=1$로 둘러싸인 도형의 넓이는

$$\int_0^1 xe^x\,dx = \left[\, xe^x \,\right]_0^1 - \int_0^1 e^x\ dx$$
$$= e-(e-1) = 1$$

이므로 구하는 도형의 넓이는 $e-1$이다. 답 ⑤

**기출유형 03**

**Act❶** {(위쪽 그래프의 식)$-$(아래쪽 그래프의 식)}의 정적분의 값을 구한다.

$$\int_0^1 \left\{ \left( \sin\frac{\pi}{2}x \right) - (2^x-1) \right\}dx$$
$$= \left[\, -\frac{2}{\pi}\cos\frac{\pi}{2}x \,\right]_0^1 - \left[\, 2^x \frac{1}{\ln 2} \,\right]_0^1 + \left[\, x \,\right]_0^1$$
$$= \frac{2}{\pi} - \frac{1}{\ln 2} + 1 \qquad\qquad \text{답 ②}$$

**09** **Act❶** 두 곡선의 교점의 $x$좌표를 구한 후 {(위쪽 그래프의 식)$-$(아래쪽 그래프의 식)}의 정적분의 값을 구한다.

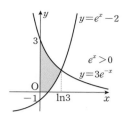

두 곡선의 교점의 $x$좌표는 $e^x-2=3e^{-x}$에서
$e^2x-2e^x-3=0$, $(e^x+1)(e^x-3)=0$, $e^x>0$이므로 $e^x=3$
$\therefore x=\ln 3$
$\int_0^{\ln3} \{3e^{-x}-(e^x-2)\}dx=\left[-3e^{-x}-e^x+2x\right]_0^{\ln3}=2\ln3$

답 ③

**10** Act1 두 곡선의 교점의 $x$좌표를 구한 후 {(위쪽 그래프의 식)−(아래쪽 그래프의 식)}의 정적분의 값을 구한다.

두 곡선의 교점의 $x$좌표는
$2^x=2^{-x}$에서 $x=0$

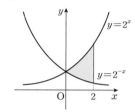

$\int_0^2 \left(2^x-2^{-x}\right)dx$
$=\left[\dfrac{2^x}{\ln2}+\dfrac{2^{-x}}{\ln2}\right]_0^2$
$=\dfrac{9}{4\ln2}$

답 ④

**11** Act1 색칠한 부분의 넓이는 직선 $y=a$와 $x$축으로 둘러싸인 도형의 넓이의 2배가 됨을 이용하여 $a$의 값을 구한다.

$\int_0^{\frac{\pi}{12}} \cos2x\,dx=2\times\left(\dfrac{\pi}{12}\right)\times a$이므로
$\left[\dfrac{1}{2}\sin2x\right]_0^{\frac{\pi}{12}}=\dfrac{a}{6}\pi$
$\dfrac{1}{4}=\dfrac{a}{6}\pi$  $\therefore a=\dfrac{3}{2\pi}$

답 ③

**12** Act1 $A$, $B$의 넓이가 같고 $A$, $B$ 영역의 아래쪽에 있는 도형은 공통이므로 $\int_0^1 (-2x+a)dx=\int_0^1 e^{2x}dx$이다.

곡선 $y=e^{2x}$과 직선 $y=-2x+a$, $x$축, $y$축, $x=1$로 둘러싸인 도형을 $C$라 하자.
도형 $A$, $B$, $C$의 넓이를 각각 $S_A$, $S_B$, $S_C$라 놓으면
$S_A=S_B$이므로
$S_A+S_C=S_B+S_C$,
즉 $\int_0^1 (-2x+a)dx=\int_0^1 e^{2x}2x\,dx$
이다.
$\int_0^1 (-2x+a)dx=\left[-x^2+ax\right]_0^1=-1+a$,

$\int_0^1 e^{2x}dx=\left[\dfrac{1}{2}e^{2x}\right]_0^1=\dfrac{e^2-1}{2}$
이므로
$-1+a=\dfrac{e^2-1}{2}$  $\therefore a=\dfrac{e^2+1}{2}$

답 ①

**기출유형 04**

Act1 닫힌구간 $[a, b]$에서 $x$좌표가 $x$인 점을 지나고 $x$축에 수직인 평면으로 잘랐을 때의 단면의 넓이가 $S(x)$인 입체도형의 부피는 $\int_a^b S(x)dx$임을 이용한다.

$x$축에 수직인 평면으로 자른 단면의 넓이를 $S(x)$라 하면
$S(x)=\dfrac{\sqrt{3}}{4}\left(3x+\dfrac{2}{x}\right)^2=\dfrac{\sqrt{3}}{4}\left(9x^2+12+\dfrac{x^2}{4}\right)$
따라서 구하는 부피는
$\int_1^2 S(x)dx=\int_1^2 \dfrac{\sqrt{3}}{4}\left(9x^2+12+\dfrac{4}{x^2}\right)dx$
$=\dfrac{\sqrt{3}}{4}\left[3x^3+12x-\dfrac{4}{x}\right]_1^2$
$=\dfrac{35\sqrt{3}}{4}$

답 ①

**13** Act1 닫힌구간 $[a, b]$에서 $x$좌표가 $x$인 점을 지나고 $x$축에 수직인 평면으로 잘랐을 때의 단면의 넓이가 $S(x)$인 입체도형의 부피는 $\int_a^b S(x)dx$임을 이용한다.

$x$축에 수직인 평면으로 자른 단면의 넓이를 $S(x)$라 하면
$S(x)=(\sqrt{x}+1)^2=x+2\sqrt{x}+1$
따라서 구하는 부피는
$\int_0^1 S(x)dx=\int_0^1 (x+2\sqrt{x}+1)dx$
$=\left[\dfrac{1}{2}x^2+\dfrac{4}{3}x\sqrt{x}+x\right]_0^1$
$=\dfrac{1}{2}+\dfrac{4}{3}+1=\dfrac{17}{6}$

답 ④

**14** Act1 닫힌구간 $[a, b]$에서 $x$좌표가 $x$인 점을 지나고 $x$축에 수직인 평면으로 잘랐을 때의 단면의 넓이가 $S(x)$인 입체도형의 부피는 $\int_a^b S(x)dx$임을 이용한다.

$x$축에 수직인 평면으로 자른 단면의 넓이를 $S(x)$라 하면
$S(x)=\left\{\sqrt{x+\dfrac{\pi}{4}\sin\left(\dfrac{\pi}{2}x\right)}\right\}^2$
따라서 구하는 부피는
$\int_1^4 S(x)dx=\int_1^4 x+\dfrac{\pi}{4}\sin\left(\dfrac{\pi}{2}x\right)dx$
$=\left[\dfrac{1}{2}x^2-\dfrac{1}{2}\cos\left(\dfrac{\pi}{2}x\right)\right]_1^4=7$

답 7

**기출유형 05**

Act1 좌표평면 위를 움직이는 점 P의 시각 $t$에서의 위치 $(x, y)$가 $x=f(t)$, $y=g(t)$일 때, 시각 $t=a$에서 $t=b$까지 점 P가 움

직인 거리는 $\int_a^b \sqrt{\{f'(t)\}^2+\{g'(t)\}^2}\,dt$임을 이용한다.

$\dfrac{dx}{dt}=\cos t-\sqrt{3}\sin t$, $\dfrac{dy}{dt}=-\sin t-\sqrt{3}\cos t$이므로

$t=0$에서 $t=\pi$까지 점 P가 움직인 거리는

$\displaystyle\int_0^\pi \sqrt{\left(\dfrac{dx}{dt}\right)^2+\left(\dfrac{dy}{dt}\right)^2}\,dt$

$=\displaystyle\int_0^\pi \sqrt{(\cos t-\sqrt{3}\sin t)^2+(-\sin t-\sqrt{3}\cos t)^2}\,dt$

$=\displaystyle\int_0^\pi \sqrt{4(\sin^2 t+\cos^2 t)}\,dt=\int_0^\pi 2\,dt$

$=\Big[\,2t\,\Big]_0^\pi=2\pi$ 

답 ④

**15** Act① 좌표평면 위를 움직이는 점 P의 시각 $t$에서의 위치 $(x,y)$가 $x=f(t)$, $y=g(t)$일 때, 시각 $t=a$에서 $t=b$까지 점 P가 움직인 거리는 $\int_a^b \sqrt{\{f'(t)\}^2+\{g'(t)\}^2}\,dt$임을 이용한다.

$\dfrac{dx}{dt}=t-1$, $\dfrac{dy}{dt}=\dfrac{4}{3}\times\dfrac{3}{2}t^{\frac{1}{2}}=2\sqrt{t}$이므로

$t=0$에서 $t=4$까지 점 P가 움직인 거리는

$\displaystyle\int_0^4 \sqrt{\left(\dfrac{dx}{dt}\right)^2+\left(\dfrac{dy}{dt}\right)^2}\,dt=\int_0^4 \sqrt{(t-1)^2+(2\sqrt{t})^2}\,dt$

$=\displaystyle\int_0^4 \sqrt{(t+1)^2}\,dt$

$=\displaystyle\int_0^4 (t+1)\,dt$

$=\Big[\,\dfrac{1}{2}t^2+t\,\Big]_0^4=12$ 

답 12

**16** Act① 좌표평면 위를 움직이는 점 P의 시각 $t$에서의 위치 $(x,y)$가 $x=f(t)$, $y=g(t)$일 때, 시각 $t=a$에서 $t=b$까지 점 P가 움직인 거리는 $\int_a^b \sqrt{\{f'(t)\}^2+\{g'(t)\}^2}\,dt$임을 이용한다.

$\dfrac{dx}{dt}=-e^{-t}\sin t+e^{-t}\cos t=-e^{-t}(\sin t-\cos t)$,

$\dfrac{dy}{dt}=-e^{-t}\cos t-e^{-t}\sin t=-e^{-t}(\cos t+\sin t)$

이므로

$t=0$

에서 $t=2$까지 점 P가 움직인 거리는

$\displaystyle\int_0^2 \sqrt{\left(\dfrac{dx}{dt}\right)^2+\left(\dfrac{dy}{dt}\right)^2}\,dt$

$=\displaystyle\int_0^2 \sqrt{(-e^{-t})^2\{(\sin t-\cos t)^2+(\cos t+\sin t)^2\}}\,dt$

$=\displaystyle\int_0^2 \sqrt{2}\,e^{-t}dt=\sqrt{2}\int_0^2 e^{-t}dt$

$=\sqrt{2}\Big[\,-e^{-t}\,\Big]_0^2$

$=\sqrt{2}\left(1-\dfrac{1}{e^2}\right)$ 

답 ④

**17** Act① 좌표평면 위를 움직이는 점 P의 시각 $t$에서의 위치 $(x,y)$가 $x=f(t)$, $y=g(t)$일 때, 시각 $t=a$에서 $t=b$까지 점 P의 속도는 $(f'(t),g'(t))$, 속도의 크기는 $\sqrt{\{f'(t)\}^2+\{g'(t)\}^2}$,

움직인 거리는 $\int_a^b \sqrt{\{f'(t)\}^2+\{g'(t)\}^2}\,dt$임을 이용한다.

점 P의 속도는 $(f'(t),g'(t))=(1-2\sin t,\sqrt{3}\cos t)$

ㄱ. $t=\dfrac{\pi}{2}$일 때, 점 P의 속도는 $(-1,0)$이다. (참)

ㄴ. 속도의 크기, 즉 속력은

$\sqrt{\{f'(t)\}^2+\{g'(t)\}^2}$

$=\sqrt{\sin^2 t-4\sin t+4}$

$=\sqrt{(\sin t-2)^2}$

$=|\sin t-2|=2-\sin t$

이므로 $t=\dfrac{\pi}{2}$일 때, 최솟값 1을 갖는다. (참)

ㄷ. 점 P가 $t=\pi$에서 $t=2\pi$까지 움직인 거리는

$\displaystyle\int_\pi^{2\pi} \sqrt{\{f'(t)\}^2+\{g'(t)\}^2}\,dt$

$=\displaystyle\int_\pi^{2\pi} (2-\sin t)\,dt$

$=\Big[\,2t+\cos t\,\Big]_\pi^{2\pi}=2\pi+2$ (참)

따라서 옳은 것은 ㄱ, ㄴ, ㄷ이다. 

답 ⑤

**기출유형 06**

Act① 곡선 $x=f(t)$, $y=g(t)$ $(a\le t\le b)$의 길이는 $\int_a^b \sqrt{\{f'(t)\}^2+\{g'(t)\}^2}\,dt$임을 이용한다.

$\dfrac{dx}{dt}=6t$, $\dfrac{dy}{dt}=3-3t^2$이므로 구하는 곡선의 길이는

$\displaystyle\int_{-\sqrt{2}}^{\sqrt{2}} \sqrt{\left(\dfrac{dx}{dt}\right)^2+\left(\dfrac{dy}{dt}\right)^2}\,dt$

$=\displaystyle\int_{-\sqrt{2}}^{\sqrt{2}} \sqrt{(6t)^2+(3-3t^2)^2}\,dt$

$=\displaystyle\int_{-\sqrt{2}}^{\sqrt{2}} \sqrt{9(t^2+1)^2}\,dt$

$=\displaystyle\int_{-\sqrt{2}}^{\sqrt{2}} 3(t^2+1)\,dt$

$=6\displaystyle\int_0^{\sqrt{2}} (t^2+1)\,dt$

$=6\Big[\,\dfrac{t^3}{3}+t\,\Big]_0^{\sqrt{2}}=10\sqrt{2}$ 

답 ⑤

**18** Act① 곡선 $x=f(t)$, $y=g(t)$ $(a\le t\le b)$의 길이는 $\int_a^b \sqrt{\{f'(t)\}^2+\{g'(t)\}^2}\,dt$임을 이용한다.

$\dfrac{dx}{dt}=\dfrac{1}{t}$, $\dfrac{dy}{dt}=\dfrac{1}{2}\left(1-\dfrac{1}{t^2}\right)$

이므로 구하는 곡선의 길이는

$\displaystyle\int_1^2 \sqrt{\left(\dfrac{dx}{dt}\right)^2+\left(\dfrac{dy}{dt}\right)^2}\,dt$

$=\displaystyle\int_1^2 \sqrt{\left(\dfrac{1}{t}\right)^2+\left\{\dfrac{1}{2}\left(1-\dfrac{1}{t^2}\right)\right\}^2}\,dt$

$=\displaystyle\int_1^2 \sqrt{\dfrac{1}{2}\left(1+\dfrac{1}{t^2}\right)^2}\,dt$

$=\displaystyle\int_1^2 \dfrac{1}{2}\left(1+\dfrac{1}{t^2}\right)\,dt$

$$= \frac{1}{2}\int_2^1\left(1+\frac{1}{t^2}\right)dt$$
$$= \frac{1}{2}\left[t-\frac{1}{t}\right]_1^2$$
$$= \frac{3}{4}$$
답 ①

**19** Act① 곡선 $y=f(x)$ $(a\le x\le b)$의 길이는

$\int_a^b\sqrt{1+\{f'(x)\}^2}\,dx$임을 이용한다.

$y'=\frac{1}{4}x-\frac{1}{x}$이므로 곡선의 길이는

$$\int_1^e\sqrt{1+\{f'(x)\}^2}\,dx$$
$$= \int_1^e\sqrt{1+\left(\frac{1}{4}x-\frac{1}{x}\right)^2}\,dx$$
$$= \int_1^e\sqrt{\left(\frac{1}{4}x+\frac{1}{x}\right)^2}\,dx$$
$$= \int_1^e\left(\frac{1}{4}x+\frac{1}{x}\right)dx$$
$$= \left[\frac{1}{8}x^2+\ln|x|\right]_1^e$$
$$= \frac{1}{8}e^2+\frac{7}{8}$$

즉, $ae^2+b=\frac{1}{8}e^2+\frac{7}{8}$이므로

$a=\frac{1}{8}$, $b=\frac{7}{8}$ $\therefore \frac{b}{a}=7$
답 ⑤

**20** Act① 곡선 $y=f(x)$ $(a\le x\le b)$의 길이는

$\int_a^b\sqrt{1+\{f'(x)\}^2}\,dx$임을 이용한다.

$y'=\frac{1}{4}e^{2x}-\frac{1}{2}e^{-2x}$이므로 구하는 곡선의 길이는

$$\int_0^{\ln2}\sqrt{1+\{f'(x)\}^2}\,dx$$
$$= \int_0^{\ln2}\sqrt{1+\left(\frac{1}{4}e^{2x}-e^{-2x}\right)^2}\,dx$$
$$= \int_0^{\ln2}\sqrt{\left(\frac{1}{4}e^{2x}+e^{-2x}\right)^2}\,dx$$
$$= \int_0^{\ln2}\left(\frac{1}{4}e^{2x}+e^{-2x}\right)dx$$
$$= \left[\frac{1}{8}e^{2x}-\frac{1}{2}e^{-2x}\right]_0^{\ln2}$$
$$= \frac{1}{8}e^{2\ln2}-\frac{1}{2}e^{2\ln2}-\left(\frac{1}{8}-\frac{1}{2}\right)$$
$$= \frac{1}{8}\times4-\frac{1}{2}\times\frac{1}{4}-\frac{1}{8}+\frac{1}{2}$$
$$= \frac{3}{4}$$
답 ⑤

**21** Act① 곡선 $y=f(x)$ $(a\le x\le b)$의 길이는

$\int_a^b\sqrt{1+\{f'(x)\}^2}\,dx$임을 이용한다.

$y'=\frac{1}{2}\sqrt{x}$이므로

$$l=\int_0^{12}\sqrt{1+\{f'(x)\}^2}\,dx$$

$$= \int_0^{12}\sqrt{1+\frac{x}{4}}\,dx$$

$1+\frac{x}{4}=t$로 놓으면 $\frac{1}{4}=\frac{dt}{dx}$

$x=0$일 때 $t=1$, $x=12$일 때 $t=4$이므로

$$\int_0^{12}\sqrt{1+\frac{x}{4}}\,dx=\int_1^4 4\sqrt{t}\,dt$$
$$= \frac{8}{3}\left[t\sqrt{t}\right]_1^4$$
$$= \frac{8}{3}\times(8-1)=\frac{56}{3}$$

$\therefore 3l=56$
답 56

## VIT  Very Important Test  p. 112

**01.** ④　　**02.** 32　　**03.** ⑤　　**04.** ①　　**05.** ⑤
**06.** 7

## 01

$\frac{k}{n}\longrightarrow x$, $\frac{1}{n}\longrightarrow dx$로 바꾸면

$$\lim_{n\to\infty}\sum_{k=1}^n\frac{1}{n}f\left(\frac{3k}{n}\right)=\lim_{n\to\infty}\sum_{k=1}^n f\left(\frac{3k}{n}\right)\times\frac{1}{n}$$
$$= \int_0^1 f(3x)\,dx$$
$$= \int_0^1(9x^2+3ax+1)\,dx$$
$$= \left[3x^3+\frac{3}{2}ax^2+x\right]_0^1=3+\frac{3}{2}a+1$$

즉 $\frac{3}{2}a+4=10$이므로 $a=4$
답 ④

## 02

$\frac{1}{3}x=4-y^2$에서 $x=12-3y^2$이고

$x=0$에서 $y=\pm2$

$$\int_{-2}^2|12-3y^2|\,dy=\int_{-2}^2(12-3y^2)\,dy$$
$$= 2\int_0^2(12-3y^2)\,dy$$
$$= 2\left[12y-y^3\right]_0^2=2\{(24-8)-0\}=32$$
답 32

## 03

두 곡선의 교점의 $x$좌표는
$e^x=e^{-x}$에서 $e^{2x}=1$
$\therefore x=0$
닫힌구간 $[0, 1]$에서 $e^{-x}\le e^x$이므로 구하는 도형의 넓이는

$$\int_0^1(e^x-e^{-x})\,dx=\left[e^x+e^{-x}\right]_0^1$$
$$= e+\frac{1}{e}-2$$
답 ⑤

## 04

$x$축에 수직인 평면으로 이 입체를 잘랐을 때의 단면은 한 변의 길이가 $2\sqrt{1-x^2}$인 정삼각형이므로 단면의 넓이 $S(x)$는

$$S(x)=\frac{\sqrt{3}}{4}(2\sqrt{1-x^2})^2=\sqrt{3}(1-x^2)$$

따라서 구하는 입체도형의 부피 $V$는

$$V=2\int_0^1 \sqrt{3}(1-x^2)dx$$
$$=2\sqrt{3}\left[x-\frac{1}{3}x^3\right]_0^1=\frac{4\sqrt{3}}{3}$$

답 ①

## 05

$\dfrac{dx}{dt}=e^t(\cos t-\sin t)$, $\dfrac{dy}{dt}=e^t(\sin t+\cos t)$이므로

$t=0$에서 $t=3\pi$까지 점 P가 움직인 거리는

$$\int_0^{3\pi} e^t\sqrt{(\cos t-\sin t)^2+(\cos t+\sin t)^2}\,dt$$
$$=\int_0^{3\pi}\sqrt{2}\,e^t dt=\left[\sqrt{2}\,e^t\right]_0^{3\pi}$$
$$=\sqrt{2}(e^{3\pi}-1)$$

답 ⑤

## 06

$\dfrac{dy}{dx}=\dfrac{1}{4}x-\dfrac{1}{x}$이므로 구하는 곡선의 길이를 $l$이라 하면

$$l=\int_1^e \sqrt{1+\left(\frac{1}{4}x-\frac{1}{x}\right)^2}\,dx=\int_1^e \sqrt{\left(\frac{1}{4}x+\frac{1}{x}\right)^2}\,dx$$
$$=\int_1^e \left(\frac{1}{4}x+\frac{1}{x}\right)dx=\left[\frac{1}{8}x^2+\ln|x|\right]_1^e=\frac{1}{8}e^2+\frac{7}{8}$$

즉 $ae^2+b=\dfrac{1}{8}e^2+\dfrac{7}{8}$이므로

$$a=\frac{1}{8}, \; b=\frac{7}{8}$$
$$\therefore \frac{b}{a}=7$$

답 7

참 쉬운 3장 수학